87

LA POESÍA DE MIGUEL HERNÁNDEZ

BIBLIOTECA ROMÁNICA HISPÁNICA

Dirigida por Dámaso Alonso

II. ESTUDIOS Y ENSAYOS

JUAN CANO BALLESTA

LA POESÍA DE
MIGUEL HERNÁNDEZ

BIBLIOTECA ROMÁNICA HISPÁNICA
EDITORIAL GREDOS
MADRID

© Editorial Gredos, Madrid, 1962.

N.º de Registro: 164-63. — Depósito Legal: M. 1391-1963

Gráficas Cóndor, S. A. — Aviador Lindbergh, 5. — Madrid-2   1806-63

En su redacción primitiva, que ha sido ampliamente refundida y enriquecida con nueva bibliografía, fue presentada esta obra, como tesis doctoral, a la Facultad de Filosofía de la Universidad de Munich (Baviera). El autor se complace en manifestar aquí su honda gratitud a todos los que le ayudaron y alentaron en su trabajo.

Introducción

LA ESTRUCTURA DE LA OBRA LITERARIA

La obra literaria no es idéntica —como pretende el psicologismo— con las vivencias del poeta durante la creación artística, ni tampoco se reduce al haz de vivencias suscitadas en el lector. La crítica husserliana del psicologismo desborda con Roman Ingarden el ámbito meramente filosófico y se extiende al campo de la literatura. La obra de arte literaria comienza a ser considerada como ser trascendental con plena objetividad y ónticamente independiente del autor. Deja de ser mero acontecer fenomenológico para afirmar su realidad óntica, reconociéndose como algo "diverso e intrínsecamente diferente de sus *concretizaciones* en la experiencia estética del lector" [1]. Será algo objetivo que subsiste en sí mismo, pero que sólo alcanza su plena actualización a través del lector.

Ingarden, frente a la concepción de Croce y Vossler, que consideran la poesía como pura individualidad, ha aportado las pruebas de la efectiva existencia de una estructura general en toda obra literaria. Tal estructura, que subsiste realmente, no es necesariamente percibida por el lector en la actualización estética de la obra poética, sino que es de ordinario pasada por alto y sólo se evidencia ante la reflexión fenomenológica.

---

[1] Martínez Bonati, p. 36.

La obra de arte literaria es "una entidad constituida por varios estratos heterogéneos" [2]. Cada estrato consta de un material característico con valores propios, y desempeña una función específica en la estructura del conjunto; y todos se hallan internamente relacionados y tan íntimamente fusionados, que ningún estrato tendría verdadera razón de ser por sí solo. Todos juntos constituyen el organismo vivo de la obra literaria, en que cada elemento cumple una misión propia y con sus valores peculiares presta un colorido especial al carácter general de la obra. La entidad así formada goza de gran riqueza y variedad de elementos artísticos y posee, por tanto, un carácter esencialmente polifónico.

Esta opinión es compartida por Jacques-G. Krafft en *La forme et l'idée en poésie,* quien compara la estructura de la obra literaria al contrapunto musical. Las diversas voces: ritmo, eufonía de las palabras, juego de vocales, la pura idea, el eco inconsciente o la atmósfera sugerida, se combinan mutuamente formando el acorde polifónico de la poesía. Al igual que en el contrapunto, cada voz enriquece y hace subir de grado los valores estéticos del conjunto, no sólo por los elementos propios que aporta, sino también por la nueva armonía resultante del entrecruce y la combinación de las diversas voces. Krafft considera la poesía como una polifonía de once voces. Nosotros no creemos se pueda reducir a un número determinado la rica variedad de los elementos artísticos de un poema.

Siguiendo a Ingarden vamos a considerar los diversos estratos de la obra de arte literaria. El primero con que tropezamos es *el estrato de los elementos fónicos del lenguaje,* o sea, la cobertura externa de la palabra, prescindiendo del significado de que es portadora. A él pertenecen el ritmo y la rica gama de vocales y consonantes que constituyen la base sensorialmente perceptible del lenguaje. La función fundamental de los elementos fónicos es el

---

[2] INGARDEN, p. 24.

ser soporte de un significado. Los sonidos del lenguaje constituyen un estrato-base, imprescindible en la obra literaria, cuya polifonía enriquecen con sus valores estéticos específicos. En el capítulo VI consideraremos los aspectos más notables de este estrato.

Para que el elemento fónico se convierta en palabra debe albergar en sí un significado. Las palabras, en sí o en sus combinaciones como frases o series de frases, forman *el estrato de las unidades de significación.* Heidegger ha definido la poesía como "fundación por la palabra y en la palabra" (Stiftung durch das Wort und im Wort) [3]. La obra literaria consta sólo de palabras, y de otros elementos, como ideas y sentimientos, sólo en cuanto éstos se revelan a través de la palabra. Las palabras se combinan en frases, y éstas entre sí, constituyendo conjuntos mayores que, sin embargo, sólo representan partes relacionadas y orientadas estructuralmente al conjunto. A las unidades de significación pertenecen bajo algunos aspectos la metáfora y el símbolo, en que palabras sueltas o conjuntos de ellas son sustituidas por otras de mayor vitalidad, impregnadas de una fuerza emocional o sugestiva especial. Este estrato aporta a la obra literaria cualidades estéticas peculiares, que enriquecen su polifonía y constituyen la base y fuente de muchos otros valores artísticos, ya que el estrato de las unidades de significación constituye "el armazón y soporte estructural de toda la obra". En los capítulos III, IV y V investigaremos algunos aspectos de este estrato en la obra de Miguel Hernández.

Los objetos esbozados por las unidades de significación son incorporados al *estrato de las objetividades representadas.* A él pertenecen espacio, tiempo, cosas, acontecimientos, personas y su destino. Éste es el más conocido de todos los estratos, ya que el lector ordinario —pasando con frecuencia por alto los otros estratos— tiende a concentrar su interés sobre todo lo representado

---

[3] *Erläuterungen zur Hölderlins Dichtung,* p. 38.

como tal. Este estrato debe "representar tan perfectamente los objetos reproducidos, que casi se llegue a olvidar que se trata de meras representaciones y no de los mismos objetos" [4].

A este fin conducen *los aspectos esquematizados de las objetividades representadas* que no solamente exponen los objetos ante nuestros ojos, sino que los presentan de modo captable a nuestras facultades sensoriales. De todos los posibles aspectos sensibles del objeto, seleccionamos algunos de peculiar importancia para la finalidad de la obra literaria, a través de los cuales los objetos adquieren singular relieve y se imponen a nuestros sentidos, presentándose como en fotografías, desbordantes de vida y naturalidad, tomadas por fotógrafos de extraordinario talento artístico. Pero estos *cortes de la realidad* aparecen en la obra literaria sólo esquematizados, no como vivencias directas de una persona, sino sólo captados y diseñados en sus rasgos esenciales por los contenidos de las frases. Para que estos aspectos esquematizados se actualicen, necesitan determinados factores que nos presta en parte la obra literaria, mientras otros dependen de la actividad psíquica del lector. Estos aspectos se hallan en las imágenes, metáforas, símbolos, comparaciones, etc., "dispuestos" a su actualización por el lector. Otros numerosos elementos como los contenidos significacionales del lenguaje, los elementos fónicos, el ritmo, la riqueza del vocabulario de la lengua viva y toda la estructura arquitectónica de la obra (capítulo VII) actúan prestándoles relevancia. La mayor parte de los medios estilísticos se emplean, pues, para prestar a los objetos representados mayor vida, visibilidad y formas concretas.

Estos "aspectos esquematizados" no describen, pues, los objetos en su totalidad, sino que sólo los esbozan, sugieren y mantienen "dispuestos" para ser evocados, actualizados y vividos plenamente en la fantasía del lector. Su función consiste en mostrar

---

[4] INGARDEN, p. 247.

en su plena visibilidad y vitalidad los objetos representados y en prestarles el matiz y el colorido conveniente en vistas del efecto total de la obra, enriqueciendo con sus valores estéticos específicos, a veces de carácter decorativo, la polifonía del conjunto. Con ellos la obra literaria deja de ser un tratado abstracto y puramente conceptual, trocándose en auténtica obra de arte impregnada de vida y movimiento, y dotada de una individualidad inconfundible.

Los aspectos esquematizados están, pues, subordinados y orientados estéticamente al estrato de las objetividades representadas. Ahora bien, ¿son éstas lo supremo en la obra literaria? ¿No están ellas subordinadas a otro fin superior? ¿Halla este estrato en sí mismo su razón de ser?

De hecho, los objetos representados constituyen el punto en torno al cual se concentran todos los valores estéticos de la obra literaria, y a él se dirige también, consecuentemente, la mirada del lector, que pasa por alto la consideración de los otros estratos. Éste no desempeña una función específica en el sentido arriba mencionado y se orienta todo él a *la revelación de las cualidades metafísicas*. Son éstas determinadas esencias, como lo sublime, lo trágico, lo conmovedor, lo demoníaco, lo grotesco, que se revelan en especiales circunstancias como una atmósfera singular, como foco que todo lo ilumina y transfigura, prestando a la vida un cierto encanto, relevancia, interés y colorido. No pueden ser aprehendidas con la inteligencia o la razón, sino que sólo pueden ser "contempladas extáticamente", para lo que el hombre debe sentirse inmergido en la situación correspondiente y debe dejarse penetrar e invadir por su potencia de conmoción. Con su revelación —que es una gracia, por tanto, algo que nos es dado y que no podemos provocar intencionadamente— gana la vida un sentido más profundo y se nos revelan hondas verdades y las causas primeras del ser.

Raramente somos agraciados con tales situaciones, en que nos es permitido contemplar las cualidades metafísicas; tales momen-

tos, conmovedores o trágicos, no pertenecen a la vida diaria, pero
el arte puede "por lo menos reproducirnos, en pequeño y como en
reflejo, lo que no podemos alcanzar en la vida real: la contemplación tranquila de las cualidades metafísicas" [5].

El estrato de las objetividades representadas concentra en sí
los más relevantes valores estéticos de todos los demás estratos,
orientándolos a la consecución de uno de los fines esenciales del
arte: la revelación de las cualidades metafísicas. Con ello, la obra
literaria se constituye en entidad unitaria y orgánica, de gran riqueza polifónica. Esta armonía polifónica y la revelación de las
cualidades metafísicas son las que convierten la obra literaria en
verdadera obra de arte.

La obra poética, así concebida, como realidad óntica y objetiva,
independiente del autor y de las "concretizaciones" del lector,
constituye una base inconmovible y da verdadero sentido a la
investigación literaria. La concepción de Ingarden, y sus atisbos
sobre la estructura de la obra poética, garantizando la orientación
central, esencial y unitaria de todos los aspectos de la misma y
sus mutuas relaciones estructurales, es capaz de dar un potente
impulso a los estudios estilísticos.

---

[5] INGARDEN, p. 303.

CAPÍTULO PRIMERO

LA TRAYECTORIA DE MIGUEL HERNÁNDEZ.
MIMETISMO Y PERSONALIDAD POÉTICA

Intentamos en este capítulo fijar en su cronología y ambiente social los principales acontecimientos de la vida de Miguel Hernández, tratando de iluminar y enriquecer con nuevos documentos ciertos momentos oscuros de su biografía.

La tendencia mimética enraíza en la esencia misma de la personalidad hernandiana, y sólo gracias a esta enorme capacidad de asimilación e imitación logra el poeta, sin visitar escuelas ni universidades, llegar a dominar los resortes técnicos de la poesía y llevar a pleno desarrollo su personalidad y genio poético. Por ello iremos indicando con toda detención los grandes poetas clásicos o modernos —Góngora, Calderón, Garcilaso, Quevedo, Lope de Vega, Neruda, Aleixandre— cuya huella va siguiendo este "genial epígono", como lo llama Dámaso Alonso, en su ascensión hacia las más sublimes cumbres de la poesía, hasta que descubre su propia voz poética y sigue decididamente un curso auténticamente personal. Este capítulo será, pues, ante todo, una biografía literaria y poética.

INFANCIA - AMBIENTE

Miguel Hernández Gilabert nació el 30 de octubre de 1910 en Orihuela [6]. La ciudad, situada en la provincia de Alicante y en la fértil vega del Segura, se extiende en la prolongación del exuberante paisaje murciano. La riqueza de su feraz huerta y las industrias de seda, cáñamo, vidrio y alfarería, constituyen sus principales medios de vida.

Miguel, padre del poeta, era hombre autoritario y duro, entregado a su labor de pastor y tratante en cabras. La madre, Concepción, de carácter tímido y seco, se dedicaba a los trabajos de la casa e intentaba suavizar la actitud severa del padre en las riñas de familia. Del matrimonio nacieron Vicente, el mayor; Concha, fallecida; Elvira, Miguel y Encarnación, la menor.

Desde niño aprende Miguel a conducir el diminuto rebaño de su padre por los campos y sierras de Orihuela. El contacto directo con la naturaleza le revela grandes misterios: la hora de salida de la luna y los luceros, las propiedades de ciertas hierbas, el tiempo más propicio para ayuntar el rebaño (OC 598), etc.

En medio de este ambiente, en que la vida salta a cada paso en bandadas de pájaros, avispas, saltamontes, hormigas y lagartijas, un día Miguelillo contempla maravillado el rito nupcial de las ovejas; en otra ocasión, el nacimiento de un cordero hiere su infantil imaginación y queda fuertemente grabado en su memoria. En toda su obra veremos la huella profunda de esta visión pura e inocente de lo sexual.

En los años 1924-1925 estudia en las escuelas del Colegio de Santo Domingo de los Padres Jesuitas, cursando con gran éxito gramática, aritmética, geografía y religión, según consta en el

---

[6] Registro civil de Orihuela, libro 60, fol. 188, n.º 188.

Registro de Matrículas del Colegio [7]. Mientras tanto sigue ejerciendo el pastoreo en los días libres y durante las vacaciones. En 1925 abandonará la escuela para dedicarse completamente a conducir su rebaño. Toda su formación posterior se debe a su tesón de autodidacta.

La niñez trascurre en este clima suave, bajo un cielo límpido y azul y una luz cegadora. El paisaje, de fuerte y abigarrado colorido; el perfume embriagador de azahar, jazmineros, nardos, acacias y árboles del paraíso; el continuo zumbar de la vida y los insectos, desarrollan y agudizan sus sentidos con la golosina de lo sensual que la naturaleza les ofrece. Mientras el ganado pace, Miguel, recostado a la sombra de un almendro, lee y escribe versos, levantándose de vez en cuando para llamar al orden a una oveja arisca con una pedrada o un silbido.

EL POETA AUTODIDACTA - SUS AMISTADES - PRIMEROS POEMAS

En este medio apuntan a los dieciséis años los primeros balbuceos de la poesía miguelhernandiana. El pastor-poeta, de ojos y sentidos muy abiertos, va describiendo los más simples acontecimientos de su vida y de cuanto acaece a su alrededor. El dato sensorial, sobre todo el visual y acústico, predomina en esta poesía balbuciente. Antes de descubrir el mundo lírico de su interior canta un mundo de auroras, aves, gorriones, pinos y cabras. Otros poemas, en lenguaje agreste y con frecuentes destellos de originalidad, mezclan motivos de la sierra, la huerta y los montes de Orihuela, con temas bucólicos y mitológicos. Pan, la ninfa Siringa, Diana, Leda, Afrodita, Baco y Orfeo, están presentes en estos balbuceos poéticos, cuidadosamente copiados en un cuadernito apai-

---

[7] MARTÍNEZ ARENAS, *Oriolanos ilustres,* Sección: "Literatura oriolana", p. 9.

sado. Miguel conoce, sin duda, este mundo encantado de dioses
a través de los libros y conversaciones de Ramón Sijé, que gozaba
de una brillante formación humanística recibida de los jesuitas.
Obsesionada vivamente su fantasía por tales narraciones, y encendida su naciente sensualidad, el poeta se siente un dios mitológico
persiguiendo ninfas por prados y veredas arcádicas [8].

En el campo y al aire libre va cultivando pacientemente su
inteligencia y enriqueciendo su espíritu en un esfuerzo admirable
de autoeducación. La lectura, algo desorientada en un principio,
llega a aficionarle. En la biblioteca del Círculo de Bellas Artes
ha encontrado las novelas de Luis de Val y Pérez Escrich y los
números teatrales de La Farsa, y los lee con avidez [9]. Su sencillez
campesina se siente atraída por la poesía de Gabriel y Galán. Don
Luis Almarcha, hoy obispo de León y entonces canónigo de la
catedral de Orihuela y vecino del poeta —ambos vivían en la
calle de Arriba—, le ayudó a orientarse en sus lecturas prestándole
obras de San Juan de la Cruz, Gabriel Miró, Verlaine y Virgilio,
que él leía ávidamente. "No he tenido discípulo a quien haya
causado sensación más profunda Virgilio y San Juan de la Cruz" [10].
Bien pronto, con instinto seguro, irá descubriendo uno a uno a
los grandes maestros del Siglo de Oro: Cervantes, Lope de Vega,
Góngora y Garcilaso, y a los autores modernos: Rubén Darío,
Antonio Machado, Juan Ramón Jiménez, además de Gabriel Miró,
de sensibilidad tan afín. Miguel confiesa que quizá haya sido
éste el escritor que más ha influido en él durante el período anterior a 1932 [11].

---

8 IFACH, María de Gracia, "Miguel niño", en Cuadernos de Ágora,
Madrid, núms. 49-50, nov.-dic. 1960, pp. 11-12.
   Cfr. en las OC la producción anterior a Perito en lunas. Otras varias
composiciones que no aparecen allá y que pertenecen a los primeros balbuceos poéticos de Miguel caen plenamente dentro de este juicio.
   9 ZARDOYA, p. 10.
   10 ALMARCHA HERNÁNDEZ, Notas sobre Miguel Hernández.
   11 ZARDOYA, p. 10.

Enriquecido con los conocimientos de tan vastas lecturas, comienza a abrirse camino en los ambientes literarios de Orihuela. El primero en que el poeta se introduce es el horno de Efrén Fenoll, situado en el número 5 de la calle de Arriba. Allá pasa largas horas en agradable tertulia con su nuevo círculo de amigos: Carlos y Efrén Fenoll Felices, hijos de un poeta popular y dueños del horno; los hermanos Ramón y Gabriel Sijé, pseudónimos de José y Justino Marín Gutiérrez; Josefina Fenoll, hermana de Carlos y Efrén y novia de Ramón, a la que Miguel dirige su elegía a la Panadera. Al calor del horno y bajo el aroma de pan tierno se habla y discute de temas literarios. El pastor recita sus versos y recibe las sabias indicaciones de Ramón Sijé, muchacho de rara inteligencia y extraordinaria cultura.

Continúa abriéndose nuevos horizontes: el Café de Levante, la Casa del Pueblo y el Círculo Católico. La peña de amigos organiza un grupo teatral llamado *La Farsa* y funda el equipo de fútbol *La Repartidora*. El poeta actúa como secretario en las reuniones de la agrupación deportiva, para la que compone un himno.

Pero la actividad externa no le impide proseguir tenazmente sus lecturas. Devora con avidez toda clase de libros y comienza a sentirse capaz de iniciar su labor de publicista. Don Luis Almarcha, colaborador del semanario oriolano *El Pueblo*, le anima a publicar en él sus poemas. El pastor-poeta comienza a darse a conocer en su ciudad natal. El 13 de enero de 1930 aparece en *El Pueblo*, número 99, su primer poema que ve la luz pública, *Pastoril*, compuesto "en la huerta a 30 de diciembre de 1929" [12].

---

[12] ALMARCHA HERNÁNDEZ, *o. c.* Éste es, a lo que hemos podido constatar, el primer poema publicado por Miguel y no *Limón*, aparecido el 2 de septiembre de 1932, como pretende GUERRERO ZAMORA. Éste ignora toda la serie de poemas aparecidos en *El Pueblo*, de sumo interés para captar la trayectoria del poeta en la elección de sus lecturas y sorprenderle en sus gustos incipientes. ZARDOYA considera *Al verla muerta* como el primer

A esta publicación siguen otras muchas. Francisco M. Marín ha publicado también composiciones pertenecientes a este período : *Alma de la huerta, Canto a Valencia, Ancianidad, Al verla muerta, El árabe vencido* [13].

El afán de imitación es tan potente que los poemas dejan traslucir claramente sus autores preferidos. El vate incipiente, sabedor de su escasa formación cultural, siente la necesidad de cogerse de la mano de un ayo para lanzarse a la gran aventura de la poesía. A través de una gran odisea por mundos extraños llegará al descubrimiento de su propio yo poético. Pero antes habrá de seguir un largo camino, la vista clavada en sus modelos. Enriquece su lenguaje, adquiere dominio sobre el ritmo y aprende el arte de desarrollar dramáticamente un tema anecdótico o de pintar un cuadro costumbrista o una leyenda de motivo romántico. Escribe versos de gran sonoridad en ritmos de extensión varia, de tres a dieciocho sílabas, imitando directamente la *Marcha triunfal* de Rubén Darío. Reproduce la técnica de la rima XI de

---

poema que vio la luz pública (p. 12). Este poema es uno de tantos de la serie, al parecer desconocida también por Zardoya.

Reproducimos los títulos de los poemas publicados en *El Pueblo,* que hemos podido ver y poseemos y que no aparecen en la edición de las *Obras completas:*

En mi barraquica, El Pueblo, 27-I-1930, n.º 101.
Marzo viene, El Pueblo, 10-III-1930, n.º 107.
El Nazareno, en *Voluntad,* Semana Santa, abril 1930.
Oriental, El Pueblo, 12-V-1930, n.º 116.
Sueños dorados, El Pueblo, 28-V-1930, n.º 118.
Interrogante, El Pueblo, 1-VII-1930, n.º 123.
Postrer sueño, El Pueblo, 29-VII-1930, n.º 126.
Plegaria, El Pueblo, 7-IX-1930, n.º 132.
Balada de la juventud, El Pueblo, 23-IX-1930, n.º 134.
El Palmero, El Pueblo, 20-I-1931, n.º 151.
A todos los oriolanos, Carta completamente abierta, El Pueblo, 2-II-1931, n.º 153.

[13] HERNÁNDEZ, M., *Antología poética.*

Bécquer en su *Balada de la Juventud* [14]. Adopta el uso del dialecto, dentro del costumbrismo regionalista, para motivos dramáticos y de sentimiento nostálgico, abrevando de Gabriel y Galán y del murciano Vicente Medina. Otras veces prefiere motivos orientales de sultanes tristes, en dorados palacios, entre huríes, música y perfumes enervantes, o solloza con guerreros vencidos según gustos románticos y modernistas.

La abundancia, en algunos de estos poemas, de ripios, vulgaridades, elementos superfluos, versos duros, aliteraciones de mal gusto y rimas o ritmos fáciles, no disminuyen su interés documental y nos prueban las eminentes facultades miméticas y de asimilación del joven poeta-pastor.

EN MADRID

Pero Miguel Hernández quiere ponerse en contacto con un mundo de más amplios horizontes intelectuales y literarios que los de su *Oleza*. Madrid es el mundo al que se orientan sus ambiciones. El poeta-pastor quiere entrar en contacto con las grandes figuras de la poesía del momento. Sin lograr superar su timidez, que se trasluce a lo largo de la carta, escribe unas letras a Juan Ramón Jiménez: "Sólo conozco a usted por su *Segunda Antolojía* que —créalo— ya he leído cincuenta veces aprendiéndome algunas de sus composiciones...", y prosigue: "...y con el escaso cobre que puedan darme tomaré el tren de aquí a una quincena de días

---

[14] Cfr., a este respecto, los poemas *Alma de la huerta. Barraca oriolana* y la siguiente estrofa:

> *Llegó a mí triunfante: la vi, y la sorpresa*
> *como un licor grato mi alma embargó...*
> *¿Quién eres?... —la dije—: ¿Divina princesa?*
> *¿Hermoso fantasma? Su boca de fresa*
> *se abrió dulcemente y así musitó...*
>
> (*Balada de la Juventud*)

para la corte..." [15]. El poeta reúne sus ahorrillos y se lanza a la
gran aventura.

Se lanza a la conquista de Madrid con su gran dotación natural, genio lírico y facilidad de rima; le falta cultivarse para poder
maravillar al mundo con su obra:

> *y sé pensar y llorar y sentir...,*
> *pero no sé ni escribir ni explicar.*

"Éste es el hombre. Tiene lo que no se compra; le falta lo que
se puede adquirir." Así presenta *Estampa* al cabrero-poeta [16].

Don José Martínez Arenas, abogado oriolano, le recomienda a
Concha Albornoz, hija del entonces ministro de Justicia y amiga
de escritores y poetas. Ésta le envía a Ernesto Giménez Caballero
para que le presente al público madrileño en su revista y trate de
buscarle algún empleo. El citado escritor le entrevista, y publica
el encuentro en *La Gaceta Literaria,* el 15 de enero de 1932. "Su
cara muy ancha y cigomática, clara, serena y violenta, de ojos
extraordinariamente azules, como enredilando un ganado ideal. Las
manos fuertes, camperas y tímidas" [17]. Le interroga por sus lecturas, sus amigos y sus versos, y Miguel satisface sus preguntas y
le enseña su cuadernillo de versos, pulcramente copiados antes de
partir para la capital.

El dinero que había traído se le acaba en breve. Hace esfuerzos desesperados. Escribe una carta angustiada a Giménez Caballero, le expone su situación y le ruega con dignidad: "Yo no
puedo aguantar mucho tiempo. Si usted no me hace el favor de
hallar una plaza de lo que sea donde pueda ganar el pan, aunque
sea un pan escaso, con tristeza tendré que volverme a Oleza, a

---

[15] GARFIAS, Francisco, "Una carta inédita de Miguel Hernández", en
Poesía Española, Madrid, n.º 96, dic. 1960, p. 19.

[16] *Dos jóvenes escritores levantinos: el cabrero poeta y el muchacho
dramaturgo,* 22-II-1932.

[17] Cfr. MARTÍNEZ ARENAS, p. 11, y GUERRERO ZAMORA, p. 46.

esa Oleza que amo con toda mi alma, pero que asustaría ver de la forma que, si no se interesa usted porque me quede, tendré que ver. Haga lo posible porque no sea, y cuente con mi agradecimiento" [18].

Sobre la duración de la estancia en Madrid reina oscuridad entre los biógrafos. Concha Zardoya y Juan Guerrero Zamora creen que Miguel salió de Madrid muy poco después de esta carta a Giménez Caballero, a fines de diciembre o a primeros de enero de 1932, con el dinero que le envían sus amigos orcelitanos [19].

En unas cartas autógrafas en posesión de don José Martínez Arenas hallamos datos interesantes que aclaran esta cuestión. El envío de dinero para la vuelta no se efectuó en enero, sino en mayo de 1932. El poeta estuvo, pues, casi medio año en Madrid. ¿Se trata de un segundo viaje? ¿Con qué medios pudo mantenerse en la capital durante tan largo tiempo? Por una carta de felicitación a Ramón Sijé, que citamos más abajo, nos consta que los amigos de Orihuela se esforzaban por ayudarle. El poeta pide a los amigos Bellod y Pescador para el tranvía de algunos días. Lo cierto es que, en mayo de 1932, Miguel se encuentra en Madrid y busca medios económicos para volver a Orihuela [20].

---

[18] GUERRERO ZAMORA, p. 49.

[19] ZARDOYA, p. 14, y GUERRERO ZAMORA, p. 49 ss.

[20] En la colección de autógrafos de don José Martínez Arenas (Orihuela), n.º 29, se halla una carta de Miguel Hernández a Ramón Sijé (José Marín Gutiérrez) y dos cartas y una postal de Sijé. Las reproducimos aquí: "Querido hermano: Si no has podido recoger hasta hoy el dinero que necesito para marchar para esos cielos, ve enseguida a Martínez Arenas y pídeselo. Me dijo un día antes de mi *primera salida*, que el que me hallara en la situación de éste, acudiera a él. No dejes de verlo hoy mismo si tus estudios te lo permiten. Es de extrema importancia que reciba lo necesario esta noche misma. Figúrate que esta semana no me han lavado la ropa interior y no tengo ni calcetines que ponerme. Además, los zapatos amenazan evadirse de mis pies; lo tienen pensado hace mucho tiempo. Te puedo escribir porque los sellos que me enviara mi hermana aún no los he agotado. Ayer he visto por fin a la señora Albornoz y me dice que no han recibido contestación de Alicante. Me he despedido de ella defini-

Por otra carta que transcribe don José Martínez Arenas en su obra inédita, en que Miguel felicita a su amigo Ramón Sijé en su onomástico —su verdadero nombre era José—, con fecha del 17-III-1932, comprobamos con certeza la permanencia de Miguel en Madrid de diciembre a mayo de 1932. En este tiempo pudo verdaderamente tomar el pulso a la vida literaria madrileña y captar la significación del movimiento gongorino, que le hubiera sido imposible comprender en la breve estancia de tres o cuatro semanas, agobiado como estaba por el peso de sus preocupaciones económicas [21].

---

tivamente. ¿Qué esperanzas me quedan? Abrazos. Miguel. — Madrid 10-5-32."

Ramón Sijé envió esta carta a don José Martínez Arenas acompañándola con otra suya que decía:

"Sr. D. José Martínez Arenas. Admirado amigo: Nuestro poeta, enfermo y pobre en Madrid, me pide para venirse a Orihuela. Le adjunto la carta. En una esquina de Madrid perdió el poeta su entusiasmo, que es pasión de dioses (Ud. es un hombre entusiástico) y talento ardiente. Lo espero todo de Ud., tan atento a todas estas cosas del espíritu... De Ud. afftmo. José Marín Gutiérrez. = Nota: No voy a verle porque estudio. Temo quedar colgado de la esquina... Orihuela 12 de Mayo de 1932." Después envía Sijé a don José otra carta:

"Admirado amigo: Primeramente, —aunque desde luego lo esperaba, —agradecimiento en nombre del poeta, limpio de caridad oficial. (Parece que la República de Trabajadores Española no se preocupa de los buenos y trabajadores poetas españoles). Sus tumbos por Madrid, sus aventuras de Quijote-Poeta, fueron guiadas por Ud. Un diputado, que nos representa en Cortes, cerró su puerta a Hernández. ¿Y, qué...? se diría Miguel. Si yo le perdono. Una vez más sé que hablar de Ud. es hablar del Hidalgo (si hubiera vivido entonces Ud. hubiera peleado en Flandes) que por nacer en el Siglo XIX ha venido a convertirse en *liberalote* (A. M. D. G.). Un abrazo de José Marín Gutiérrez. Necesito 42 ptas." En una postal que don José envió a Ramón Sijé aparece escrito del puño y letra de don José: "Dime si las has recibido", con la firma. En el reverso de la misma tarjeta de visita contesta José Marín Gutiérrez: "Recibido. Gracias de nuevo. Rubricado. José Marín."

[21] Por el mes de marzo —escribe MARTÍNEZ ARENAS en su obra, p. 11—, en vísperas de San José, escribe a Ramón Sijé felicitándolo por su santo, con un poemita y una carta que transcribo a continuación:

DE LA MANO DE GÓNGORA

El tricentenario de Luis de Góngora, celebrado con éxito memorable en 1927 por iniciativa de un grupo de escritores, reincorpora al mundo de las letras la obra del gran poeta tanto tiempo

---

"A ti, Ramón Sijé
Amigo, cuando pienso en tu lejana
figura, te recuerdo en tu balcón
con un lado de faz en la mañana
y otro en la habitación.

Tu mirada magnífica y caliente
(de tan caliente parece que quema)
desciende sobre un libro. Espesamente
suena tu voz recitando un poema.

Tu tez atardecida, lo es más
bajo el sol que se vuelve en ti con brío,
y, como de ella misma, por detrás
de la frente te brota, tierno, el río.

Felicidades. Y que la blanca vara de flores de tu primaveral Santo acaricie tu frente de caoba pulida. Espero con impaciencia que me digas que ya has enviado el pliego a Alicante. Son desesperantes estos días que pasan inútilmente. También aguardo dinero. He tenido que pedir a nuestros amigos Bellod y Pescador para el tranvía de algunos días; pero para Morante (que espera con ansia) necesito de ahí. De mi casa aún no sé nada. He visto de nuevo a Caballero, ha leído tu carta y me ha dado las gracias por el artículo que piensas dedicarle. Cree que me ha emocionado la lectura de tu carta. Has leído a Wilde, ama (sic) tanto por ti que conoces casi toda su obra y por mí que apenas la conozco. A mí me han dejado Pescador y Bellod un puñado de libros de los que llevo leídos: *Una noche en Luxemburgo*, de Gourmont; varios de Andreiet; *Un corazón virginal*, también de Remy; y el segundo tomo de *El espectador*, de Ortega y Gasset. Un libro precioso, comprende, casi todo él, un tema sobre el amor (para ti hoy de doble interés), y un magnífico estudio sobre Azorín. ¿Te lo mandamos? No he podido oír a García Lorca. No leas hasta las tantas de la noche que ya ves cómo te perjudicas. Te repito: espero con impaciencia noticias tuyas y la de que ya has mandado el pliego y de lo otro, ¡maldito! (Que lea esto Fenoll)."

olvidado y mal comprendido. Rafael Alberti y Gerardo Diego
componen sus célebres poemas gongorinos, abriendo el camino
a una gran serie de poetas jóvenes. La potencia creadora de imágenes, la perfección técnica y su irracionalismo entusiasman a las
jóvenes generaciones. Dámaso Alonso, Alfonso Reyes, José M.ª de
Cossío, Lucien-Paul Thomas, Jean Cassou, Valery Larbaud, H. Pe-
triconi, Roselli, Walther Pabst, Leo Spitzer, Edward M. Wilson,
estudian la obra de Góngora, que cobra gran actualidad en el
mundo de las letras. Los círculos literarios de Madrid están im-
pregnados de gongorismo.

Miguel Hernández penetra en la significación del culto al gran
vate cordobés: la necesidad de un mayor perfeccionamiento téc-
nico, la importancia de la metáfora trabajada y perfecta. Su inspiración copiosa y desbordante necesita vaciarse en moldes de contención, que hallará en el retorno a Góngora y Garcilaso. En adelante trata de llevar sus poemas a una mayor concentración e
intensificación, practica el endecasílabo y la octava real y sigue
adentrándose en las obras de Góngora. Su espíritu, sencillo y dócil,
y la conciencia de su tosquedad e incultura le despiertan el instinto
de imitación. Quiere aprender de todos. Presta oídos a las indicaciones de Sijé y, admirando las peripecias estilísticas de tantos
neogongoristas madrileños, prueba también él sus fuerzas y escribe
como ellos. Así va componiendo su *Perito en lunas,* titánico esfuerzo por superar su rudeza original, encauzar su ímpetu poético
en el molde estrecho de un metro y en un hipérbaton concentrador
del pensamiento y hacer triunfar la inteligencia sobre su caudaloso
instinto poético. En *Perito en lunas,* deslumbradora sinfonía de
oro, cristal, mármoles, colores y rocíos, el rudo poeta-cabrero sale
victorioso de la prueba, ofreciéndonos en un supremo esfuerzo de
superación, no un manojo de extravagancias barrocas lejos de toda
realidad, sino un conjunto de "elementos contemporáneos" en
"*bouquet* gongorino" [22].

---

[22] BALLESTER, JOSÉ, "*Perito en lunas*", en *La Verdad,* 29 de enero 1933.

Junto a Góngora son Guillén y Alberti los que marcan su máxima influencia sobre el poeta en este período. Pero Hernández será en su gongorismo más libre que Alberti en *Cal y canto* (1929), ya que sus temas y su material metafórico no proceden de un mundo puramente fabuloso, sino de sus experiencias de la vida de pastor, de la tierra, el cielo orcelitano y otros numerosos motivos muy siglo XX.

Mientras elabora y retoca las octavas de *Perito en lunas,* un gran acontecimiento literario ocurre en Orihuela: la inauguración del monumento a Gabriel Miró. Giménez Caballero pronuncia el panegírico del homenajeado. Al acto habían acudido Antonio Oliver y Carmen Conde, fundadores de la Universidad Popular de Cartagena. Miguel regala a Carmen Conde su *Perito en lunas,* dando comienzo a una honda amistad.

Con este motivo sale a luz *El clamor de la verdad,* 2-X-1932, número único, en que, entre colaboraciones de María Cegarra Salcedo, José M.ª Ballesteros, Antonio Oliver Belmás, Carmen Conde, José M.ª Pina y Ramón Sijé, publica también Miguel Hernández dos obritas: *Limón* y *Yo - La madre mía.*

El 20 de enero de 1933 aparece *Perito en lunas* en Editorial La Verdad, S. A., Murcia, formando parte de la colección de poesía *Sudeste,* dirigida por Raimundo de los Reyes. El contrato con la casa editorial fue avalado por don Luis Almarcha y don José Martínez Arenas como personas solventes [23].

La obra le dio a conocer en los círculos literarios. José Ballester le dedica, el 29 de enero de 1933, una crítica en *La Verdad,* de Murcia, y Rafael de Urbano en *El Liberal,* de Sevilla, el día 5 de marzo. Pero el poeta se queja del silencio con que es acogida

---

[23] MARTÍNEZ ARENAS, pp. 13, 14. De esta obra trascribimos el párrafo siguiente: "El importe de la edición que ascendía a 425 ptas. lo pagó Don Luis [Almarcha] de su bolsillo, cantidad que luego le intentó reintegrar el poeta que hubo de aceptar reconocido la generosidad de su maestro y protector que se negó a recibirla..."

su primera obra. Así nos lo revela una carta llena de interés que le escribe Federico García Lorca, que prueba la estrecha camaradería que unía a los dos poetas por este tiempo. "Tu libro es fuerte, tiene muchas cosas de interés y revela a los buenos ojos pasión de hombre... No se merece *Perito en lunas* ese silencio estúpido, no. Merece la atención y el estímulo y el amor de los buenos" [24]. García Lorca le alienta y promete hacer algo porque se ocupen de *Perito en lunas*. Sin duda se debe a él la reseña aparecida en *El Liberal*, de Sevilla.

---

[24] "Mi querido poeta: No te he olvidado. Pero vivo mucho y la pluma de las cartas se me va de las manos. Me acuerdo mucho de ti porque sé que sufres con esas gentes puercas que te rodean y me apeno de ver tu fuerza vital y luminosa encerrada en el corral y dándose topetazos por las paredes.

Pero así aprendes. Así aprendes a superarte, en ese terrible aprendizaje que te está dando la vida. Tu libro está en el silencio, como todos los primeros libros, como mi primer libro que tanto encanto y tanta fuerza tenía. Escribe, lee, estudia. ¡LUCHA! No seas vanidoso de tu obra. Tu libro es fuerte, tiene muchas cosas de interés y revela a los buenos ojos *pasión de hombre*, pero no tiene más cojones como tú dices que los de casi todos los poetas consagrados. Cálmate. Hoy se hace en España la más hermosa poesía de Europa. Pero por otra parte la gente es injusta. No se merece *Perito en lunas* ese silencio estúpido, no. Merece la atención y el estímulo y el amor de los buenos. Eso lo tienes y lo tendrás porque tienes la sangre de poeta y hasta cuando en tu carta protestas tienes en medio de cosas brutales (que me gustan) la ternura de tu luminoso y atormentado corazón.

Yo quisiera que pudieras superarte de la obsesión de esa obsesión de poeta incomprendido por otra obsesión más generosa política y poética. Escríbeme. Yo quiero hablar con algunos amigos para ver si se ocupan de *Perito en lunas*.

Los libros de versos, querido Miguel, caminan muy lentamente.

Yo te comprendo perfectamente y te mando un abrazo mío fraternal lleno de cariño y de camaradería.

Federico (Escríbeme) T/C 7/C Alcalá 102."

Esta carta fue hallada por Concha Zardoya en el archivo privado de Josefina Manresa. Fue publicada en *Bulletin Hispanique*, Bordeaux, tome LX, n. 3, Juillet-Septembre 1958.

Al ciclo neogongorino pertenecen, además de exquisitas obras en prosa, numerosas composiciones, entre las que destacan *Corrida real, Citación final, Vuelo vulnerado, Elegía media del toro* y un fragmento del auto sacramental (OC 47; 481). En sus actividades deportivas de época anterior se inspira un poema de estructura y gusto neogongorino: *Elegía al guardameta* (OC 43). La dedicatoria reza: "A Lolo, sampedro joven en la portería del cielo de Orihuela, a San Pedro, guardametas viejo en la portería celeste".

EN LA ESCUELA DE CALDERÓN -
DESPERTAR DEL YO HERNANDIANO

A lo largo de 1933, Miguel Hernández realiza un trabajo intenso. Invitado por Antonio Oliver y Carmen Conde, da lectura a su *Perito en lunas* en la Universidad Popular de Cartagena. El poeta-juglar acompaña su recital con dibujos sobre un cartelón representando motivos de las octavas, con instrumentos simbólicos como un melón, una jaula y una campana, y realza todo esto con su accionado de gestos casi histriónicos. El éxito, en Cartagena y en otras partes donde actuó el juglar ambulante, fue grande, y le ayudó a vender bastantes ejemplares.

Mientras tanto continúa su labor de autodidacta. Por consejo de Ramón Sijé se entrega apasionadamente a la lectura de la literatura española del Siglo de Oro, que halla en la Biblioteca de Teodomiro de Orihuela, y lee también mucha literatura universal en traducciones [25].

Calderón de la Barca excita su interés y le sugiere la idea de componer un auto sacramental. Ramón Sijé debió alentarle en el intento. Miguel, que había logrado imitar tan perfectamente el lenguaje enigmático de Góngora, consigue reproducir en su auto

---

[25] ZARDOYA, p. 17.

la estructura del auto calderoniano. En el trascurso de 1933 compone *La Danzarina bíblica,* que, perfeccionada y completada, se convertirá en *Quien te ha visto y quien te ve y sombra de lo que eras.* Cuando parte para Madrid, en marzo de 1934, la obra está muy avanzada. Toda la concepción religioso-trascendental del drama procede de Calderón. Las formas métricas son las tradicionales del teatro clásico. Su estructura respeta el marco del auto calderoniano, si bien se atreve a introducir los tres planos con intensidad ascendente : "Estado de las Inocencias", "Estado de las malas Pasiones", "Estado del Arrepentimiento".

El auto —como de ordinario en Calderón— reposa sobre una serie de correlaciones paralelísticas : pentamembre para los cinco sentidos, tetramembre cuando actúan las cuatro estaciones o los cuatro ecos [26]. La imagen, el vocabulario y la estructura sintáctica son claro exponente de la honda huella calderoniana y barroca.

La personalidad del autor comienza a brillar en esta obra, en que predominan los elementos extraños, pero dejando margen al despertar de su genio poético. El diálogo entre el Esposo y la Esposa (OC 444 ss.) fluye emocionado de la pluma del poeta estremecido ante el gran misterio de la generación y de la vida, que llega a hacer de este tema el núcleo de su mensaje poético. Las escenas de los ecos son absolutamente originales, inspiradas en las experiencias de Miguel por la Cruz de la Muela, cuando maravillado ante su propio eco, se volvía a sus amigos :

—¿Queréis ver vuestra voz en un espejo?

Rasgos inconfundibles como el toro, símbolo de la muerte, e imágenes con la impronta hernandiana no dejan de aparecer a lo largo de la obra.

El poeta humaniza y sabe enraizar en la tierra y los paisajes conocidos el acontecer sobrehumano del auto. Los personajes brotan de un mundo real y rústico : los esposos, los sentidos como

---

[26] Cfr. capítulo VII de esta obra.

jornaleros reivindicando sus derechos y pidiendo la subida del jornal, el pastor, el labrador. Concha Zardoya observa acertadamente cómo la comunión, tan apoteósica en los autos calderonianos, "se humaniza, se hace íntima y casi familiar en tanto que un delicioso aroma rústico la envuelve" [27].

Resulta muy interesante fijar aquí la actitud religiosa de nuestro poeta. Miguel Hernández vive en un medio religioso, ha recibido una educación cristiana fundamental con los jesuitas, y sus amigos, Ramón Sijé muy especialmente, son buenos católicos. Miguel mismo, "como su familia, era creyente y practicante con la vida honrada del cristiano español. Sentía los entusiasmos populares religiosos. Le subyugaba San Juan de la Cruz. Ni a él se le ocurrió una duda que consultarme, ni yo dudé nunca de su fe religiosa. La síntesis de este problema me la dio el mismo Miguel en mi penúltima conversación con él, en visita que me hizo, terminada la guerra: —Nos pudo separar la política, pero no la religión, ni las aficiones artísticas". Hasta aquí el precioso testimonio de don Luis Almarcha, hoy obispo de León, sobre su amigo y vecino de varios años, Miguel Hernández [28].

El poeta se muestra en el auto conocedor de las verdades de la fe sobre el misterio eucarístico, la gracia, la redención, el perdón. Lo que no había llegado a aprender en la escuela, lo abrevó, sin duda, de las profundidades teológicas de los autos calderonianos.

LOS AMORES - TRAS LA HUELLA DE QUEVEDO
Y GARCILASO - NUEVAMENTE EN MADRID

El año 1934 comienza con buena estrella. Miguel se gana el pan trabajando en una notaría. En sus idas y venidas descubre en un taller de costura a una muchacha que despierta poderosamente

---

[27] Zardoya, p. 89.
[28] Almarcha Hernández, o. c.

su atención. En adelante merodeará con frecuencia por los alrededores, hasta que, venciendo su timidez, se atreva a dirigirle la palabra. Es Josefina Manresa, hija de un guardia civil, de la que ha quedado enamorado. Un día le entrega unos versos: *Ser onda oficio, niña, es de tu pelo...* [29]. Su amor se ha convertido en fuente de poesía y se va volcando en una serie de sonetos, agrupados primero en el libro *Imagen de tu huella,* formando después la versión de *El silbo vulnerado* y pasando definitivamente a constituir *El rayo que no cesa.*

Con esta obra crece y se agranda la personalidad poética de Miguel Hernández. El empaque quevedesco y la perfecta forma clásica del soneto sirven de cáscara que aprisiona una pasión de enamorado trágica y llena de patetismo. El poeta comienza a descubrir su mundo poblado de ansiedades y sombras trágicas, carnívoros cuchillos, rayos, toros, agonías y muertes. Sólo una estructura perfecta de soneto, abrevada de los impecables de Quevedo, y ciertas huellas en el contenido y en la forma difíciles de deslindar, es lo que de influencias podemos constatar en este libro. El "desgarrón afectivo" es también el surtidor de la poesía hernandiana y su impronta inconfundible. En un libro de tema tan personal como el amor, Miguel va independizándose de sus maestros, para dejar hablar a su corazón. El "dolorido sentir" garcilasiano se deja entrever en la pasión amorosa de sonetos que rompen la contención del vate toledano para descargarse en picudas penas, lóbregas tormentas y carnívoros cuchillos. Inflamada inspiración, prodigiosa intensidad de pasión incontenible, enmarcadas y dominadas por el molde de una forma arquitectónica perfecta a lo Quevedo, y en un lenguaje límpidamente terso, bebido de las fuentes claras y serenas de Garcilaso. Esto es *El rayo que no cesa.*

---

[29] Véase en el apéndice a esta obra un trozo de prosa del período gongorino con el título *Espera - en desaseo,* no comprendido en las *Obras Completas,* en que graciosamente se narran las primeras relaciones de Miguel con Josefina.

En marzo de 1934, Miguel Hernández se lanza de nuevo a la conquista de Madrid. Esta vez se siente más seguro. Su nombre ya ha resonado en el mundo de las letras. El auto sacramental, ya admirado por los círculos oriolanos, le abrirá las puertas de la capital.

Llegado a la urbe, presenta su obra a José Bergamín, quien, sorprendido de su valor, la acepta sin reservas. *Quien te ha visto y quien te ve y sombra de lo que eras* fue publicado en los números de julio, agosto y septiembre de 1934 en *Cruz y Raya*. Además se hizo una separata en cuarto mayor. Su fecha: julio de 1934.

La obra obtuvo un gran éxito en los círculos literarios de Madrid por lo inusitado del género y la perfección técnica con que estaba escrita. El poeta llegó hasta a hacerse ilusiones sobre su representación en la escena [30]. Pero la compañía del Eslava rechazó la obra.

El problema económico le queda resuelto inesperadamente. José M.ª de Cossío, director literario de Espasa-Calpe, para la que prepara una obra taurina, le emplea como secretario, encargándole de recoger datos y redactar historias de toreros. Con esta ocupación, Miguel va ahondando lentamente en el tema, para él tan caro, de toros y toreros.

Mientras tanto sigue viviendo su intensa vida amorosa con Josefina Manresa. El intercambio epistolar no se interrumpe. Miguel se queja de que ella le escribe poco o de que no le escribe con la pasión que él deseara. El poeta le cuenta sus impresiones en Madrid. Aunque él sabe que su vida está en la capital, hay cosas que le disgustan: el tráfico, el ruido, su vida dura en la

---

[30] "Si consigo que me estrenen la obra, te traeré aquí —si tu madre te deja— con una hermana mía, para que conozcas esto." Así escribe a Josefina en carta fechada en Madrid, a 6 de octubre de 1934. Cfr. GUERRERO ZAMORA, p. 75.

incómoda pensión, las rencillas, mezquindades e intrigas de los clanes literarios.

El amor a Orihuela se intensifica en la gran urbe, y su novia le atrae. Cuando llegan las primeras vacaciones, vuelve a Orihuela, visita a Josefina, se baña, come fruta en abundancia, visita a sus amigos y se vuelve reconfortado a Madrid. Allá continúa su vida entre el trabajo en el despacho de Cossío, su labor poética que se va incorporando a *El rayo que no cesa* y las visitas a poetas y amigos.

Su entrañable Ramón Sijé acaba de fundar en Orihuela *El Gallo Crisis,* revista de inspiración neocatólica que aboga por un *Re-catolicismo*. Miguel se siente solidario con su amigo, se convierte en su colaborador [31] y trata de vender, con escaso éxito, números de la revista entre sus amigos de Madrid.

BAJO EL SIGNO DE PABLO NERUDA

El espíritu de Miguel Hernández, abierto y maleable, ya consciente de su valía, pero sabedor también de lo mucho que todavía puede aprender de todos, se halla en Madrid expuesto a mil influencias.

La urbe, centro de movimientos intelectuales y literarios, hormiguea de círculos, escuelas y revistas, que pretenden introducir nuevas direcciones en las letras españolas. Se celebran centenarios, se desempolvan valores olvidados y se fundan nuevas escuelas y movimientos. El neogongorismo va perdiendo terreno ante la tendencia garcilasista, y la corriente surrealista ha echado hondas raíces. Aleixandre publica en 1935 *La destrucción o el amor*. Pablo

---

[31] En *El Gallo Crisis* publica sus poesías de acento religioso y algunos otros poemas compuestos todavía en Orihuela. La revista sólo publica seis números, todos en 1934.

Neruda, cónsul de Chile, comienza a dar a luz en 1933 su obra decisiva *Residencia en la tierra*. Hasta García Lorca había rendido homenaje al superrealismo con *Poeta en Nueva York* en 1931 [32]. Miguel conoce a María Zambrano, Manuel Altolaguirre, García Lorca, Alberti, Luis Felipe Vivanco, Antonio Aparicio, Cernuda, Delia del Carril, Luis Enrique Délano, etc. [33].

La admiración por Pablo Neruda, su amigo y maestro, se convierte en culto incondicional: "La voz de Pablo Neruda es un clamor oceánico que no se puede limitar, es un lamento demasiado primitivo y grande, que no admite presidios retóricos. Estamos escuchando la voz virgen del hombre que arrastra por la tierra sus instintos de león; es un rugido, y a los rugidos nadie intenta ponerle trabas. Busca en otros la sujeción a lo que se llama oficialmente la forma. En él se dan las cosas como en la Biblia y en el mar: libre y grandiosamente..." "Ganas me dan de echarme puñados de arena en los ojos, de cogerme los dedos con las puertas, de trepar hasta la copa del pino más dificultoso y alto. Sería la mejor manera de expresar la borrascosa admiración que despierta en mí un poeta de este tamaño de gigante..." [34].

Como gran entusiasta del poeta-cónsul, toma parte en el homenaje que le rinde un grupo de escritores madrileños y empieza a componer poemas nerudianos: *Oda entre sangre y vino a Pablo Neruda*, *Vecino de la muerte*, *Mi sangre es un camino*. Miguel, como Neruda, escribe poesía surrealista, "poesía impura". Así la llama Neruda en el Prólogo-Manifiesto de *Caballo Verde para la Poesía*: "Así sea la poesía que buscamos, gastada como un ácido por los deberes de la mano, penetrada por el sudor y el humo,

---

[32] DURÁN GILI señala los años 1925-1936 como fechas límite del superrealismo en España con dos momentos de culminación en 1928 y 1931. *El superrealismo en la poesía española contemporánea*, p. 38.

[33] ZARDOYA, p. 19.

[34] HERNÁNDEZ, Miguel, "*Residencia en la tierra. Poesía 1925-1935. Pablo Neruda*". Folletones de *El Sol*.

oliente a orina y a azucena, salpicada por las diversas profusiones que se ejercen dentro y fuera de ley" [35].

En el alma del poeta se opera lentamente una honda conmoción. Su fe religiosa va perdiendo vigor en el ambiente de Madrid y sobre todo con la amistad de Pablo Neruda. Las concepciones políticas y el anticlericalismo evidente del cónsul de Chile, su gran amigo y protector, le van alejando de los restos de su religiosidad juvenil. En una serie de cartas se echa de ver el forcejeo continuo entre Ramón Sijé y Pablo Neruda por asegurarse la fidelidad del joven poeta. Sobre todo es la revista *El Gallo Crisis* la piedra de toque que separa los espíritus: "Querido Miguel, siento decirte que no me gusta *El Gallo Crisis*. Le hallo demasiado olor a iglesia, ahogado en incienso..." (Carta de P. N. a M. H., 4-I-1935). Ramón Sijé trata de neutralizar la influencia de Neruda, recordándole su catolicismo: "Miguel, acuérdate de tu nombre. *Te debes*, y no a nadie" (Carta de Ramón Sijé, 12-V-1935). Pero Neruda reitera sus cartas llenas de ingeniosos sarcasmos anticlericales. "Celebro que no te hayas peleado con *El Gallo Crisis*, pero esto te sobrevendrá a la larga. Tú eres demasiado sano para soportar ese tufo sotánico-satánico" (Carta a M. H., Madrid, 18-VIII-1935). Miguel Hernández se aleja de su religiosidad, pero en ninguna parte descubrimos indicios para suponer una auténtica crisis profunda de fe. El poeta, movido más bien por causas externas, por su reacción espontánea contra la frecuentemente exagerada religiosidad pueblerina y contra cierto rigor farisaico de costumbres, se va alejando de las prácticas religiosas.

Según datos hallados en sus cartas y en sus poemas, el problema social y político le influye decisivamente. En el ambiente desequilibrado, revuelto y anticlerical de la República, Miguel Hernández identifica Iglesia y religión con capital y explotación del obrero (OC 259; 295; 865). Pero se detiene en una actitud anti-

---

[35] ZARDOYA, p. 23.

clerical sin avanzar a lo antirreligioso. Ninguna negación de la fe, ninguna expresión blasfema, si exceptuamos un caso en boca de un personaje de sus dramas (OC 648). Miguel podrá decir, acabada la guerra, a don Luis Almarcha: "Don Luis, nos habrá podido separar la política, pero la religión, no." El poeta exclamará más bien: "Se me ha olvidado Dios." En realidad es más bien un olvido que una auténtica pérdida de la fe. Alejándose del ambiente religioso precedente, Miguel cree ir hallando su propia voz: "Ha pasado algún tiempo desde la publicación de esta obra, y ni pienso ni siento muchas cosas de las que digo allí [en el auto], ni tengo nada que ver con la política católica y dañina de *Cruz y Raya*, ni mucho menos con la exacerbada y triste revista de nuestro amigo Sijé. En el último número aparecido recientemente de *El Gallo Crisis* sale un poema mío escrito hace seis o siete meses: todo él me suena extraño... Me dedico única y exclusivamente a la canción y a la vida de tierra y sangre adentro: estaba mintiendo a mi voz y a mi naturaleza terrenas hasta más no poder, estaba traicionándome y suicidándome tristemente" [36].

En el poema *Sonreídme* (OC 258), invita el poeta a sus amigos a felicitarlo por lo que él creía ser una liberación y el descubrimiento de un horizonte más aireado y sano para su poesía:

Me libré de los templos, sonreídme,
donde me consumía con tristeza de lámpara
encerrado en el poco aire de los sagrarios;
salté al monte de donde procedo,
a las viñas donde halla tanta hermana mi sangre (OC 259).

Caballo Verde para la Poesía aparece por primera vez en octubre de 1935, publicando el poema hernandiano *Vecino de la muerte*.

---

[36] Carta sin fecha, escrita en Madrid a don Juan Guerrero, en posesión de su esposa doña Ginesa Aroca, Madrid.

Ramón Sijé teme perder a Miguel para sus ideales neocatólicos
y le escribe una carta amarga, tremenda: "Es terrible lo que has
hecho conmigo. Es terrible no mandarme *Caballo Verde*... Por
lo demás, *Caballo Verde* no debe interesarme mucho. No hay en
él nada de cólera poética, ni de cólera polémica. Caballo impuro
y sectario; en la segunda salida juega al caballito puro y de cristal... Quien sufre mucho eres tú, Miguel. Algún día echaré a
'alguien' la culpa de tus sufrimientos humano-poéticos actuales.
Transformación terrible y cruel. Me dice todo esto la lectura de
tu poema *Mi sangre es un camino*. Efectivamente, camino de caballos melancólicos. Mas no camino de hombre, camino de dignidad de persona humana. Nerudismo (¡qué horror, Pablo y selva,
ritual narcisista e infrahumano de entrepiernas, de vello de partes
prohibidas y de prohibidos caballos!); aleixandrismo; albertismo.
Una sola imagen verdadera: la prolongación eterna de los padres.
Lo demás, lo menos tuyo" [37].

Miguel ya no es el poeta tímido de antaño. Su personalidad
poética se agiganta y le presta una seguridad inconmovible en los
círculos literarios. En todo momento puede contar con la asistencia de las musas. Improvisa, y le fluyen obras logradas. En casa
de la hermana de don José Martínez Arenas en Madrid, y a petición de su hijo Álvaro Botella Martínez, improvisa Miguel Hernández, en la primavera de 1936, esta décima de corte perfecto,
todavía inédita o al menos no contenida en la edición de las
Obras Completas, que muestra la facilidad creadora del poeta y su
dominio de las formas métricas:

> *Amigo Álvaro Botella:*
> *me has puesto en un trance amargo,*
> *pero, saldré, sin embargo,*
> *de él gracias a mi buena estrella.*

---

[37] ZARDOYA, p. 23.

Un verso se me atropella
tras otro y en ellos digo
que con mi pluma y contigo
te dejo como recuerdo
esta décima de un cuerdo
que está casi loco, amigo [38].

ADMIRADOR DE ALEIXANDRE - CONSAGRACIÓN DEL POETA POR JUAN RAMÓN JIMÉNEZ

A mediados de 1935 sale a luz pública *La destrucción o el amor*, de Vicente Aleixandre. Miguel, en su escasez económica habitual, le escribe unas letras pidiéndoselo. La carta va firmada: "Miguel Hernández, pastor de Orihuela." Vicente le invita, le regala su libro, y entre ambos va creciendo una amistad honda y duradera. Miguel se convierte en admirador de un nuevo maestro y le rinde homenaje en *Oda entre arena y piedra a Vicente Aleixandre*, poema en ritmo libre, material poético e imagen surrealista y aspectos de temática aleixandrina.

La poesía satisface plenamente a Vicente Aleixandre: "Sí, Miguel, tu oda tiene estrofas muy buenas, versos magníficos y su conjunto me satisface plenamente y me llena de alegría" [39].

Ramón Sijé, el entrañable compañero y joven maestro, muere inesperadamente en Orihuela el 25 de diciembre de 1935. La consternación es grande en los círculos literarios de Orihuela. Miguel escribe una carta a don Juan Guerrero participándole su inmensa pena: "Yo estoy muy dolorido de haberme conducido injustamente con él en estos últimos tiempos..." "Creo que no ha habido ninguna persona de Orihuela que no haya sentido y llorado su

---

[38] Informe oral de don José Martínez Arenas. Orihuela, 11 de enero de 1960.

[39] ZARDOYA, p. 23.

muerte. Se disputaban los muchachos amigos nuestros el ataúd. Dentro de mi corazón se ha quedado vacío el rincón mejor." Agradecido, expone sus planes de tributarle un homenaje publicando un número extraordinario de *El Gallo Crisis* [40].

Al mismo tiempo escribe a los padres y hermanos del finado dando expresión a su inmenso dolor y se muestra dispuesto a preparar la edición de las obras de Sijé.

El Ayuntamiento de Orihuela decide dedicarle una plaza y los amigos se reúnen para prestarle este homenaje póstumo. El 14 de abril de 1936 se descubre la lápida de Ramón Sijé. Miguel, el compañero entrañable, encaramado en una escalera, dirige la palabra a los presentes exaltando la figura del "escritor genial" y "compañero del alma" [41].

No parece sino que la misión del joven escritor oriolano había sido la de orientar, dirigir y descubrir el genio poético de Miguel. Cuando éste ha aprendido a abrirse camino, el muchacho extraordinario desaparece calladamente de la escena.

Según testimonio oral de algunos amigos de Orihuela es, a raíz de un incidente con la policía en enero de 1936, en que es abofeteado y golpeado, cuando Miguel Hernández escribe *Sino sangriento* (OC 239). Valga este poema para constatar cómo su fuerte personalidad poética no se extravía entre tantas corrientes y maestros. Precisamente esta composición, una de las mejores de toda la obra, data de un período de máxima tendencia mimética.

El 24 de enero de 1936 aparece en los talleres de Manuel Altolaguirre *El rayo que no cesa*. La *Revista de Occidente* pu-

---

[40] Carta sin fecha a don Juan Guerrero, conservada por doña Ginesa Aroca, viuda de Guerrero.

[41] El discurso de Miguel Hernández en homenaje a Ramón Sijé al imponérsele su nombre a una calle de Orihuela, aparece en *La Verdad*, de Murcia, 7 de mayo de 1936, con el título: *Letras evocando a Sijé. En el ambiente de Orihuela*, y también en *El Sol*, 17 de abril de 1936, con el título: *Un acto en memoria de Ramón Sijé. Unas cuartillas de Miguel Hernández.*

blica por su parte la elegía a Ramón Sijé y seis sonetos. Juan Ramón Jiménez eleva su voz para consagrar al nuevo vate y proclamar su elogio: "En el último número de la *Revista de Occidente* publica Miguel Hernández, el extraordinario muchacho de Orihuela, una loca elegía a la muerte de su Ramón Sijé y seis sonetos desconcertantes. Todos los amigos de la *poesía pura* deben buscar y leer estos poemas vivos. Tienen su empaque quevedesco, es verdad, su herencia castiza. Pero la áspera belleza tremenda de su corazón arraigado rompe el paquete y se desborda, como elemental naturaleza desnuda. Esto es lo excepcional poético, y ¡quién pudiera exaltarlo con tanta claridad todos los días! Que no se pierda en lo rolaco y lo palúdico (las dos modas más convenientes de la *"hora de ahora"*, ¿no se dice así?) esta voz, este acento, este aliento joven de España" [42].

La obra obtuvo gran resonancia y dio a conocer a Miguel en círculos más amplios de la vida literaria española. Unión Radio Madrid le invita a tomar parte en sus programas. *El Sol* y la *Revista de Occidente* —por su director Ortega y Gasset— le piden colaboraciones, y Juan José Domenchina encomia su "enorme voluntad de superación estética" y sus "arrebatadas y arrebatadoras facultades de exaltación lírica". "...el autor de *El rayo que no cesa,* numen aún incipiente, vocación poética tan sabia como bisoña, es un instintivo e intuitivo cantor de realidades enterizas y viriles, magníficamente superdotado" [43].

Pero la vida de Madrid continúa entre disgustos y rencillas de escritores, desengaños de amigos y, tras una crisis en la segunda mitad de 1935, el amor siempre creciente por Josefina. La pasión de Miguel se enardece. Las cartas ya no van fechadas en Madrid, sino en "Amor".

---

[42] GUERRERO ZAMORA, p. 266.
[43] *La Voz*, viernes, 17 de abril de 1936.

EPÍGONO DE LOPE Y GARCILASO

A pesar de sus hondas cuitas amorosas, el cumplimiento de una misión pedagógica en Salamanca y varias intervenciones en la radio, Miguel sigue escribiendo intensamente.

El año 1935, tricentenario de la muerte de Lope de Vega, resuena en el mundo literario en homenajes y festejos al Fénix de los Ingenios. El gusto neopopularista viene también a conducirle al Lope de las letrillas y seguidillas, que son estudiadas e imitadas por poetas de categoría como Gerardo Diego y García Lorca. Las *Poesías líricas* de Lope, publicadas en "Clásicos Castellanos", hacen popular su obra lírica, jugosa, fresca y envuelta en un alegre virtuosismo.

Con motivo de este centenario, Miguel Hernández leyó en la Universidad Popular de Cartagena, a invitación de Antonio Oliver y Carmen Conde, una conferencia sobre un tema de gran actualidad: "Lope de Vega en relación con los poetas de hoy". Sería interesante conocer su disertación. Lo cierto es que sentía gran admiración por nuestro fecundo poeta del Siglo de Oro. Su huella queda hondamente marcada en la producción de este periodo.

La primera mitad de 1936 la dedica a la composición de *El labrador de más aire* [44]. Numerosos rasgos de este drama nos recuerdan a *Peribáñez y el Comendador de Ocaña*. Don Augusto responde a la figura del Comendador y Juan encarna algo de Peribáñez. Se reproduce la escena del toro suelto en la plaza pública, si bien orientada en otro sentido.

En Lope, la fuerza dramática arranca del conflicto del honor. *El labrador de más aire* presenta una estructura más complicada: el dramatismo resulta del contraste del amor no correspondido de

---

[44] ZARDOYA, p. 28.

dos parejas, a lo que se añade la antítesis amor-odio, valentía-cobardía de otros dos personajes.

El drama goza de gran originalidad y modernidad, ya que se basa en la pintura de un ambiente pueblerino conocido a fondo y maravillosamente descrito. Sus escenas respiran frescura y autenticidad, sus personajes son tipos de la vida campesina : el borracho, las figuras femeninas enamoradizas y coquetas, el tabernero sentencioso, el terrateniente duro y sin corazón, la moza rica y despectiva. El aire de crítica y reivindicación social imprime a todo el drama una nota inconfundible de vigorosa actualidad. El poeta se recrea en efusiones líricas al estilo de *El rayo que no cesa*. El motivo central del mundo poético hernandiano ilumina toda la obra y el mismo protagonista es su resumen y encarnación, ya que está creado "a imagen y semejanza" de Miguel. El poeta nos revela sus dotes dramáticas y su extraña capacidad de captar esencias del alma popular en una acción movida, entre rondas y canciones.

También la hora de Garcilaso de la Vega sonó en el mundo de las letras, ansioso de abrevar ímpetu y vigor poético en el Siglo de Oro.

El fervor garcilasista de las jóvenes generaciones elige al poeta de la contención clásica para poner un dique al caos que amenaza la poesía. No se trata de una revalorización, como en el caso de Góngora, ya que el vate toledano había gozado siempre del favor de escritores y poetas, se intentaba rendir homenaje y proclamar a coro la relevancia de Garcilaso en las letras españolas. En 1935 publica Luis Rosales su *Abril*, y Manuel Altolaguirre una biografía novelesca como preparación a las fiestas garcilasianas abortadas por la guerra civil [45]. Una serie de vates reproducen con asombroso

---

[45] Cfr. DÍAZ-PLAJA, *Garcilaso y la poesía española*, y GALLEGO MORELL, Antonio, *Antología poética en honor de Garcilaso de la Vega*. Guadarrama. Madrid. 1958.

mimetismo la tonalidad melancólica, el gusto renacentista, la psicología, la temática general o motivos escogidos de Garcilaso.

Miguel Hernández rinde homenaje al poeta toledano en una égloga de corte garcilasista. El centenario había sido un homenaje al poeta y al hombre, estilístico y personal. Miguel canta también al "claro caballero de rocío", al poeta, al galán de "hermosura verdaderamente viril" y al enamorado. La égloga está transida de un dulce y melancólico sentir; un lenguaje renacentista claro y cristalino la hermosea; la contención preside el poema, pero la huella de una pasión fuerte, y el verbo desgarrador y cortante —"me siento atravesado del cuchillo de tu dolor", "estas congojas de puñal"— asoman al poema como marca inconfundible del poeta oriolano.

La égloga fue publicada en *Revista de Occidente,* junio de 1936, junto con *Sino sangriento,* y mereció la aceptación universal.

LA GUERRA CIVIL ‑ LA VOZ HER‑
NANDIANA EN RITMOS ÉPICO‑LÍRICOS

El termómetro de su epistolario marcaba la más subida fiebre amorosa. Escribe con frecuencia a su novia, le cuenta sus trabajos, intervenciones en la radio, sus éxitos y su odio creciente a la gran urbe. Todas las cartas van fechadas en "Amor".

El 16 de julio le escribe contándole su última intervención radiofónica. El 17 de julio, una unidad de la legión toma por asalto la Comandancia Militar de Melilla. En Madrid no se da importancia al hecho: una pequeña insurrección que se sofocará en breve. El suelo de España se estremece en lúgubres augurios. El insignificante levantamiento se agiganta hasta convertirse en la tragedia de una guerra civil. Miguel, que desde hace meses seguía con creciente interés la evolución de los acontecimientos políticos, se ve envuelto en la gran marea.

Su actitud política arranca de una honda preocupación social, brotada de su angustiosa pobreza de siempre y de la visión cercana de la vida del campesino. En una composición en prosa de 1935 describe el poeta la trágica vida del campesino y narra la indignación de éste ante las palabras de un político de la República que había declarado por entonces que "la gente del campo tiene para vivir suficientemente con tres pesetas" (OC 942). Los dramas *El labrador de más aire* (1937) y *Los hijos de la piedra* (1935) vuelven a plantear el mismo problema de la injusticia social. El poeta y sus personajes, libres de la ideología marxista, se rebelan contra el señor injusto, dejando a cubierto y alabando al buen señor. Claramente aparece esto en *Los hijos de la piedra*, drama escrito con motivo del levantamiento de los mineros asturianos. El lenguaje del poeta se irá exacerbando durante la guerra. Ante el hambre y la estridencia de las armas atacará al rico y al capitalista, pero le rogará que no le obligue con su injusticia a afilar sus garras y a convertirse en fiera (OC 325 ss.). Su preocupación social se convierte en una actitud política de graves y fatales consecuencias para su vida.

Miguel se incorpora al ejército republicano, pero antes marcha a Orihuela a despedirse de los suyos. Va a bañarse con sus amigos, discute sobre la situación política y va todos los días a Elda a visitar a su novia.

El 13 de agosto de 1936 muere en Elda el guardia civil Manuel Manresa, padre de Josefina, de una herida en el cerebro producida por arma de fuego. Es asesinado en el centro de la ciudad y precisamente por los milicianos republicanos con los que luchaba Miguel Hernández. Otra nueva prueba para su amor [46].

Alistado como voluntario al 5.º Regimiento, se le destina a hacer fortificaciones en Cubas, cerca de Madrid, y por gestión de Emilio Prados se incorpora después a la 1.ª Compañía del Cuar-

---

[46] MARTÍNEZ ARENAS, p. 16.

tel General de Caballería como Comisario de Cultura del Batallón
de *El Campesino*. Bobadilla del Monte, Pozuelo de Alarcón, Alcalá
de Henares, Madrid, de nuevo Alcalá... son las etapas de su iti-
nerario [47].

En el asedio de Madrid muere Pablo de la Torriente, y Miguel
le dedica una elegía que, junto con la elegía a García Lorca,
abrirá su libro de poemas *Viento del pueblo*. Muchos de ellos son
recitados en los altavoces del frente o publicados en periódicos u
hojas volantes. Miguel cree en la justicia de su causa y se va
entregando a ella con todo su vigor y entusiasmo. "No defendemos
más que el porvenir de los hijos que tenemos que tener" [48].

El 15 de febrero de 1937 compone *Recoged esta voz*. El poeta,
generoso y desinteresado, se entrega "fervientemente a su ideal
poético y social, jamás enturbiado por un mezquino interés o una
sucia pasión" [49]. Compone poesías, ayuda a la familia de su novia,
y sigue trabajando y luchando por salir honradamente de sus
apuros económicos. Vicente, el hermano de Miguel, se quejaba
durante la guerra, cuando el poeta investía grandes puestos en el
campo republicano, de que nunca les ayudó ni en dinero ni en
comestibles, cosa tan corriente y usual en personas que ocupaban
cualquier cargo de confianza [50].

Desde Jaén anuncia a Josefina, a primeros de marzo, su próxima boda, y el 9 de marzo de 1937 se casan civilmente en Orihuela, saliendo el mismo día para Jaén. Josefina tiene que inte-
rrumpir su viaje de boda para asistir a su madre, gravemente en-
ferma, que muere en Cox a fines de abril.

La actividad poética no cesa. Por abril da los últimos toques
y prepara la edición de *Viento del pueblo* [51].

---

[47] Zardoya, pp. 30, 31.
[48] Zardoya, p. 32.
[49] Martínez Arenas, p. 17.
[50] Informe oral de José Sánchez Hernández. Orihuela, 11 de enero de
1960.
[51] Zardoya, p. 34.

Madrid, Jaén, Castuera (Extremadura), Cox, Valencia, Madrid... Su actividad enorme le ocasiona una anemia cerebral y tiene que marchar a Cox a reponerse.

Miguel Hernández toma parte en algunas sesiones del II Congreso Internacional de Escritores Antifascistas, en que se aplaude calurosamente a André Malraux y José Bergamín, se lee un mensaje de Romain Rolland y se protesta de la "no-intervención" [52].

Inesperadamente se le ofrece un viaje al extranjero. Miguel Hernández, que acaba de publicar en Valencia su *Teatro en la guerra,* es enviado con otros cuatro escritores a Rusia para asistir a "unas representaciones de teatro en Moscú, Leningrado y otras ciudades rusas para que sirvan de estudio y beneficio del teatro que yo hago en España" [53].

El 28 de agosto sale de Valencia. Por París y Estocolmo llega a Moscú, donde permanece hasta el 10 de septiembre en continuo movimiento, acosado de periodistas y escribiendo él mismo para periódicos y revistas. El 11 de septiembre está en Leningrado y el 18 en Kiev. El 5 de octubre se embarca para España, llegando por Londres y París a Barcelona.

Durante su viaje se acaba de imprimir *Viento del pueblo.* El poeta, hondamente enraizado en el pueblo, se hace eco de sus inquietudes y se aboca en estos ritmos épico-líricos, marcados con el signo de la precipitación y el lastre de inevitables escorias, pero eclosión vigorosa e inconfundible de lo hernandiano. Poesía y vida se funden. Miguel penetra hasta su propia voz poética depurada de elementos extraños. Fuera de alguna leve resonancia a Jorge Manrique o al desgarrado y lúgubre Quevedo, su voz resuena viril, enérgica y ardientemente apasionada, y no es sino un clamoreo bélico del auténtico Miguel Hernández. El poeta-soldado se deja enardecer y arrastrar por los magnos acontecimientos. Motivos centrales de su mundo poético hallan aquí su resonancia

---

[52] *El Sol,* junio 1937.
[53] ZARDOYA, p. 35.

—Canción del esposo-soldado—, y el lenguaje agreste y rural presta a estos poemas el sello de lo arraigado y auténtico.

El españolismo de Miguel se ha exacerbado en el extranjero. El viaje le inspira los poemas España en ausencia y Rusia, núcleo inicial en torno al cual se irá formando El hombre acecha. Es una obra intermedia entre el entusiasmo apasionante de Viento del pueblo y la voz entrañable y apagada del Cancionero. El fuego retórico comienza a extinguirse, resultando esta obra tan desigual, en que, junto a poemas de una intensidad arrolladora, descripción de un mundo titánico de sufrimiento y dolor transfigurados, aparecen otras composiciones de circunstancia, abundantes en ripios, cuya fuerza queda difusa en innumerables estrofas de forma descuidada. El poeta va adentrándose lentamente en su interior, el fuego purificador del dolor le va despojando de todo lo que pudiera ser mero palabreo superficial sin mensaje ni hondura. En El hombre acecha se atisba el fatal y trágico desenlace de la guerra. La amargura, el odio de hombre a hombre asoma su garra en estos poemas. Miguel se ha despegado ya de sus maestros. Ni Góngora, ni Garcilaso, ni el aliento de Quevedo, descubridor de trasfondos oscuros, sino el auténtico Miguel Hernández frente al material poético nuevo que le prestan los acontecimientos. ¡Qué visión más diversa la de este libro comparado con Viento del pueblo! Las manos que todavía eran en Viento del pueblo herramientas, mensajes del alma, fuentes de vida y riqueza, se han convertido en instrumentos de destrucción, en garras de odio. El soldado valiente, la juventud dichosa, el jornalero, han rememorado sus garras, se han convertido en tigres: el hombre acecha al hombre. La misma guerra que en Viento del pueblo era entusiasmo, valentía, heroísmo, canción a la alegría, se ha trocado en tragedia inacabable: odios, heridos, hospitales, hambre y cárceles.

El labrador de más aire se imprimió también este año en Valencia.

En diciembre le nace el primer hijo, suceso que le embriaga de alegría. Miguelín le inspirará el tríptico de poemas *Hijo de la luz y de la sombra,* quizá lo mejor de toda su poesía.

Para descansar de su vida azarosa y reponerse se retira a Cox [54], donde da los últimos toques a su drama *El pastor de la muerte,* en que el héroe Pedro encarna rasgos biográficos del poeta. El drama es premiado en el Concurso Nacional de Literatura con un accésit de 3.000 pesetas [55].

El 19 de octubre de 1938 muere su hijo de una infección intestinal. El trágico suceso desgarra al poeta y le inspira hondos poemas. El nacimiento de Manuel Miguel, el 4 de enero de 1939, le hace recuperar la perdida alegría.

El 28 de marzo de 1939, con la toma de Madrid se daba por terminada la guerra. Miguel Hernández, que se encontraba en Andalucía, consigue atravesar la frontera. La policía portuguesa le detiene por indocumentado y, sin reconocerle su calidad de refugiado político, es devuelto a la guardia civil española.

CÁRCELES - LA VOZ HERNANDIANA EN LA OSCURIDAD DE LA PRISIÓN

Es enviado detenido a Madrid. El 18 de mayo entra en la Prisión Celular de Torrijos. Desde allá comienza a pedir avales e informes a Orihuela, a fin de conseguir cuanto antes la libertad. A fines de mayo le llega el de Juan Bellod. José M.ª de Cossío le visita y Pablo Neruda empieza a ocuparse del poeta desde Francia. Su vida en la cárcel se entristece en vista de la situación econó-

---

[54] ZARDOYA, p. 36.
[55] *Gaceta de la República,* n.º 105, 15-IV-1938: "A Don Miguel Hernández un accésit de 3.000 ptas. por su obra *Pastor de la muerte.*" Siguen premios a don Germán Bleiberg, a don Pedro Garfias, etc.

mica de su mujer, hijo y ahijadas. Compone poemas del *Cancionero*, dibuja, cose o escribe cartas, conservando su buen humor y optimismo [56].

El 12 de septiembre de 1939 escribe a su esposa: "El olor de la cebolla que comes me llega hasta aquí y mi niño se sentirá indignado de mamar y sacar zumo de cebolla en vez de leche. Para que lo consueles te mando esas coplillas que le he hecho, ya que para mí no hay otro quehacer que escribiros a vosotros o desesperarme" [57]. Con ello nos da a conocer la fuente de inspiración de las trágicas *Nanas de la cebolla* y la gestación lenta de los impresionantes poemas del *Cancionero y romancero de ausencias*. La luminosidad y colorido de obras anteriores es aquí lobreguez y sombras. Muchos han sido los acontecimientos y catástrofes que han marcado su destino. La voz, a veces optimista y siempre apasionada de *Viento del pueblo*, se ha convertido en eco de amargura y desilusión. El fuego ardiente es ya sólo cálida ceniza. El poeta sigue ahondando en sus temas obsesionantes: esposa, hijo, ausencia, cárceles, vida y todo lo que ésta encierra de dolores inmensos y alegrías leves y momentáneas. "El largo registro que practicaron sus ojos en la penumbra... lo apartó de la epidérmica visión de las cosas para habituarle, en cambio, a la excavación del trasfondo de cuanto le rodeaba y de su propio pecho" [58]. Su voz queda apagada, apenas perceptible, en versos breves, despojados de todo elemento extraño u ornamental; va rumiando sus temas hondos y esenciales en moldes quintaesenciados. Nada de influencias clásicas ni modernas; todo arde y se transfigura en el alma del poeta reconcentrado en su intimidad. Estos poemas son la voz auténtica, el último gemido, el "testimonio denso y apretado del poeta prisionero" [59].

---

56 ZARDOYA, pp. 38, 39.
57 ZARDOYA, p. 39.
58 ROMERO, Elvio, *Miguel Hernández, destino y poesía*, p. 142.
59 ROMERO, *o. c.*, p. 142.

Inesperadamente, a mediados de septiembre, sin ser procesado es puesto en libertad por gestión del cardenal francés Baudrillart, como quiere Pablo Neruda [60], o por un decreto comprendiendo ciertos presos políticos.

En libertad, Miguel corre fatalmente a su destino trágico, desoyendo la voz de sus amigos que le aconsejaban refugiarse en una embajada y no ir a Orihuela. Arrastrado ciegamente por el amor a su mujer y a su Manolillo se dirige a Cox. Su hermana y dos amigos intentan disuadirle de tal plan. El alcalde del pueblo le visita con el mismo objeto. Miguel, desoyéndolos a todos, marcha a Orihuela, saluda a su familia y amigos, come con Gabriel Sijé y, al salir de casa de éste, el 29 de septiembre de 1939, es detenido por un oficial del Juzgado.

En el seminario de Orihuela, convertido en cárcel, sufre su necesidad y la de sus allegados. A petición de Pablo Neruda, el Encargado de Negocios de Chile en Madrid, don Germán Vergara Donoso, envía mensualmente una ayuda económica a Miguel y a su esposa, aliviando su situación económica. La asistencia del Consulado de Chile continúa al ser trasladado Miguel a Madrid, a la prisión del Conde de Toreno.

Transcurren meses de intensa inquietud, en que su vida pende de un hilo. El poeta va adquiriendo una serenidad estoica. Su estilo epistolar se hace sentencioso. Su labor poética es casi nula. Parece ser que los poemas *Sepultura de la imaginación* y *El pez más viejo del río* los compuso en esta prisión [61].

A mediados de julio se celebra su consejo de guerra, que pronuncia la pena de muerte. José M.ª de Cossío hace un último esfuerzo. Se entrevista con José M.ª Alfaro, poeta y jerarca de la Falange, y con Rafael Sánchez Mazas, entonces ministro del Gobierno. Consigue hablar con el general Varela, ministro del Ejército, quien ordena la revisión del proceso. La pena de muerte queda conmu-

---

[60] ZARDOYA, p. 40.
[61] ZARDOYA, p. 42.

tada en treinta años de cárcel [62]. Miguel, por consolar a Josefina, le habla sólo de "doce años y un día de prisión menor".

Tras un año de prisión en Madrid, Palencia y Ocaña, es trasladado, sin duda por gestión de Vergara, al Reformatorio de Adultos de Alicante. Su situación se hace más llevadera. Puede entrevistarse y hablar con su esposa e hijo, que viven relativamente bien con las 300 pesetas mensuales que les envía Vergara, Encargado de Negocios de Chile.

ÚLTIMA ENFERMEDAD - MUERTE

En diciembre de 1941 contrae un "paratifus B, diagnosticado por seroaglutinación positiva". Se inicia una franca convalecencia, que Miguel comunica en carta a su madre, pero un cambio súbito se opera al invadir todo el pulmón izquierdo "un cuadro de tuberculosis pulmonar aguda" y al producirse una "resiembra en el pulmón derecho". Se le observa con rayos X y se descubre "un neumotórax espontáneo que colapsaba el pulmón izquierdo" [63]. Miguel sufre, la fiebre le debilita. En sus cartas brevísimas, en papel higiénico, pide alimentos, inyecciones, algodón, leche. Se intenta trasladarlo al sanatorio penitenciario de Porta Coeli y don Luis Almarcha hace las gestiones obteniendo el permiso. El traslado se hace imposible por falta de medios económicos y por el avance súbito de la enfermedad. El doctor Pérez Miralles piensa en solicitar la libertad atenuada y se declara dispuesto a extender el informe clínico para ello [64]. Pero la enfermedad avanza inexorablemente.

---

[62] GUERRERO ZAMORA, p. 160 s. ZARDOYA, p. 42.
[63] Carta del doctor Pérez Miralles a don Juan Guerrero, conservada por doña Ginesa Aroca, viuda de Guerrero, describiendo la enfermedad que costó la vida a Miguel Hernández.
[64] *Ibidem.*

El día 28 de marzo de 1942, a las cinco y media de la mañana, después de un tierno recuerdo para su esposa, expira, a los treinta y dos años de edad. Sus últimos versos quedaron escritos sobre la pared:

> *¡Adiós hermanos, camaradas, amigos:*
> *despedidme del sol y de los trigos!*

Avisada la familia, acudió al cementerio de Nuestra Señora del Remedio, donde fue depositado en el nicho 1009, en presencia de algunos familiares y dos de sus más fieles amigos: Ricardo Fuente y Miguel Abad [65].

---

[65] Carta de don José Juan Seva a don Juan Guerrero. San Juan, 10-VI-1942, conservada por doña Ginesa Aroca.

CAPÍTULO II

EL MUNDO POÉTICO HERNANDIANO

El poeta no es un metafísico y el poema no es un tratado filosófico. La poesía no consiste en dar formas artísticas a una realidad
ya existente, ni en revestir determinados contenidos espirituales de
un lenguaje bello y pulido. "La capacidad estética es una fuerza
creadora capaz de engendrar un contenido que trasciende la realidad y que no se da en ningún pensamiento abstracto, en breve,
es un modo de contemplar el universo" [66]. Poesía es una capacidad
genial de "crearse un mundo propio". El poeta, partiendo de sus
propias vivencias, se ordena y constituye un cosmos, y nos ofrece
una concepción del universo marcada con el signo y el colorido
característico de su genio creador. Si poesía es esencialmente interpretación de la vida y el mundo, para penetrar en la personalidad
y el genio peculiar de un escritor habremos de poner el estudio
de sus concepciones cosmovisionales en el centro de toda investigación literaria, y si pretendemos llegar a comprender la obra de

---

[66] UNGER, *Aufsätze zur Prinzipienlehre der Literaturgeschichte*, p. 146.

arte en su integridad, nos será absolutamente indispensable detenernos en la consideración de su contenido ideológico.

Roman Ingarden, en *Das literarische Kunstwerk,* nos ofrece
consideraciones acertadísimas sobre las relaciones mutuas entre el
contenido y la forma en la obra literaria. La temática o los *objetos
representados,* en la terminología de Ingarden; cosas, acontecimientos, personas y su suerte, desempeñan una función esencial
y decisiva en la constitución de la obra y se convierten en centro
y eje en torno a los cuales se ordenan todos sus valores estéticos.
Los elementos fónicos, ritmo y juegos vocálicos y consonánticos,
las unidades de significación, los aspectos esquematizados, como
imágenes, símbolos y comparaciones, y toda la estructura arquitectónica de la obra, existen únicamente en función de *los objetos
representados,* para infundirles mayor vida, visibilidad y formas
concretas. Todos los elementos tan heterogéneos de la obra se
fusionan, pues, en los objetos representados, por lo que un conocimiento logrado de ellos es la clave imprescindible para todo intento de penetrar en los medios expresivos de la obra poética.

Los objetos representados en la obra de arte tienen ya cierto
carácter simbólico y revelan por sí los gustos y la orientación del
genio creador, que los ha seleccionado entre miles de objetos posibles, los ha elaborado y, con su fantasía creadora, los ha cargado
de sentido y transfigurado. Todos estos objetos se organizan en
una estructura unitaria o *Weltanschauung* poética, ya que todos
ellos no hacen sino proyectar los diversos cortes de la realidad
captados por el poeta desde su atalaya o ángulo visual propio.
Mucho de la vida íntima del escritor se proyecta inevitablemente
y halla su resonancia en esta visión poética del cosmos, por lo que
las ideas obsesionantes, continuamente repetidas, podrán ser muy
reveladoras. El investigador de la obra literaria deberá dirigir su
atención a estas ideas obsesionantes, y tratará de intuir o descubrir
reflexivamente esa atalaya y ángulo visual desde donde el poeta

contempla el universo, con lo que habrá hallado la clave para una penetración honda e íntegra de su poesía y persona [67].

Por ello nos habremos de preguntar: ¿cuál es la intuición central de su mundo poético?, ¿qué objetos resaltan en ese paisaje cósmico?, ¿qué valores adquieren la primera categoría y qué otros son relegados a un lugar secundario?, ¿qué circunstancias especiales de la vida del poeta y qué experiencias le han llevado a contemplar el mundo teñido por estos colores tan peculiares?

Vamos, pues, a estudiar la cosmovisión hernandiana entendida en su sentido más amplio: concepciones filosóficas, ideas obsesionantes, actitudes sentimentales y emocionales y los eternos problemas existenciales a los que se vuelve el poeta impulsado por su sino y la trayectoria de su vida.

1. — A LA BÚSQUEDA DE SU MUNDO POÉTICO

MIRANDO HACIA AFUERA

Antes de reconcentrarse el hombre sobre sí mismo contempla su mundo exterior. Heidegger nos recuerda a este respecto la "subjetividad incondicional del absolutismo metafísico de Schelling y Hegel, para quienes el estar-en-sí-mismo del espíritu es sólo una vuelta a sí mismo, que exige y presupone a su vez un estar-fuera-de-sí precedente". A continuación dice de Hölderlin: "Ha descubierto *lo propio*, hacia lo cual siempre permaneció orientado, sólo a través de una peregrinación [por lo extraño]" [68]. Algo parecido podríamos afirmar de Miguel Hernández, que descubre su mundo poético tras un largo vagar por mundos externos, extraños a él.

---

[67] Cfr. INGARDEN, p. 13 y *passim*. Consúltese también la Introducción a esta obra.
[68] HEIDEGGER, *Erläuterungen zur Hölderlins Dichtung*, pp. 83, 85 s.

En su primer período, de absoluta extroversión, se vuelve el poeta al mundo exterior en busca de motivos que cantar y nos reproduce escenas de su vida de pastor: su temprana salida al pastoreo, juegos con un limón, toro, culebra, o motivos anecdóticos y cuadros costumbristas, imitados de su amplio círculo de lecturas [69].

En *Perito en lunas* describe con virtuosismo neogongorista exquisito una serie de cuadritos, objetos y escenas de la vida real. Miguel Hernández mismo nos ha descifrado el contenido de estas octavas en las que habla de gallos, cohetes, barberos, monjas confiteras, espantapájaros, granadas, sandías y gitanas [70]. Arturo del

---

[69] Cfr. OC 35-56, y, más arriba, la nota 12, pp. 19-20.

[70] Don Federico Andreu Riera (Orihuela) tiene un ejemplar del libro *Perito en lunas* con los títulos de todas las octavas del mismo. Los títulos fueron dictados por el mismo Miguel Hernández y escritos por don Federico Andreu (Testimonio oral al autor, Orihuela, 11 de enero de 1960). Reproducimos todos los títulos de las octavas por ser de un valor precioso para descifrar su contenido y captar la ingeniosidad y audacia de las metáforas:

1. — *Suicida en cierne*.	18. — *Pozo*.
2. — *Palmero y Domingo de Ramos*.	19. — *Espantapájaros*.
	20. — *Surco*.
3. — *Toro*.	21. — *Mar y río*.
4. — *Torero*.	22. — *Panadero*.
5. — *Palmera*.	23. — *La granada*.
6. — *Cohetes*.	24. — *Veletas*.
7. — *Palmero*.	25. — *Azahar*.
8. — *Monja confitera*.	26. — *Oveja*.
9. — *Yo: Dios*.	27. — *Barril y borracho*.
10. — *Sexo en instante* (1).	28. — *Gota de agua*.
11. — *Sexo en instante* (2).	29. — *Gitanas*.
12. — *Lo abominable*.	30. — *Retrete*.
13. — *Gallo*.	31. — *Plenilunio*.
14. — *Barbero*.	32. — *Noria*.
15. — *Camino*.	33. — *Ubres*.
16. — *Serpiente*.	34. — *Huevo*.
17. — *Sandía*.	35. — *Horno y luna*.

Hoyo piensa que en este libro "no se presiente en absoluto el Miguel Hernández posterior". Nosotros, sin embargo, creemos asistir en él al alumbramiento prematuro de ciertos motivos temáticos que llegarán a ser centrales en su obra. Lo que aquí es sólo mera ocurrencia y juego metafórico se desarrollará en obsesión permanente y eje de toda una cosmovisión. Recordemos a este respecto las metáforas sexuales de las octavas XXVII y XL, el motivo del cementerio y la muerte como sombra que se yergue sobre su vida de amores (XXXVI) y el tema del *toro* y del *torero* que apunta ya en estos mosaicos de luz e imágenes ocupando las octavas III y IV.

Nadie se imagina todavía las futuras resonancias de este motivo, pero pronto volverán a aparecer en *Corrida real, Elegía media del toro* y en *Citación final* convirtiéndose en una verdadera constante poética. En los dos primeros poemas, la corrida es descrita en pinceladas pintorescas con gran lujo de colorido. El poeta sigue siendo el espectador que fascinado contempla y aplaude desde el palco. En *Citación final,* el motivo va adquiriendo hondura. El poeta llega a descubrir la "función simbólica" del motivo *toro,* que se convierte en imagen de la muerte, pero todavía no ha llegado a adquirir la plenitud simbólica que alcanzará después. La trágica lid entre "muerte" y "vida", "toro" y "torero", contemplada desde la barrera, invita al poeta a la reconcentración, hasta que comienza a pensar en la trágica cornada que también a él le espera. Muy lentamente se va operando esa introversión lírica que acabará convirtiendo al sujeto en objeto poético.

Mientras tanto, el mundo exterior sigue enriqueciendo su temática: *Diario de junio, Oda al vino, Oda a la higuera, Abeja y*

---

36. — *Funerario y cementerio.*
37. — *Crimen pasional.*
38. — *Mesa pobre.*
39. — *Lavandera.*
40. — *Negros ahorcados por violación.*
41. — *Labradores.*
42. — *Guerra de estío.*

flor, Elegía al gallo, Árbol desnudo, Profecía sobre el campesino y mil otros motivos parecidos (OC 77 ss.).

Dos fuerzas desencadenan una angustiosa lucha en el alma del poeta : los modelos clásicos y su mundo exterior, ese luminoso mundo mediterráneo, pleno de colorido, que tan vivamente impresionaba al poeta-pastor de ojos abiertos. Las lecturas clásicas no sólo le prestan recursos estilísticos y moldes métricos, sino también temas en qué ensayar sus fuerzas.

La poesía religiosa del barroco, y sobre todo los autos sacramentales con su conceptismo y su gusto por la metáfora, tenían que hallar eco en el alma naturalmente religiosa del poeta : *Eclipse celestial, Tríptico a María Santísima, Mar y Dios,* etc. Un ansia mimética incontenible, y quizá la insinuación queda de su amigo Ramón Sijé le lanzan a tales temas. Miguel crea poesía religiosa donde predomina el trabajo de inteligencia y la elaboración técnica sin faltar numerosos destellos de originalidad que hacen prever motivos centrales de su temática. Pero al intentar calar en el sentido hondo de un tema religioso, las posibles intuiciones originales no siempre logran salir a flote, sofocadas por una balumba de imágenes y fórmulas barrocas todavía vivas en su mente. El motivo religioso, tal vez por ser manejado sólo en el período inicial de su actividad lírica, no ha llegado a ser asimilado plena y vitalmente por Miguel Hernández, quedando al margen de su *Weltanschauung* poética.

Sin embargo, el motivo rural, tan intensamente vivido y sentido, imprime una nota muy distinta y llena de autenticidad a los poemas. Consideremos *La morada amarilla.* Una oleada de calor vivifica y da profundidad a la composición. Miguel no es aquí el genial imitador de estilos extraños. La composición lleva el sello de algo intensamente vivido, auténtico. Su personalidad poética destaca y crece hasta producir estrofas como aquélla :

> *¡Qué morada! es Castilla:*
> *¡qué morada! de Dios y ¡qué amarilla!*

¡Qué solemne! morada
de Dios la tierra arada, enamorada,
la uva morada y verde la semilla.

¡Qué cosechón! de páramo y llanura.
¡Qué lejos!, ¡ay!, de trigo.
¡Qué hidalga paz! ¡Qué mística verdura!
y ¡qué viento! rodrigo (OC 143).

Reproducimos la grafía del autor destinada a acentuar ciertos vocablos.

EN LENTA INTROSPECCIÓN

El poeta sigue mirando hacia afuera, pero sin esquivar a intervalos una mirada al interior que sólo dolor descubre. La problemática existencial de su vida va surgiendo aquí y allá: De mal en peor, El silbo del mal de ausencia. Pero es en El silbo vulnerado donde Miguel Hernández da el gran paso hacia el descubrimiento de su propia voz poética. La pena es el alma que comunica calor entrañable y da unidad a todo este libro.

La pena es, en primer lugar, el ansia incontenible hacia la amada ausente o inalcanzable y la herida que esta ausencia va abriendo en el corazón del poeta. Así los sonetos: 1, 2, 5, 6, 8, 10, 11, 14, 16, 17, 18, 19, 20, 21, 23, 24 y 25. Pero también es la visión constante del amenazador espectro de la muerte (sonetos 9, 13, 15). La pena viene a convertirse en una especie de angustia existencial (sonetos 12, 21), pero en este libro es, ante todo, sangrante herida de enamorado. La pena hace silbar, esa pena que hace lanzar al ruiseñor su afligido silbo es la que arranca de la lira del poeta el amoroso silbo vulnerado de estos sonetos (soneto 14). Nótese cómo el poeta reproduce el título del libro indicándonos la fuente temática de donde brota toda su poesía.

En todos los sonetos de *El silbo vulnerado* campea ese dolor hondo y contenido, dolor concentrado, intenso, sin ruidos externos de exclamaciones y gritos de desesperación; dolor trágico e inevitable, ya que su causa es el amor, desbordamiento necesario de la vida que rebasa y exigencia vital primaria (soneto 23).

También el motivo del amor conyugal, que tanta importancia adquirirá después, anuncia ya su presencia en este período anterior a *El rayo que no cesa*. Ya en *Perito en lunas* tropezábamos con cuatro octavas de motivo sexual: X, XI, XXXVII y XL.

En el auto sacramental, el esposo canta a la esposa la grandeza casi divina del acto de la fecundación y generación del hijo:

> ¡Crear!, por recrear y recrearnos:
>   tal fue mi pensamiento.
> Todo el que crea y siembra, es más que algo;
>   es algo Dios, si menos (OC 446).

> Con un temor de amor y de grandeza
>   sembré en tu vientre mi hijo (OC 445).

Y el Hombre-niño:

> Toda la mujer hermosa
> te inspiraba un frenesí,
> y tú me espiraste a mí
> en el vientre de tu esposa (OC 488).

Ya antes en el *Tríptico a María Santísima* se había recreado el poeta cantando con ternura sin igual la maternidad, descendiendo a encantadores detalles (OC 141).

Pero hemos de constatar que también en este período ocurre con frecuencia la valoración negativa del amor y la unión de los esposos, que es presentada como algo pecaminoso:

> ¡Cómo evitar la embestida,
> si al darme, padre, tu vida,
> me diste tu condición!
>
> ¡Cómo había de evitar
> la terrible inconveniencia
> de la que fui consecuencia,
> de la que me hizo alentar!
>
> ¡Cómo, si me diste par
> sangre a la tuya, su brío
> y su ardiente poderío,
> evitar lo inevitado!...
> ¡Padre, sobre tu pecado
> está concebido el mío! (OC 486).

Cfr. también OC 79; 129; 151; 158.

Sabido es cómo estos motivos, lejos de ser algo de signo negativo, representan a lo largo de la obra hernandiana el más sublime valor de su mundo poético. ¿Cómo acordar estas disonancias internas? ¿Qué ha ocurrido?

Nos encontramos en período de tanteos no sólo estilísticos, sino también en la temática (1930-1934). Las influencias estilísticas del barroco se echan de ver. También la temática tenía que quedar influenciada. Leo Spitzer ha dicho acerca del Seiscientos español que es un "anhelo realista del mundo y una fuga ascética del mundo". El pensamiento ascético de oprimir la carne y sus impulsos se halla hondamente enraizado en la religiosidad cristiana medieval y en la española del barroco. El mundo de sus lecturas y su religiosidad sincera de entonces le imponen este motivo, contra el cual se irá rebelando después, según el testimonio de su epistolario, hasta adoptar una actitud vitalista diametralmente opuesta a la valoración negativa del amor durante este período inicial.

2. — *DESCUBRIMIENTO DE SU MUNDO POÉTICO.*
LA VIDA Y SU TRAGEDIA

EL TRÍPTICO TEMÁTICO

A partir de *El rayo que no cesa,* su mundo poético va madu-
rando, se ordena y eleva hasta formar un cosmos de pensamiento
bien estructurado. El libro se abre con el crudo planteamiento del
gran problema existencial miguelhernandiano en toda su compleja
y honda contradictoriedad de fuerzas: su vida siempre trágicamente amenazada:

> *Un carnívoro cuchillo*
> *de ala dulce y homicida*
> *sostiene un vuelo y un brillo*
> *alrededor de mi vida* (OC 213).

Si recorremos toda la obra de Miguel Hernández en busca de
la idea directriz y la intuición central de su cosmovisión, veremos
cómo ningún pensamiento supera a éste en importancia, hondura
y fuerza unificadora de toda su obra. La vida —tema central de
toda poesía y arte— es el gran problema que sobrecoge y estremece a nuestro poeta: la vida propia como problema existencial
y la vida en general, el gran misterio de la vida en el mundo.
Desde que Miguel conoce a su futura esposa, el amor se hace
poesía, la vida de enamorado se convierte en materia de arte.
Miguel Hernández toma su propia vida con todo su amor y dolor
y la transforma en poesía. Esa vida, a la que tan frenéticamente
se agarraba por miedo a que se le escapara de las manos, es la
clave de su arte. De aquí el estremecimiento y conmoción, la
pasión atormentada que entrecruza su obra. Porque, según dice

Torrente Ballester hablando de nuestro poeta, "cuando el poeta se trasmuta en artista y manipula con su vida como materia poética, no es una parte de su ser la que interviene, pongamos la imaginación o cualquier otra potencia o facultad, sino él íntimo, con su historia, con todo su ser biográfico" [71]. De aquí el calor hondo y entrañable de los poemas que arrancan de este motivo central.

Miguel nos explica en los momentos de mayor concentración lo que para él significa la vida:

> *Escribí en el arenal*
> *los tres nombres de la vida:*
> *vida, muerte, amor* (OC 364, 10).

Cfr. también OC 363, 9; 429; 315.

En este tríptico viene a darnos la clave de su hondo sentir filosófico-poético. Lo que a Miguel primariamente eleva al éxtasis lírico es la vitalidad desbordante de la naturaleza y su vida personal eternamente amenazada: amenazada por fuerzas indeterminadas, incontrolables, casi cósmicas, que ya son "carnívoro cuchillo", ya "nubes enfurecidas", "planetas de azafrán en celo" o "torrente de puñales", en que se encarna todo el dolor, el amor sangrante y los lúgubres presagios de muerte que le estremecen. Este vitalismo hernandiano reviste, por tanto, un colorido marcadamente trágico. Se trata de una amenaza no concreta, sino vaga, indeterminada, muy semejante, por ello, a la que produce la angustia heideggeriana. En realidad es el mundo en torno, como tal, la realidad ante la cual el *Dasein* heideggeriano se estremece. Algo muy parecido constatamos en Miguel Hernández, y ésta es la única semejanza que hemos podido descubrir con el existencialismo

---

[71] TORRENTE BALLESTER, "La intimidad, el amor, la poesía y otras cosas", *Arriba*, 9 de diciembre de 1951.

heideggeriano, del que se ha llegado a hablar en relación con el vate orcelitano [72].

Este posible existencialismo hernandiano, lejos de tener su origen en Heidegger o en cualquier otra escuela filosófica, es más bien un existencialismo vivido, hispánico, un existencialismo *avant la lettre,* producto tal vez de un cierto fatalismo y de esa peculiar vivencia del tiempo típicamente hispana, abocada a lo inmediato del presente. Como bien observa Christoph Eich [73], los españoles ya eran existencialistas antes de Kierkegaard y antes de que el existencialismo fuera una filosofía y una moda. A Miguel Hernández le pudo venir la idea obsesionante de la constante amenaza del carnívoro cuchillo que vuela en torno a su vida, bien de los continuos golpes de la fortuna que conmovieron su existencia desgraciada —recordemos el acontecimiento doloroso que inspiró *Sino sangriento*—, bien de la visión fatalista andaluza plasmada en los cuchillos y navajas de la vida gitana y de los dramas de García Lorca que Miguel conocía bien.

El mundo poético hernandiano es una ideología formada a base de vivencias, experiencias y golpes de la vida, es la concreción de sus propios problemas universalizados y convertidos en *Weltanschauung* poética. "Su ámbito poético y su ámbito humano se aproximan más y más [en su última obra, el *Cancionero*], y las dos grandes fuerzas que mueven su capacidad creadora —vida y muerte—, siguen manifestándose con todo su vigor. Por una parte, la atracción de la tierra, que en el fondo no es más que una llamada de muerte, un retorno a los orígenes. Por otra parte es la vida, sentida a través del amor y de la libertad, la que alumbra el pozo de energía que hay en su alma. Vida y muerte se atraen

---

[72] RODRÍGUEZ SEGURADO, "Dolor y soledad en la poesía de Miguel Hernández", en *Revista de la Universidad de Buenos Aires,* núm. 24, oct.-dic. 1952, pp. 581-585.

[73] EICH, Christoph, *Federico García Lorca, poeta de la intensidad,* pp. 123-124.

y se repelen con impulsos iguales. Pero algo que es vida, y, a la vez, un poco de muerte vence. Es el amor"[74].

El mundo poético de Miguel Hernández se puede concentrar, pues, en este hondo tríptico de elementos en perfecta correspondencia mutua:

$$Vida = Amor + Muerte$$
$$Muerte = Vida + Amor$$
$$Amor = Muerte + Vida.$$

Toda su obra lírica gira, pues, en torno a los misterios de la vida, la generación y la muerte. Álvarez de Miranda ha probado en un sugestivo estudio sobre García Lorca cómo tales intuiciones coinciden con los motivos centrales de las religiones primitivas y arcaicas, fundadas en la sacralidad de la vida orgánica. De aquí el carácter misterioso, mágico y trascendente, que llegan a alcanzar tales motivos.

Miguel Hernández crece en medio de la naturaleza abriendo sus maravillados ojos de niño a los impresionantes misterios de la generación y el alumbramiento de los animales, aprendiendo la hora de salida de la luna y los luceros y los tiempos más apropiados para ayuntar el rebaño. El intenso hervidero de vida que sorprende sus ojos hiere vivamente su fantasía. El poeta-pastor, tan arraigado en la naturaleza virgen, llega a intuiciones que reproducen igualmente estos motivos centrales de las religiones naturalísticas y arcaicas. Si para el hombre primitivo los trances principales de la vida (vivir, engendrar, morir) están dotados de sacralidad por desarrollarse bajo el influjo de la luna, el astro de los ritmos vitales que "crece y decrece, nace y muere", para Miguel Hernández serán estos trances acontecimientos cósmicos que tienen lugar bajo el influjo de la "potencia lunar" y las fuerzas mágicas

---

[74] ALBI, José, "El último Miguel - Revisión parcial de la poesía de Miguel Hernández", en *Verbo*, núm. 29, dic. 1954. Alicante.

de la noche y la sombra, el sol y las estrellas. La esposa se convierte en madre, porque la luna lo quiere; por eso su dolor será lunar, y tendrá lugar "bajo una luz serena":

> *Desde que el alba quiso ser alba, toda eres*
> *madre.* Quiso la luna profundamente llena.
> *En tu* dolor lunar *he visto dos mujeres,*
> *y un removido abismo* bajo una luz serena.
>
> *Ríe, porque eres madre con luna...*
>
> *Ríe, que todo ríe: que todo es madre leve.*
> *Profundidad del mundo sobre el que te has quedado*
> *sumiéndote y ahondándote* mientras la luna mueve,
> igual que tú, su hermosa cabeza *hacia otro lado* (OC 420).

Los tres motivos fundamentales (vivir, engendrar y morir) son, pues, meras revelaciones o hierofanías de la actuación de las deidades de esta religión naturalística que son todas seres celestes: el cielo, el sol, el rayo, y sobre todo la luna. La luna es el ser misterioso, sujeto al cambio, que más impresiona al hombre primitivo. También al alma elemental de Miguel impresionó vivamente el ser lunar, que él contemplaba todas las noches en el claro cielo orcelitano. Conociendo bien su biografía podremos comprender el porqué de este paralelismo de intuiciones fundamentales entre la poesía hernandiana y esta religiosidad arcaica y primitiva. *Perito en lunas* es, en efecto, una prueba evidente de esta fascinación ejercida por la luna sobre el alma primitiva del poeta-pastor. Los objetos de su mundo rural aparecen dentro del campo magnético de la luna y el poeta *perito en lunas* los canta vistos desde la luna y bañados por su luz misteriosa. También el momento de la generación está presidido en Miguel Hernández por fuerzas cósmicas como la luna, la noche, las estrellas, el sol, como se ve en *Hijo de la luz y de la sombra* (OC 409). Así se agiganta su mundo poético y adquiere dimensiones y trascendencia cósmica.

AMOR Y VIDA

Aun considerando infundadas las teorías de esteticistas como Gustav Naumann y de los psicoanalistas de la escuela de Freud, que consideran todas las artes y de modo especial la poesía como una "proyección espiritualizada de tendencias sexuales", no podemos negar el hecho de que el problema y el motivo del amor ha ocupado siempre un puesto dominante en la historia de la poesía. Su rica dialéctica entre necesidad y libertad, y sus múltiples variaciones a través de los pueblos y culturas, han convertido este motivo en uno de los temas más sugestivos y pregnantes de la interpretación poética de la vida a través de la historia [75].

También Miguel Hernández dirige su atención a este problema, y muestra gran hondura humana en su amor derramado entre su esposa, hijo, los campesinos y todo su pueblo en guerra, si bien intensificado y reconcentrado sobre los dos primeros motivos. En él encontramos todos los matices y grados, desde el amor esperanzado, pasando por el amor más apasionado, amor sensual y de esposo, hasta la honda herida de la separación y ausencia. Pues el amor se convierte para Miguel en caudaloso venero de honda poesía, según él mismo nos confiesa: "Cuando amo canto, cuando beso callo, como los ruiseñores."

El amor en su aspecto sexual es, ante todo, una necesidad psicofísica, una tendencia ineludible y fatídica por surgir de la entraña misma del hombre (OC 214, 2). Es un irresistible impulso de la sangre que busca prolongarse en la posteridad. La sangre tiene en Miguel Hernández un sentido biológico y otro simbólico más hondo: es potencia vital y destino fatídico que arrastra al poeta al sexo y a su final e inevitable "sino sangriento" [76]:

---

75 Cfr. UNGER, *o. c.*, p. 162.
76 El poeta José Luis Hidalgo atribuye a la sangre simbolismos muy afines. Cfr. LORENZ, Erika, "José Ramón Medina und José Luis Hidalgo

Mírala [la sangre] con sus chivos y sus toros suicidas
corneando cabestros y montañas,
rompiéndose los cuernos a topazos,
mordiéndose de rabia las orejas,
buscándose la muerte de la frente a la cola...

Hazte cargo, hazte cargo
de una ganadería de alacranes
tan rencorosamente enamorados,
de un castigo infinito que me parió y me agobia
como un jornal cobrado en triste plomo.

Necesito extender este imperioso reino,
prolongar a mis padres hasta la eternidad,
y tiendo hacia ti un puente de arqueados corazones
que ya se corrompieron y que aún laten (OC 238).

En la *Oda entre sangre y vino* a Pablo Neruda habla de ese
hervidero de vida que es la sangre "siempre esbelta y laboriosa",
acrecentada en su vigor por los efectos del vino.

Esta sangre aumenta aún sus exigencias irresistibles al acercarse
la primavera llenando al poeta de inquietud y ansiedad. En versos
de serena belleza describe el poeta la singular y profunda sacudida:

Es el tiempo del macho y de la hembra,
y una necesidad, no una costumbre,
besar, amar en medio de esta lumbre
que el destino decide de la siembra.

Toda la creación busca pareja:
se persiguen los picos y los huesos,
hacen la vida par todas las cosas.

durch eine Metapher gesehen", en *Romanische Forschungen*, LXX (1958),
Frankfurt am Main.

En una soledad impar que aqueja,
yo entre esquilas sonantes como besos
y corderas atentas como esposas (OC 192, IV).

En otro soneto insuperable se celebran los festivales del amor
preparados por la naturaleza glorificada y ennoblecida por "noc-
támbulos amores" y "fervorosos y alados contramores" entre per-
fumados pórticos de azahares (OC 193, V).

El amor es en *El rayo que no cesa* desazón y angustia de enamorado ante la amada ausente o inaccesible, es herida en el corazón del poeta (soneto 4) o un navegar sin norte por los mares sin
fin. Sólo la posesión de la amada podrá salvar al poeta de este
naufragio (soneto 10). En el *Cancionero y romancero de ausencias*,
el amor es ya estrechísima unión de almas y cuerpos, resistente a
los ataques más violentos de huracanes, hachas, rayos, precipicios
y naufragios. Los amantes seguirán siempre abrazados (OC 430).

En marcado contraste con el tema amoroso en un Antonio Machado, donde la amada no existe sino en el ilusorio mundo del
ensueño, para Miguel Hernández la esposa es una verdadera criatura carnal, y el poeta canta sin eufemismos la unión de los cuerpos en el espasmo del amor. Miguel, que en su vida de pastoreo
ha visto realizarse ante sus puros ojos infantiles los más hondos
misterios de la vida, entiende el amor en este sentido primario
y esencial, sin platonismos ni romanticismos, como dice J. Guerrero Zamora, simplemente como se da en la naturaleza. El acto
de amor, ahondado en su sentido por el poeta y visionario, se
convierte en un acontecimiento con raíces telúricas y trascendencia
cósmica, es casi un rito mágico de religión naturalística primitiva.
El hombre, sin dejar de ser hombre, se agiganta hasta llenar los
espacios y dar sentido al universo, que, por su parte, pide y exige el
amor por medio de sus fuerzas más hondas y misteriosas: sombras,
noche, luna, astros. El amor, desbordamiento de la vida y orientado hacia ella, constituye la gran fuerza central de toda la obra

de Miguel. Es un amor ardientemente carnal por ser ansia de vida, de fecundación, de alumbramiento, pero libre de toda sensualidad hedonista.

El poeta lo canta en su trilogía de poemas *Hijo de la luz y de la sombra,* cumbre de su poesía amorosa y concentrada expresión de los rasgos esenciales de su mundo poético. En la generación obedece el hombre a una gran ley del cosmos. "Un astral sentimiento febril" sobrecoge a los esposos; la sombra, fuerza telúrica arrolladora, los lanza a la gran conmoción del choque de los cuerpos ante el común estremecimiento de tierra y firmamento. Por eso el hijo, fruto de este choque astral, de esposa y esposo, tierra y cielo, nace sujeto al influjo de los astros que inclinarán "sus huesos al sueño y a la hembra". Todo este ritual telúrico de la fecundación tiene, pues, su sentido profundo en las leyes cósmicas de la conservación del mundo:

Daré sobre tu cuerpo cuando la noche arroje
su avaricioso anhelo de imán y poderío.
Un astral sentimiento febril me sobrecoge,
incendia mi osamenta con un escalofrío.

La sombra pide, exige seres que se entrelacen,
besos que la constelen de relámpagos largos,
bocas embravecidas, batidas, que atenacen,
arrullos que hagan música de sus mudos letargos.

Pide que nos echemos tú y yo sobre la manta,
tú y yo sobre la luna, tú y yo sobre la vida.
Pide que tú y yo ardamos fundiendo en la garganta,
con todo el firmamento, la tierra estremecida.

El hijo está en la sombra: de la sombra ha surtido,
y a su origen infunden los astros una siembra,
un zumo lácteo, un flujo de cálido latido,
que ha de obligar sus huesos al sueño y a la hembra (OC 409 s.).

También el beso, preludio y símbolo del amor, alcanza dimensiones vastas y grandiosidad visionaria, hasta llegar a estremecer la tierra y el cielo, los vivos y los muertos:

> *Muerte reducida a besos,*
> *a sed de morir despacio,*
> *das a la grama sangrante*
> *dos tremendos aletazos.*
> *El labio de arriba el cielo*
> *y la tierra el otro labio* (OC 428).

> *Llegó tan hondo el beso*
> *que traspasó y emocionó los muertos.*

> *El beso trajo un brío*
> *que arrebató la boca de los vivos* (OC 362, 4).

Miguel Hernández sabía muy bien que el amor es ave y rayo, que acaricia y hiere. También en el *Cancionero* aparece el amor como fuerza vital y destructora:

> *El corazón es agua*
> *que te acaricia y canta.*

> *El corazón es puerta*
> *que se abre y se cierra.*

> *El corazón es agua*
> *que se remueve, arrolla,*
> *se arremolina, mata* (OC 374, 38).

Y volvemos de nuevo a la convertibilidad de los tres universales del tríptico filosófico-poético: el amor es muerte que da vida. El gran choque cósmico que destruye los cuerpos en la fusión del amor se realiza fecundando maravillosamente la muerte:

> *Entonces, el anhelo creciente, la distancia*
> *que va de hueso a hueso recorrida y unida,*
> *al aspirar del todo la imperiosa fragancia,*
> *proyectamos los cuerpos más allá de la vida.*
>
> *Espiramos del todo. ¡Qué absoluto portento!*
> *¡Qué total fue la dicha de mirarse abrazados,*
> *desplegados los ojos hacia arriba un momento,*
> *y al momento hacia abajo con los ojos plegados!*
>
> *Pero no moriremos. Fue tan cálidamente*
> *consumada la vida como el sol, su mirada.*
> *No es posible perdernos. Somos plena simiente.*
> *Y la muerte ha quedado, con los dos, fecundada* (OC 425).

Amar es vivir la vida en toda su plenitud. Amar es ser. La abstención de realizar esa exigencia telúrica impuesta por la naturaleza es negarse a ser, es un acto de signo negativo. En la escala de valores del pensamiento hernandiano es la negación y oposición al valor más excelso: la vida. Con un continuo martilleo de negaciones lo describe Miguel en una canción:

> *No quiso ser.*
> *No conoció el encuentro*
> *del hombre y la mujer.*
>
> *El amoroso vello*
> *no pudo florecer.*
>
> *Detuvo sus sentidos*
> *negándose a saber*
> *y descendieron diáfanos*
> *ante el amanecer.*
>
> *Vio turbio su mañana*
> *y se quedó en ayer.*
>
> *No quiso ser* (OC 386, 67).

Hombre y mujer están destinados al amor y la unión. Uno sin el otro no goza de su plenitud, está incompleto (OC 371, 30). El poeta dramatiza este pensamiento en un ambiente concreto en *El labrador de más aire* (OC 675 ss.).

LA ESPOSA

El amor tiene por blanco a la amada o a la esposa. Miguel ama, porque amar es una exigencia de su vitalidad desbordante, es vivir y ser, y porque de la unión amorosa brota la vida. Por eso, cuando la esposa se convierte en madre, se agiganta su figura hasta cobrar dimensiones cósmicas. La esposa es el alba, aún entornada, pero fulgurante, que alumbra el sol naciente del "hijo de la luz y de la sombra", fruto del choque entre la noche, elemento femenino, y el día, elemento masculino de la creación:

Tú eres el alba, esposa: la principal penumbra,
recibes entornadas las horas de tu frente.
Decidido al fulgor, pero entornado, alumbra
tu cuerpo. Tus entrañas forjan el sol naciente.

Centro de claridades, la gran hora te espera
en el umbral de un fuego que al fuego mismo abrasa:
te espero yo, inclinado como el trigo a la era,
colocando en el centro de la luz nuestra casa.

La gran hora del parto, la más rotunda hora:
estallan los relojes sintiendo tu alarido,
se abren todas las puertas del mundo, de la aurora,
y el sol nace en tu vientre donde encontró su nido (OC 410 s.).

...y paren las mujeres lanzando carcajadas,
desplegando en su carne firmamentos (OC 298).

Ese cuerpo-aurora se convierte en un "centro de claridades" y se hace el objeto del más vivo entusiasmo y delicada ternura por parte de Miguel Hernández. La madre queda transfigurada desde que ha parido al hijo, y a ambos se dirige ese sentimiento delicado y tierno capaz de extasiarse ante el más leve rasgo de la esposa-madre. Miguel logra verdaderamente en la expresión de la ternura altitudes difícilmente alcanzadas fuera de él en la poesía de nuestro siglo:

> ¡Qué olor de madreselva desgarrada y hendida!
> ¡Qué exaltación de labios y honduras generosas!
> Bajo las huecas ropas aleteó la vida,
> y se sintieron vivas bruscamente las cosas.
>
> Eres más clara. Eres más tierna. Eres más suave.
> Ardes y te consumes con más recogimiento.
> El nuevo amor te inspira la levedad del ave
> y ocupa los caminos pausados de tu aliento.
>
> Nunca tan parecida tu frente al primer cielo.
> Todo lo abres, todo lo alegras, madre, aurora.
> Vienen rodando el hijo y el sol. Arcos de anhelo
> te impulsan. Eres madre. Sonríe. Ríe. Llora (OC 420).

La esposa se convertirá en idea obsesionante. En la cárcel es ella con su hijo, blanco casi único de sus pensamientos, esperanzas y temores, y la fuente inagotable de inspiración de los poemas más hondos y emocionados del *Cancionero*.

EL HIJO

El poeta sabe ahondar en los temas en torno al misterio de la vida y vislumbrar la trascendencia y el significado de sus actos: el hijo es el testimonio palpable de que dos seres se han fundido

en uno, es un "ramo de sangre" y un "haz de caricias" en que
para siempre quedarán perpetuados esposo y esposa. Miguel Hernández ve en el hijo fuente de energía que hará vivir la agricultura y circular hélices. Tras volver al tema de la unión de los
esposos y su proyección para la posteridad en el hijo, se remonta
de nuevo a la ascendencia de la esposa hasta los primeros pobladores del mundo y a toda la posteridad que saldrá de su vientre:

Para siempre fundidos en el hijo quedamos:
fundidos como anhelan nuestras ansias voraces:
en un ramo de tiempo, de sangre, los dos ramos,
en un haz de caricias, de pelo, los dos haces.

Haremos de este hijo generador sustento,
y hará de nuestra carne materia decisiva:
donde sienten su alma las manos y el aliento,
las hélices circulen, la agricultura viva.

Él hará que esta vida no caiga derribada,
pedazo desprendido de nuestros dos pedazos,
que de nuestras dos bocas hará una sola espada
y dos brazos eternos de nuestros cuatro brazos.

No te quiero a ti sola: te quiero en tu ascendencia
y en cuanto de tu vientre descenderá mañana.
Porque la especie humana me han dado por herencia,
la familia del hijo será la especie humana.

Con el amor a cuestas, dormidos y despiertos,
seguiremos besándonos en el hijo profundo.
Besándonos tú y yo se besan nuestros muertos,
se besan los primeros pobladores del mundo (OC 412; 853).

El hijo es otra de las ideas obsesionantes del *Cancionero*. El
niño, como garantía de perpetuación y eternidad, arranca a la
lira del poeta profundos pensamientos en versos alados y gracio-

sos. El niño, "rival del sol", iluminará el mundo y proclamará con su risa el triunfo del bien sobre el mal, del amor sobre el odio:

> *Niño radiante:*
> *va mi sangre contigo*
> *siempre adelante.*
>
> *Sangre mía, adelante,*
> *no retrocedas.*
> *La luz rueda en el mundo*
> *mientras tú ruedas.*
>
> *Herramienta es tu risa,*
> *luz que proclama*
> *la victoria del trigo*
> *sobre la grama.*
> *Ríe. Contigo*
> *venceré siempre al tiempo*
> *que es mi enemigo* (OC 381, 56).

En la *Canción del esposo-soldado* (OC 301) viene a aflorar de nuevo en bella simbiosis de épica y lirismo esta constante poética tan insistente: el amor hondo a la esposa y al hijo oculto en sus entrañas.

Miguel Hernández no está filosofando, sino que, guiado por su hondo sentir, vuelve siempre de nuevo a las constantes de su concepción poética. Ésta adquiere rasgos muy peculiares, a pesar de la evidente afinidad del motivo amor en Miguel y en su admirado maestro Vicente Aleixandre: en ambos es el amor conjunción de cuerpos y es destrucción. Sin embargo, "en Hernández, el amor busca la inmortalidad, está proyectado al futuro; en Aleixandre se fija en el presente, es cósmicamente hedonista. El paganismo de Miguel Hernández es un paganismo cristiano y español;

el de Aleixandre es un paganismo universal" [77]. La diferencia es esencial: el amor a la familia, al hijo, a la única novia y esposa, la idea de la fecundidad, la transfiguración de la esposa al convertirse en madre, el símbolo del vientre como centro del universo y lazo de las generaciones pretéritas con las futuras, y la transcendencia cósmica del amor, son rasgos típicos y exclusivamente hernandianos. El mismo Ramón Sijé, preocupado por los extraños rumbos que Miguel iba dando a su poesía, le escribe una carta de amargo reproche en que, no obstante, reconoce el sello hernandiano de un pensamiento central: "La prolongación eterna de los padres. Lo demás lo menos tuyo." Son las palabras del amigo despechado [78].

EL VIENTRE

El poeta va saltando de un tema al otro, pero sin salirse jamás de ese círculo de motivos que tan hondamente hieren su sensibilidad. El vientre, el nido de la vida, es un motivo de los que más le conmueven, y constituye el momento cumbre de este *crescendo* de símbolos en torno al amor, la fecundación y la generación. Como tantas veces ha ocurrido con temas parecidos, el *vientre* queda transfigurado. Nada de fría carnalidad ni de idealización innecesaria, sino la contemplación serena de una realidad profundizada en su sentido: el vientre como sexo y matriz, concentración de la pasión y punto de fusión de dos seres en uno. Para la profunda mirada del poeta es el "centro de la esfera de todo lo que existe", adquiere dimensiones astrales y se convierte en el eje de aspectos centrales de su cosmovisión:

---

[77] Guerrero Zamora, *Noticia sobre Miguel Hernández*, p. 53.
[78] Zardoya, p. 24.

Vientre: carne central de todo cuanto existe.
Bóveda eternamente sin azul, si roja, oscura.
Noche final, en cuya profundidad se siente
la voz de las raíces, el soplo de la altura.

Bajo tu piel avanzo, y es sangre la distancia.
Mi cuerpo en una densa constelación gravita.
El universo agrupa su errante resonancia
allí, donde la historia del hombre ha sido escrita (OC 426).

De nuevo el arraigo telúrico de la simbología hernandiana y su resonancia cósmica queda constatado en un poema en que habla con elegante dignidad, pero claramente y sin eufemismos:

Corazón de la tierra, centro del universo,
todo se atorbellina con afán de satélite
en torno a ti, pupila del sol que te entreabres
en la flor del manzano [79].

LA HABITACIÓN

También la casa y la alcoba, lugar del amor y la posesión y centro donde se desarrolla y crece la vida, es cantada por el poeta con intensa emoción y calor:

Arde la casa encendida
de besos y sombra amante.
No puede pasar la vida
más honda y emocionante.

Desbordadamente sorda
la leche alumbra tus huesos.

---

[79] Cfr. el poema íntegro en el Apéndice (infra, pp. 281 ss.).

> *Y la casa se desborda*
> *con ella, el hijo y los besos.*
>
> *Tú, tu vientre caudaloso,*
> *el hijo y el palomar.*
> *Esposa, sobre tu esposo*
> *suenan los pasos del mar* (OC 421 s.).

En otra canción repite la cálida imagen del palomar:

> *Palomar del arrullo*
> *fue la habitación.*
> *Provocabas palomas*
> *con el corazón* (OC 383, 58).

La realización en ella de los grandes misterios de la vida es lo que da sentido a la casa: la vida retozante del hijo o la unión fecundante de los esposos. Cuando el niño muere o el esposo se ausenta, la casa deja de serlo para convertirse en "ataúd con ventanas" o en "arcos que se desmoronan":

> *Pero la casa no es,*
> *no puede ser, otra cosa*
> *que un ataúd con ventanas,*
> *con puertas hacia la aurora;*
> *golondrinas fuera, y dentro*
> *arcos que se desmoronan.*
>
> *En la casa falta un cuerpo*
> *que aleteaban las alondras* (OC 382, 57).

El mismo motivo y otros semejantes se reproducen en OC 379, 52; 394, 87; 401, 96.

PERPETUACIÓN EN EL FLUIR
DE VIDA DE LA NATURALEZA

Perfectamente encuadrado en la idea de valoración de la vida,
el máximo en su escala de valores, se encuentra el pensamiento
de rechazar el cementerio como lugar de reposo final y preferir
la tierra, a fin de incorporarse a esa corriente vital que fluye por
toda la naturaleza y "cuajar en algo más que en polvo", alimen-
tando sembrados y viñedos:

> *Yo no quiero agregar pechuga al polvo:*
> *me niego a su destino: ser echado a un rincón.*
> *Prefiero que me coman los lobos y los perros,*
> *que mis huesos actúen como estacas*
> *para atar cerdos o picar espartos.*
> ....
> *pido ser cuando quieto lo que no soy movido:*
> *un vegetal, sin ojos ni problemas;*
> *cuajar, cuajar en algo más que en polvo,*
> *como el sueño en estatua derribada;*
> *que mis zapatos últimos demuestren ser cortezas,*
> *que me produzcan cuarzos en mi encantada boca,*
> *que se apoyen en mí sembrados y viñedos,*
> *que me dediquen mosto las cepas por su origen* (OC 243 s.; 659).

El mismo pensamiento se reproduce en la elegía a Ramón Sijé.
Ayudar al brote de la vida en la naturaleza es una misión nobi-
lísima. Nada desdice de la dignidad de la poesía, ni del respeto
debido al compañero entrañable aquel verso del primer terceto:

> *Yo quiero ser llorando el hortelano*
> *de la tierra que ocupas y estercolas.*
> *compañero del alma, tan temprano* (OC 229).

El mismo Miguel va a dar en alimento el corazón de su Ramón Sijé "a las desalentadas amapolas". Véase todo el poema. En esta elegía aparece por primera vez en su obra este pensamiento que tan bien encaja con la idea vitalista central de su temática. También en la *Elegía primera a Federico García Lorca* se repite el pensamiento:

> *Primo de las manzanas,*
> *no podrá con tu savia la carcoma,*
> *no podrá con tu muerte la lengua del gusano,*
> *y para dar salud fiera a su poma*
> *elegirá tus huesos el manzano* (OC 266).

Agustín de Foxá intenta ridiculizar este motivo temático, para lo que nos recuerda el verso:

> *A través de tus huesos irán los olivares* (OC 289)

y nos habla de "poemas de laboratorio, sin fuerza ni hermosura, cobardes y llorones, donde sólo se habla de la sangre derramada de los niños, donde están ausentes la pasión de la mujer..." [80]. Remitimos al lector a las páginas 147 y siguientes, donde hablamos de algunos aspectos de la poesía en la guerra. Que no se confunda la verdadera crítica literaria, sólida y serena, con una literatura panfletista y de octavilla volante. Dejando a un lado nuestra conformidad o disconformidad con la ideología de estos *Homeros rojos*, ningún juicio desapasionado podrá negar la fuerte y rabiosa conmoción lírica que estremece estos poemas, expresión vigorosa del ansia de perpetuarse en la corriente vital que vivifica toda la naturaleza. ¿Se podrá negar la belleza a una concepción ideológica por rezumar panteísmo, siendo precisamente éste una visión del mundo tan eminentemente poética, que ha inspirado en lírica y literatura mística creaciones de las más bellas de la humanidad?

---

[80] FOXÁ, Agustín de, Conde de Foxá, en su artículo "Los Homeros rojos", en *ABC*, 28 de mayo de 1939, núm. 10.393. Año XXXII.

LA MUERTE - TRAGICISMO

La muerte, problema fundamental de la vida y de la poesía,
cobra una importancia dominante. Miguel Hernández contempla
la vida siempre amenazada por el espectro del "carnívoro cuchillo",
que cuelga sobre su cabeza como una espada de Damocles. Este
sentimiento de amenaza marca una huella profunda en toda su
obra. Ya Dilthey había constatado que "la relación que más profunda y ampliamente afecta el sentimiento de nuestra existencia es la
relación de la vida con respecto a la muerte; pues la limitación
de nuestra existencia por la muerte es siempre decisiva para nuestra inteligencia y valoración de la vida" [81]. Esta amenaza de la
muerte ensombrece toda la concepción hernandiana y presta un
ritmo y colorido especial a su creación artística, reflejando una
visión radicalmente trágica de la vida. Sin duda fue Quevedo quien
le enseñó a descubrir el trasfondo sombrío de las cosas, dejando
a los golpes de la vida lo demás. "Sus versos —dice un crítico—,
como sus sentimientos, comienzan con pluma de cisne y terminan
con estilete de hierro" [82]. "Estilete de hierro" que abre hondas
heridas y tiñe de sangre toda su cosmovisión.

Ya en *Perito en lunas*, obra tan menospreciada por inauténtica
e indigna de su autor, hallamos la primera encarnación en la palabra poética de esta idea obsesionante que dominará después toda
la obra hernandiana. Como observamos en otro lugar con respecto
al motivo "toro", *Perito en lunas* nos da ya avances importantí-
simos de lo que llegará a ser el mundo poético hernandiano. En
esta estrofa, el poeta, en el lenguaje metafórico y enigmático del
neogongorismo, ruega al carpintero funerario ("final modista de

---

[81] "Das Erlebnis und die Dichtung", p. 230. Ap. UNGER, p. 159.
[82] Crítica de "Seis poemas inéditos y nueve más", en *Correo Literario*,
1 de nov. de 1951.

cristal y pino") que le haga un ataúd de pino ("hazme de aquél un traje"), y pide al cementerio ("patio de vecindad menos vecino") que le abra una fosa ("túnel") bajo sus flores para enterrar su vida de enamorado:

> *Final modisto de cristal y pino;*
> *a la medida de una rosa misma*
> *hazme de aquél un traje, que en un prisma,*
> *¿no?, se ahogue, no, en un diamante fino.*
> *Patio de vecindad menos vecino,*
> *del que al fin pesa más y más se abisma;*
> *abre otro túnel más bajo tus flores*
> *para hacer subterráneos mis amores* (OC 72, XXXVI).

Este juego tan temprano con los pensamientos de ataúd, cementerio, cadáver y fosa "establece una relación visible con la obra posterior y supone un anticipo de los poemas más graves y dramáticos, los que rubrican ese signo trágico y fatal que constituye, con el acento rebelde y con la exaltación de lo fecundo, la sustancia mejor de una de las más vivas y humanas obras poéticas de nuestro tiempo" [83]. Por primera vez nos plasma en apretados versos su vida de amores ensombrecida por el pensamiento de la muerte: concentración de todo el mensaje de su poesía posterior.

---

[83] LUIS, Leopoldo de, "Sobre una estrofa de *Perito en lunas*", en *Poesía Española*, Madrid. Núm. 80, agosto de 1959. La interpretación dada por Leopoldo de Luis a esta octava —frente a la interpretación de Marie CHEVALLIER— la consideramos exacta sólo en sus líneas generales.

No es ésta una estrofa de excepción —como supone Leopoldo de Luis— en la que a las metáforas no corresponde una realidad objetiva. En realidad esta octava sigue exactamente la técnica de todo el libro: modisto = carpintero funerario; traje = ataúd; patio = cementerio; del que al fin pesa más = cadáver; túnel = fosa. Leopoldo de Luis acierta en su interpretación de esta octava en torno a la idea de la muerte, como nos lo garantiza el mismo Miguel Hernández al ponerle el título de *Funerario y cementerio*, según indicamos en la nota 70.

Esta obsesión de muerte aparece también en OC 216, 7; 223, 17, 18; 228, 28.

En *Citación final*, la elegía a Sánchez Mejías, tropezamos de nuevo con la vivencia de la muerte. Ésta se halla encarnada en el toro, y Miguel, todavía desde fuera, desde la barrera, contempla la lid entre la muerte —toro— y el torero —vida, juego, danza—. Al fin, al vencer la muerte, comienza el poeta a filosofar despreocupadamente :

> *Morir es una suerte*
> *como vivir: ¡de qué, de qué manera!*
> *supiste ejecutarla y el berrendo.*
> *Tu muerte fue vivida a la torera,*
> *lo mismo que tu vida fue muriendo* (OC 139).

El poeta quisiera, como Mejías, mirar la muerte "a la torera", de cara; pero lentamente comienza a aflorar la honda preocupación que le suscita este problema :

> *Estoy queriendo, y temo la cornada*
> *de tu momento, muerte* (OC 140).

Aun el amor y la vida —honda contradicción existencial y trágica— albergan un germen de destrucción. Ya Miguel de Unamuno, cuyas obras debió conocer el poeta orcelitano, había dicho que "el amor... [es] lo más trágico que en el mundo y en la vida hay"; "hay, sin duda, algo de trágicamente destructivo en el fondo del amor" [84], y aludía al amor sexual recordándonos cómo los más humildes animalitos, "los vivientes ínfimos", se multiplican dividiéndose, partiéndose en dos, destruyéndose, y cómo en otras especies la hembra devora al macho después de ser fecundada.

---

[84] *Del sentimiento trágico de la vida en los hombres y en los pueblos.* Renacimiento. Madrid (sin año), pp. 137-138.

También en Miguel Hernández el acto de unión de los esposos produce vida, pero mediante la muerte, en este caso simbólica, de ambos. ¿Puede haber mayor exponente de vitalidad que la sangre "siempre esbelta y laboriosa"? Pues esa misma sangre, símbolo de potencia vital, oculta también un contenido fatídico, trágico. No hay valor en nuestro poeta que no esté internamente carcomido y amenazado. Esa sangre es fuente de vida y principio de muerte:

> *La sangre me ha parido y me ha hecho preso,*
> *la sangre me reduce y me agiganta,*
> *un edificio soy de sangre y yeso*
> *que se derriba él mismo y se levanta*
> *sobre andamios de huesos* (OC 241).

> *La fuerza que me arrastra*
> *hacia el mar de la tierra*
> *es mi sangre primera* (OC 384, 62).

La sangre que da vida es también "fatal torrente de puñales" que lo convertirá en cadáver, viento y nada. Si con Goethe consideramos la imagen poética como la sustancia condensada del mundo interior del artista, ¡qué raudales de sangre y qué herida más inmensa nos revelan las metáforas de este poema! Afiladas herramientas de metal: cuchillos, espadas, puñales, hachas, arados, cuchilladas y cornadas son las imágenes cortantes que se eligen para pintar ante nuestros ojos maravillados su sino ensangrentado. En versos magníficamente orquestados nos describe el poeta proféticamente, en un *crescendo* de gran empuje, su destino trágico. Después de una resistencia desesperada e inútil contra ese fatídico torrente de puñales, el poeta se abandona a las oleadas de su sangre y a la estrella airada que preside su existencia. La vida es para él una inmensa y dilatada herida que se prolonga hasta hundirse en la muerte:

¡Ay sangre fulminante,
ay trepadora púrpura rugiente,
sentencia a todas horas resonante
bajo el yunque sufrido de mi frente!

Crece la sangre, agranda
la expansión de sus frondas en mi pecho
que álamo desbordante se desmanda
y en varios torvos ríos cae deshecho.

Me veo de repente
envuelto en sus coléricos raudales,
y nado contra todos desesperadamente
como contra un fatal torrente de puñales.
Me arrastra encarnizada su corriente,
me despedaza, me hunde, me atropella,
quiero apartarme de ella a manotazos,
y se me van los brazos detrás de ella,
y se me van las ansias en los brazos.

Me dejaré arrastrar hecho pedazos,
ya que así se lo ordenan a mi vida
la sangre y su marea,
los cuerpos y mi estrella ensangrentada.
Seré una sola y dilatada herida
hasta que dilatadamente sea
un cadáver de espuma: viento y nada (OC 241 s.).

¡Impresionante estremecimiento de fatalidad y tragicismo el que conmueve estos versos y convierte este poema en clave de toda la obra hernandiana y concentración apretada e intensa de los sentimientos e ideas centrales de su mensaje lírico!

Ya en *El rayo que no cesa* se quejaba el poeta de hondas heridas de cuchillos y espadas que le causaban la muerte. Esto era más bien una desazón mortal de enamorado (sonetos 19, 20, 24).

La trilogía "pena-tristeza-soledad" de que habla Rodríguez Segurado [85] no es la causa, sino la consecuencia inevitable de esas ansias amorosas insatisfechas. ¿No se queja continuamente el poeta de su intenso amor no correspondido, de su soledad "impar" e irremediable, de su "picuda y deslumbrante pena"? (OC 215, 4, 5; 217, 9; 218, 10; 219, 12; 220; 224, 19, 20; 225, 22; 227, 25, 26). ¿No se siente como el toro trágicamente burlado en sus encendidas ansias de amor?

> *Como el toro te sigo y te persigo,*
> *y dejas mi deseo en una espada,*
> *como el toro burlado, como el toro* (OC 226, 23).

La pena y el dolor inmenso es fundamentalmente en *El rayo que no cesa* la herida abierta por la soledad impar o por el amor no correspondido. Pero, aunque el amor alcance su objeto —y esto es lo peculiarmente trágico en el poeta—, el dolor no hace sino aumentarse. ¿Qué es ese "carnívoro cuchillo" de dos filos sino el amor con su "ala dulce y homicida"? ¿No es su amor intenso lo que aumenta infinitamente su dolor al venir la separación?

> *¡Qué mala luna*
> *me ha empujado a quererte*
> *como a ninguna!* (OC 370, 28).

¿No es su corazón desmesurado, su capacidad inmensa de amor, la causa de todas sus desdichas?

---

[85] RODRÍGUEZ SEGURADO, *o. c.*, p. 577. ¿Cómo puede afirmar que "al dolor debe su soledad Hernández" (p. 593)? ¿No parece evidente lo contrario a lo largo de todo *El rayo que no cesa*? Tampoco creemos aceptable la interpretación de la obra hernandiana que nos ofrece al decir : "Miguel Hernández encuentra su centro en el dolor; y todos los demás temas, escasísimos, como la muerte, el amor, la tristeza, la pena y la soledad, van siempre condicionados por éste tan significante" (p. 572).

Me sobra corazón.

Hoy descorazonarme,
yo el más corazonado de los hombres
y por el más, también el más amargo (OC 258).

La idea perturbadora de la muerte asalta a Miguel por todas
partes. En *El rayo que no cesa* contempla todavía con serenidad
estoica a los carpinteros construyendo su caja mortuoria y a la
tierra ya dispuesta a recibir su adiós definitivo (sonetos 17, 18).
En la elegía a Ramón Sijé, el poeta se rebela y quisiera abrir la
tierra a dentelladas y arrancar al compañero entrañable de las garras de la muerte:

Quiero escarbar la tierra con los dientes,
quiero apartar la tierra parte a parte
a dentelladas secas y calientes.

Quiero minar la tierra hasta encontrarte
y besarte la noble calavera
y desamordazarte y regresarte (OC 230).

Pero es en *Sino sangriento* donde este sentir trágico se vigo-
riza y agiganta. Miguel presiente su destino fatal. Con su verbo
afilado y sangrante, el poeta nos describe, con tintas negras y rojas,
su fatídico destino en un poema que es pormenor biográfico y pro-
fético tocado de gracia poética:

Criatura hubo que vino
desde la sementera de la nada,
y vino más de una,
bajo el designio de una estrella airada
y en una turbulenta y mala luna.

Vine con un dolor de cuchillada,
me esperaba un cuchillo a mi venida.

me dieron a mamar leche de tuera,
zumo de espada loca y homicida,
y al sol el ojo abrí por vez primera
y lo que vi primero era una herida
y una desgracia era (OC 239 s.).

El hondo pensamiento de la vida y la muerte adopta en el
Cancionero la forma del motivo clásico de la brevedad de la vida
comparada a las flores, parafraseando con gravedad y honda tristeza en la línea de Calderón y toda la tradición literaria española:

El sol, la rosa y el niño
flores de un día nacieron.
Los de cada día son
soles, flores, niños nuevos.

Mañana no seré yo:
otro será el verdadero.
Y no seré más allá
de quien quiera su recuerdo.

Flor de un día es lo más grande
al pie de lo más pequeño.
Flor de la luz el relámpago,
y flor del instante el tiempo (OC 389, 76).

Cfr. también OC 366, 17; y el pensamiento obsesionante de la
muerte en OC 363, 8; 380, 54; 386, 68.

"La congoja de vivir... la templada, pero profunda sensación
del trágico sentido de la vida, enlazan su obra con la de Jorge
Manrique, con la Epístola moral a Fabio, con Quevedo, con el
propio Antonio Machado, con toda la poesía estoica y reflexiva
de Castilla"[86]. El problema de la muerte no queda sin resolver

---

[86] LUJÁN, Néstor, *"El rayo que no cesa* de Miguel Hernández", en
Destino, 16 de septiembre de 1950.

en Miguel Hernández, que tampoco busca la solución en un mundo trascendente. El poeta logra la superación de la muerte y la limitación humana en el amor conyugal, que obtiene dimensiones y trascendencia cósmica, y en el hijo, que perpetuará a los padres hasta la eternidad.

3. — LA COSMOVISIÓN HERNANDIANA EN UN SÍMBOLO: EL TORO

El símbolo del *toro* juega un papel decisivo en la obra de Miguel Hernández, y se va constituyendo a lo largo de toda ella en una constante poética que resume en sí todos los aspectos esenciales de su cosmovisión.

Se ha dicho, y con razón, que la elección de un motivo poético encierra ya un valor simbólico. La predilección hernandiana por el asunto taurino suscita, pues, la sospecha de una cierta afinidad interna; el motivo le despierta resonancias, tal vez inconscientes, pero muy hondas.

El motivo del toro y la corrida atrae la atención de Miguel Hernández ya en sus primeros balbuceos poéticos. El poema *Toro* es un mero juego impresionista en que se canta al toro "disparándose", "golpeando el platillo de la arena", "elevando toreros a la gloria" y "realizando con ellos el mito de Júpiter y Europa", primera alusión al mito que encarna y acentúa por primera vez la virilidad del toro (OC 39).

En *Perito en lunas* se reitera el juego, esta vez enigmático, barroco y neogongorino, del toro invitando a los toreros a la gloria: "¡A la gloria, a la gloria toreadores!" (OC 61, III) y se describe la lid en la arena (OC 62, IV).

Con gran profusión de colores y rico lujo de motivos mitológicos nos ofrece una descripción detallada de la corrida en *Elegía media del toro*, poema no incluido en las *Obras completas* y al

parecer inédito. Con graciosas alusiones a temas contemporáneos
—"te disparas de ti, si comunista, vas al partido rojo del torero"—
y en versos barrocos y enigmáticos, el poeta comienza a llamarnos
la atención sobre el carácter trágico del toro:

> *Gallardía de rubio y amaranto* [torero],
> *con la muerte en las manos larga y fina* [espada],
> *oculto su fulgor, visible al canto,*
> *con tu rabia sus gracias origina...*

Este tragicismo, que aquí apunta, hallará su apoteosis en la estrofa
final. En toda lid, a mayor dolor y más heridas corresponde mayor
gloria, pero aquí —y esto es lo que presta una intensidad singular
a la descarga— uno de los lidiadores se lleva todo el dolor y el
otro toda la gloria:

> *Por el combo marfil de tu bigote,*
> *te arrastran a segunda ejecutoria.*
> *¡Entre el crimen airoso del capote,*
> *para ti fue el dolor, para él la gloria!*

En *Corrida real* (OC 133) se nos describe con gran fidelidad y
riqueza de datos visuales la lid entre toro y torero, plaza, bande-
rilleros, caballos; pero es en *Citación final* (OC 138) donde la
corrida deja de ser el grandioso espectáculo, profusión de alegría,
luces y colores, y superando la etapa de la mera descripción, se
convierte en tragedia (OC 139). Así llega a ahondar su sentido
adquiriendo dimensiones simbólicas, aunque sin alcanzar todavía
la plenitud expresiva que obtendrá al constituirse en símbolo concentrador de la cosmovisión hernandiana.

Hemos acentuado la importancia decisiva del motivo amor a
lo largo de la obra hernandiana. Es el gran problema existencial,
tan rico en matices, que expone el autor en dos libros de sonetos:
El silbo vulnerado y *El rayo que no cesa.* Pues bien, el toro es,

para Miguel, el gran enamorado —ya Júpiter se había metamorfoseado en toro para raptar a Europa— que se estremece al sólo olor del "femenino oro". Así lo canta Miguel en el soneto *Silencio de metal triste y sonoro* (OC 220, 14).

En el capítulo V de este estudio examinamos con más detención el carácter bisémico del símbolo "toro" en el soneto *Por una senda van los hortelanos,* que se puede ver en la página 186. Miguel Hernández emplea un motivo para comunicarnos dos contenidos afectivos: A) el del toro, y B) el del propio poeta. Como el toro, se siente Miguel trágicamente arrancado al ritmo general de la vida, que, tras la fatiga y el sudor del día, viene a acabar en la caricia, la canción y el beso (OC 227, 26).

Pero es en el soneto 23 de *El rayo que no cesa* donde Miguel Hernández expone detalladamente éste gran simbolismo, concentración y clave de su mundo poético. El vate orcelitano se va comparando a sí mismo con el toro, y descubre sorprendentes paralelismos:

1) *Ambos destinados al luto y al dolor.* — Recordemos a este repecto el final apoteósico de la *Elegía media del toro.* Nótese la acentuación del momento trágico del paralelismo. La visión trágica de la vida, tan decisiva en la temática hernandiana, halla su resonancia equivalente en el símbolo del toro:

> *Como el toro he nacido para el luto*
> *y el dolor, como el toro estoy marcado*
> *por un hierro infernal en el costado...*

2) *La virilidad.* — En dos composiciones (OC 39 y *Elegía media del toro*) nos recuerda Hernández el mito de Júpiter metamorfoseado en toro para raptar a Europa. Ya hemos visto cómo el poeta habla del sexo, el choque de los cuerpos, la esposa, el vientre, y cómo para él la vida plena es amor y por él proyección hacia la posteridad. "Miguel ve en el toro esa pasión suya amorosa

tan cargada de muerte, esa virilidad suya tan vigorosa y, sin embargo, a las plantas de una mujer —el torero no es un hombre, es la danza, la gracia, algo femenino—, ese irse tras la burla del amor y toparse con la muerte" [87]. Nada extraño que en este soneto se detenga a destacar la virilidad de ambos:

> y por varón en la ingle con un fruto.

3) *El corazón desmesurado de ambos.* — Precisamente esta potencia de amor es la que le acarreará tanto dolor y muerte: "yo el más corazonado de los hombres / y por el más también el más amargo":

> *Como el toro lo encuentra diminuto*
> *todo mi corazón desmesurado,*
> *y del rostro del beso enamorado,*
> *como el toro a tu amor se lo disputo.*

4) *Indomable fiereza.* — Por ella se siente *toro* y no *buey,* por su energía y viril valentía en medio de la hostilidad circundante. Recuérdese la figura noble, valiente y trágica de *El labrador de más aire,* creada a su imagen y semejanza, como el mismo poeta confiesa. Miguel arenga a no ser bueyes, sino "toros de arrogancia":

> *Como el toro me crezco en el castigo...*

En *Viento del pueblo* es también el toro símbolo de valor, orgullo y arrogancia. En el romance *Vientos del pueblo me llevan* (OC 270) habla el poeta de "cordilleras de toros con el orgullo en el asta". Cfr. a este respecto OC 39 y 317.

5) *Exteriorización sincera de su interior.* — Miguel, de corazón sincerísimo e incapaz de toda doblez, alude, sin duda, al toro mo-

---

[87] Guerrero Zamora, p. 260.

ribundo en la arena con la lengua chorreando sangre. También su lengua lírica y dolorida va bañada en la sangre de sus entrañas:

> *la lengua en corazón tengo bañada*
> *y llevo al cuello un vendaval sonoro.*

6) *Insistencia perseverante y terca*, virtud varonil:

> *Como el toro te sigo y te persigo...*

7) *Destino trágico de ambos.* — Conviene subrayar que el sino trágico de animal tan noble, valiente y enamorado, es decisivo en la elección del símbolo. El destino trágico común ha unido a los dos eternamente en la obra poética y en la cosmovisión de Miguel Hernández:

> *y dejas mi deseo en una espada,*
> *como el toro burlado, como el toro.*

Hay una escena en *El labrador de más aire* donde Miguel vuelve a recoger el motivo. Juan cuenta a su prima Encarnación cómo consiguió salvar la vida a Isabel, huyendo del toro con ella en los brazos, cuando aquél amenazaba a toda la plaza. El protagonista —proyección del propio Miguel— ve en el toro a su celoso rival:

> *y los dos nos ofendimos*
> *como dos enamorados...*

Cuál de los dos más bravo, valiente y arrogante:

> *Con ella en brazos corría*
> *el campo, y tras mí la fiera,*
> *y el cuerno se le encendía*
> *como una envidiosa hoguera.*

Fui al toro, y los dos fuimos
celosamente impulsados,
y los dos nos ofendimos
como dos enamorados.

Nos quedamos un instante
mirándonos frente a frente,
él bramando de arrogante,
yo callando de valiente.

Celos tuve del astado
y mi rival lo creí
llegándose enamorado,
a disputármela a mí.

Si no van los mayorales
a llevarse el animal,
uno de los dos rivales
se queda sin su rival (OC 734).

En la interpretación del símbolo "toro" predomina la tonalidad
trágica. El toro es símbolo de la muerte. Así aparece en *Visión
de Sevilla*, donde todo lo pisotea y destruye sin detenerse ante la
belleza de Sevilla, la ciudad femenina, como no se detiene ante
el torero, que también es gracia y feminidad:

Dolor a rienda suelta:
la ciudad de cristal se empaña, cruje.
Un tormentoso toro da una vuelta
al horizonte y al silencio, y muge.

Detrás del toro, al borde de su ruina,
la ciudad que viviera
bajo una cabellera de mujer soleada,
sobre una perfumada cabellera,

> la ciudad cristalina
> yace pisoteada (OC 290).

Cfr. el mismo motivo en OC 228, 28; 244; 316; 578.

Siguiendo el motivo del toro hemos llegado a dar en el núcleo central de la visión artística hernandiana, donde dominan los tres grandes problemas existenciales: vida, muerte, amor, reconcentrados en un símbolo. Según Georg R. Lind: "pena, amor, lucha y muerte: las cuatro etapas de la existencia del toro son también las de la vida del poeta" [88]. El toro se ha convertido en símbolo de una vida trágica y de toda una cosmovisión.

---

[88] LIND, Georg R., "Dichter im Schatten", *Romanische Forschungen*, LXV (1954), p. 323.

CAPÍTULO III

LA IMAGEN POÉTICA HERNANDIANA

I. — *EN TORNO AL CONCEPTO DE METÁFORA*

CONCEPTO ARISTOTÉLICO

Antes de introducirnos en el estudio de la imagen poética hernandiana, vamos a acotar el concepto de imagen o metáfora. Por su gran importancia, lo haremos con alguna detención.

Metáfora, del griego μεταφορά, significa etimológicamente *traslación* en sentido local. Según Aristóteles, μεταφορά δέ ἐστιν ὀνό-ματος ἀλλοτρίου ἐπιφορά: "metáfora es la imposición (a una cosa) de otro nombre (cuyo significado ordinario es diverso)". Según la definición aristotélica, la misión del poeta consiste en descubrir la semejanza, ya existente, entre los objetos, aun los más distanciados, y relacionarlos entre sí: τὸ γὰρ εὖ μεταφέρειν τὸ τὸ ὅμοιον θεωρεῖν ἐστιν: "trasladar (por la metáfora) es ver lo semejante (de los objetos)" [89]. Según el concepto aristotélico, metáfora es, pues, la sustitución de un plano real por un plano evocado en virtud de una semejanza de cualidades que media entre ambos. Cuando un poeta del Siglo de Oro llama al vino "néctar divino",

---

[89] *Poética,* cap. XXI [1457b7]; cap. XXII, 17 [1459a8].

intenta destacar una cualidad común al vino y al néctar —su sabor
exquisitamente delicioso—, que sirve de punto de contacto entre
ambos y ayuda al poeta al salto imaginativo [90].

Esta semejanza, base del concepto de metáfora en la retórica
clásica de Aristóteles, Cicerón y Quintiliano, no tiene límites pre-
fijados, por lo que quedan abiertas a la metáfora todas las posibilidades, según afirma el mismo Cicerón: "nihil est enim in rerum
natura, cuius nos non in aliis rebus possimus uti vocabulo et no-
mine; unde enim simile duci potest —potest autem ex omnibus—,
indidem verbum unum, quod similitudinem continet, translatum
lumen afferet orationi" (Cic. *De or.*, 3, 40, 161). Queda, por tanto,
un amplio campo de actuación a la *voluntas* semántica del poeta
—otro elemento decisivo en la constitución de la metáfora— en
fuerza de la cual éste comunica a la palabra un nuevo significado,
que se hace captable al lector a través de la frase o del conjunto lin-
güístico. Sin embargo es evidente que la *similitudo* puede presentar diversos grados, pues Cicerón exige: "est fugienda dissimili-
tudo" (Cic. *De or.*, 3, 40, 162), lo cual no está de ningún modo
en contradicción con la misión que Aristóteles impone al poeta
de "ver la semejanza aun en los objetos muy distanciados" (τὸ
ὅμοιον καὶ ἐν πολὺ διέχουσι θεωρεῖν), para lo cual se requiere
una dotación natural (τὸ μεταφορικὸν εἶναι) que no se puede adquirir [91].

Dadas estas ilimitadas posibilidades de la traslación metafórica,
los retóricos tratan de excluir algunos casos en que la metáfora
no cumpliría su función estética fundamental, el *ornatus*, sino que
produciría *taedium*, el vicio contrario. Por este motivo se pronun-
cian contra la demasiada oscuridad de las metáforas, su excesiva
frecuencia, el empleo de motivos metafóricos sórdidos y bajos (tur-

[90] Cfr. BOUSOÑO, *Teoría de la expresión poética*, cap. VI, y *La poesía
de Vicente Aleixandre*, cap. VII; LAUSBERG, Heinrich, *Handbuch der literarischen Rhetorik*, pp. 282 ss.
[91] *Rhetor.* III, II [1412a]. Ap. PONGS, I, p. 456. *Rhetor.* III, II [1405aq].

pitudo), etc. "Deinde videndum est, ne longe simile sit ductum" (Cic. *De or.,* 3, 41, 163). Este *longe ductum* es verdaderamente un *simile,* pero que debe evitarse. Quintiliano (8, 6, 17) nos pone un ejemplo de metáfora de este tipo: "sunt et durae, id est a longinqua similitudine ductae, ut *capitis nives"* (= cabellos canos).

Notemos que, al entrar en cuestión motivos de valoración estética —y todas las limitaciones impuestas al concepto de metáfora se introducen únicamente para evitar la frustración de su función ornamental—, entra en juego lo subjetivo, y con lo subjetivo lo relativo y variable según el gusto del que juzga, quien está en plena dependencia de su tiempo y circunstancia histórica. Así comprenderemos que lo que era para Quintiliano una metáfora dura y como traída por los pelos, cambiados los tiempos y el gusto, se convirtiera en el tipo de la metáfora ideal para nuestra poesía del Siglo de Oro: *capitis nives* = cabellos canos. El mismo fray Luis de León, tan clásicamente mesurado y sobrio, reproduce precisamente la imagen condenada por Quintiliano en su composición *Vuestra tirana exención:*

> *Cuando* la dorada cumbre
> fuere de nieve esparcida...
> *(cuando vuestros cabellos rubios*
> *se volvieren canos...).*

¿Y no invierte Pedro de Medina en su *Égloga a la muerte de Doña Isabel de Urbino* la misma metáfora: "montes de cabellos canos" = montes de nieve? La decisión sobre si el *simile* es *longe ductum* o no, es, pues, algo que depende del gusto de cada época, ya que sólo él puede constatar si la metáfora ha producido la descarga estética y ha cumplido su función ornamental.

Como se ve, el concepto clásico de metáfora, según lo formula Aristóteles, Cicerón y Quintiliano, es lo suficientemente elástico para poder mantener su vigencia a través de los profundos cambios que ha experimentado el espíritu humano. La poesía moderna, y sobre todo la superrealista, explotará abundantemente las ilimitadas posibilidades que ofrece esta figura retórica, sin que podamos decir que abandonan el principio clásico, que es ciertamente ampliado en su aplicación según la nueva sensibilidad estética, atribuyendo una potencia creadora ilimitada a la *voluntas* semántica del poeta.

AMPLIACIÓN DE SUS FUNCIONES

En la edad contemporánea, la metáfora va perdiendo su función meramente ornamental, que tuvo en el Renacimiento y en el Barroco, para convertirse en fuerza central sustentadora de poesía y lirismo. Ya en el siglo XVIII había comenzado Giambattista Vico a ahondar su sentido hasta descubrir en toda metáfora un *pequeño mito*.

Para Goethe, la capacidad creadora de imágenes es una fuerza fundamental de lo artístico, que nace de la fantasía y está en proporción directa con el talento poético del escritor. En la fantasía se amontonan recuerdos, sensaciones, ideas y sentimientos, que van desarrollándose, creciendo y combinándose, hasta convertirse en imágenes que irrumpen plenas de vida al exterior. La metáfora brota de la fantasía, no de la razón, y como tal encierra la sustancia del mundo interior del poeta, ya que ha brotado libre del control de la razón y espontáneamente. Para Goethe, la imagen es el medio por antonomasia para la revelación de los sentimientos y una encarnación (Sprachwerdung) de ellos en el lenguaje.

La estética de Jean Paul considera la metáfora como "la encarnación de la naturaleza en el lenguaje humano" ("die Sprach-Menschwerdung der Natur"). La raíz sigue siendo la semejanza, ya que para Jean Paul la metáfora brota de la función comparativa, que presupone una relación de semejanza. Pero de la comparación de dos representaciones brota la tercera, no como conclu-

sión ("Schlußkind"), sino como "alumbramiento maravilloso de
nuestro Yo creador" ("Wundergeburt unseres Schöpfer-Ich"), como
"criatura maravillosa" (Wunderkind). La metáfora asciende, pues,
como una revelación a partir de las fuerzas caóticas del inconsciente. Como vemos, Jean Paul descubre el inconsciente como fuente de imágenes.

El superrealismo acentuará este hecho y lo explotará inven-
tando la escritura automática como proyección directa de las imágenes del subconsciente. De aquí la irracionalidad de la imagen surrealista. Para André Breton: "l'image la plus forte est celle qui
présente le degré d'arbitraire le plus élevé" [92]. Sin embargo, la
poesía no se rige incondicionalmente por tales principios. El mismo
Pierre Reverdy, de posición teórica tan extrema, apoya la mayoría
de sus imágenes en semejanzas incluso físicas:

"Des lampes éclatent en fruits lumineux entre les arbres noirs"

"Le front du ciel inquiet se ride"

"Les rayons de soleil tombent en lourdes tresses" [93].

Nótese cómo el elemento racional no queda excluido de imágenes
tan audaces, en que todavía es perceptible el porqué de la sustitución.

El superrealismo español queda mitigado en su furia revolu-
cionaria por las fuertes dosis de tradición que le aportan el neo-
popularismo y el neoclasicismo, sus corrientes contemporáneas. Su
influencia origina una mayor libertad en la expresión lírica y
aporta material poético más amplio, haciendo frecuente el amontonamiento de imágenes visionarias, alucinantes, con grandes dosis
de irracionalidad.

---

[92] *Manifeste du surréalisme,* Ap. RAYMOND, p. 288. Para la formulación del concepto de metáfora en Aristóteles, Vico, Goethe y Jean Paul nos
hemos basado en la exposición de PONGS, I, p. 2-17.

[93] EIGELDINGER, *Le dynamisme de l'image,* pp. 269, 271.

LA METÁFORA CLÁSI-
CA Y LA MODERNA

Siguiendo el desarrollo de la metáfora desde Aristóteles hasta
nuestros días, podemos constatar cambios profundos, pero también
una evolución lineal sin ruptura alguna en sus elementos esenciales. Ya la afirmación aristotélica de que crear imágenes es *descubrir
semejanzas entre los objetos* es característica para introducirnos en
un mundo y ambiente cultural en que el objeto externo es la verdadera realidad. La acción del hombre se limita a relacionar esos
objetos dados; en el caso de la metáfora consistirá en descubrir,
ver (θεωρεῖν) la semejanza de los objetos y relacionarlos entre sí.
La creación literaria descansa sobre una capacidad fundamental del
poeta de descubrir esas analogías entre los seres.

En la metáfora contemporánea, el objetivismo de la filosofía
griega ha quedado suplantado por el subjetivismo del pensamiento
europeo moderno, el racionalismo por el irracionalismo, la lógica
por la primacía de la intuición y la visión plástica y estática del
mundo por una concepción dinámica y faústica, si empleamos la
expresión de Spengler.

En la teoría del conocimiento se han realizado también cambios profundos. Mientras en la filosofía griega —con su gran figura
Aristóteles— la mente humana, esclava del mundo externo, se
limita a constatar, reunir y combinar los datos que éste le envía,
y se atiene a la más estricta objetividad, la epistemología moderna,
a partir de Kant, atribuye al yo potencia creadora; éste es el que,
revistiendo sensaciones emitidas por el mundo externo, crea el
objeto captable y cognoscible.

Estos presupuestos cosmovisionales hallan su reflejo lógico en
el concepto de metáfora. En la imagen moderna se rehuye la analogía evidente y se buscan los objetos más distanciados. Cuanto

más alejados sean éstos, más inexplorada y virgen será la potencia
lírica y expresiva de la imagen. La metáfora moderna, lejos de ser
un producto de la razón calculadora, se alimenta a través de sus
tentáculos hondamente enraizados en lo irracional e inconsciente.
Cuanto más avanzamos en la poesía moderna a partir del Roman-
ticismo, tanto más predominan estas fuerzas irracionales y más
extraña es la imagen.

La metáfora clásica se funda en la semejanza constatada racio-
nalmente, la imagen moderna se satisfará con analogías físicas, es-
timativas, sentimentales o emocionales, captadas con frecuencia intuitivamente. En la metáfora aristotélica se constata la analogía
existente, en la moderna —recordemos la potencia creadora del yo
en la filosofía posterior a Kant— puede incluso el sujeto, la *voluntas*
semántica, que resulta omnipotente como el yo, llegar a crear la
semejanza. Basta que el poeta considere al objeto adornado de
tales cualidades, de alguna manera justificables, y que, apoyado
en ello, pase a la sustitución metafórica.

A pesar de todas estas variaciones, creemos que lo esencial del
concepto aristotélico queda invariable: metáfora sigue siendo "traslación dada una analogía". Pongs reconoce esta base de semejanza tanto en la metáfora clásica como en la moderna [94]. Lo
mismo piensa René Waltz y Hans Larsson. Waltz destaca como
una cualidad esencial a todo espíritu poético la facultad de detectar
semejanzas lejanas, pero esenciales, y no por raciocinios intelectuales, sino intuitivamente. El mismo pensamiento representan con
matices variados M. Eigeldinger y H. Morier [95].

---

[94] PONGS, I, p. 245.
[95] Cfr. WALTZ, *La création poétique*, Flammarion. Paris, 1953, p. 104 ss.
EIGELDINGER, p. 10. MORIER, H., *La psychologie des styles*, Genève, 1959,
p. 63. Para la opinión de Stählin, cfr. PONGS, I, p. 438. Según Bousoño
y Stählin, la analogía no puede ser considerada como fundamento de la
asimilación de planos en la imagen moderna por ser inconsciente y no
detectable por raciocinio.

Nosotros creemos en la necesidad absoluta de que el contacto entre los objetos relacionados no se rompa, para no caer en lo arbitrario. Cuando el poeta no obedece al capricho, sino a la intuición o al subconsciente —únicos casos en que hay verdadera poesía—, el lazo analógico está salvaguardado, ya que la naturaleza obra conforme a un orden y no es arbitraria. El mismo Bousoño reconoce que la imagen moderna debe ser universal, valedera para todos los hombres, lo que exige una cierta similitud de objetos capaz de engendrar en todos una descarga emotiva parecida. La analogía, reducida, estilizada, debe existir. Recordemos, para terminar, que Aristóteles imponía al poeta la misión de "ver la semejanza aun en los objetos más distanciados" [96].

2. — LA IMAGEN POÉTICA ENTRE LEVANTINISMO Y BARROCO

LEVANTINISMO: PREDOMINIO DE LO SENSORIAL [97]

Los primeros poemas de Miguel Hernández, unos 17 publicados en *El Pueblo* de Orihuela a partir de enero de 1930 y que

---

[96] *Rhetor*. III, III [1412a]. Ap. PONGS, I, p. 456.

Prescindimos en este estudio de la división de la imagen en dos tipos esencialmente distintos, según propone Bousoño. Si a veces hablamos de imagen tradicional o clásica, y moderna, es sólo haciendo referencia a una diferencia no esencial, sino cualitativa, queriendo distinguir el tipo de imagen clásica, racional y fundada en semejanzas objetivas evidentes, de la imagen usada en la poesía moderna, más irracional, emotiva y audaz en toda su constitución.

[97] En un paisaje feraz y de frondosa vegetación, *levantinismo* significa para nosotros —aunque reconocemos lo discutible de este concepto— luminosidad y, por ello, extroversión hacia los objetos externos que se nos imponen por su vigorosa fecundidad y riqueza de placeres que prestan a los sentidos: colorido, perfume, hervidero de vida. La sensualidad visual, cebada en este derroche de luz y de colores, absorbe por completo al poeta

no aparecen en las *Obras completas*, reproducen casi exclusivamente clisés de metáforas de frecuente uso en la tradición lírica, ensartadas, sin selección ni elaboración, en largos períodos retóricos que las despojan con frecuencia de vigor y fuerza.

Raras veces llegamos a vislumbrar destellos de originalidad en imágenes, a veces logradas en sí, pero torpemente encuadradas en su conjunto, que llegarán a enriquecerse de un hondo sentido a lo largo de la obra. En *Oriental* aparece por primera vez la metáfora del "manojo de cuchillos" (dolor) y en *Ancianidad* se transforma la frente en "barbecho que en surcos mil el tiempo ha labrado". Son chispazos aislados incapaces de iluminar todo un poema.

El poeta-pastor va desechando lentamente los clisés metafóricos heredados, y comienza a crear verdadera poesía. Ya no busca el material imaginativo en la lectura o el plagio, sino que recurre directamente a la naturaleza bañada de luz del paisaje orcelitano. De este contacto brota un tipo de imagen que demuestra una contemplación directa de los objetos y es ya verdadera creación original, destacando por su carácter sensorial, y sobre todo visual. Aproximándose a técnicas del impresionismo [98], nos describe su mundo fijando los rasgos que más vivamente le *impresionan*. La luz dorada del amanecer baña los objetos y los transfigura:

---

no dejándole lugar para la meditación trascendente. Levantinismo es, por ello, una visión periférica del mundo sin el tránsito a la contemplación trascendente del paisaje, característica de la Generación del 98.

[98] Hacemos, sobre todo, alusión aquí y en los párrafos siguientes a ciertas técnicas del impresionismo pictórico aplicadas también a la poesía: 1) Tendencia a describir los objetos captando aisladamente los rasgos que más vivamente nos han *impresionado*. 2) Desdoblamiento de la impresión general en las sensaciones que la constituyen. 3) La tendencia a captar los objetos no estáticos, sino en pleno movimiento. Recordemos la predilección de los pintores impresionistas por los cuadros de bailarinas. Cfr. LÁZARO, Fernando, "La metáfora impresionista", en *Rivista de Letterature moderne*, I-II (1950-1951), Firenze.

> Pino de oro.
> Esquilas de oro *divino*.
> Yo me enjoyo *la mañana*
> *caminando por las hierbas* [99].

En visión original, y rompiendo con el caudal de metáforas hechas, nos ofrece la imagen dinámica de un iluminado amanecer al describir la aurora como un "remolino de oro".

El ingenioso poemita *Limón* es un dibujo impresionista, en que por medio de acertadas metáforas logra el poeta captar la realidad en pleno movimiento como una bailarina a lo Degas:

> *Oh limón amarillo,*
> *patria de mi calentura.*
> *Si te suelto*
> *en el aire,*
> *oh limón*
> *amarillo,*
> *me darás*
> *un relámpago*
> *en resumen.*
>
> *Si te subo*
> *a la punta*
> *de mi índice,*
> *oh limón*
> *amarillo,*
> *me darás*
> *un chinito*
> *coletudo,*
> *y hasta toda*
> *la China,*

---

[99] Guerrero Zamora, pp. 23, 24, 47.

> *aunque desde*
> *los ángeles*
> *contemplada* (OC 35; 40).

Igual que en aquella otra estrofa en que el poeta logra captar
intensamente el instante a través de las sensaciones acústica y
visual que le transmiten los sentidos:

> *Tiro piedras a un cordero*
> *y cada piedra que tiro*
> *deja* en la brisa un suspiro
> *y* en el azul un lucero [100].

Conforme la visión directa del mundo se va interceptando con
las lecturas barrocas, la imagen encarnada en el sustantivo abstracto va ganando terreno ante la metáfora sensorial, combinándose
a veces felizmente ambos tipos:

el pito del árbitro ... = $\begin{cases} \text{grillo} \\ \text{domador de jugadores} \\ \text{director de bravura (OC 43)} \end{cases}$

herida ... ... = granada de tristeza (OC 44)

termómetro ... ... = $\begin{cases} \text{nuncio de la temperatura} \\ \text{ascensor numerado de mercurio (OC 45)} \end{cases}$

El motivo metafórico se va volviendo abstracto y rebuscado; se
nota el esfuerzo culto del poeta por hallar la imagen original y
llamativa, que, bajo el influjo gongorino, se hará enigmática, conservando siempre su carácter descriptivo.

---

[100] *Cuadernos de Ágora*, núms. 49-50, nov.-dic. 1960; p. 11.

LA METÁFORA NEOGONGO-
RINA: "PERITO EN LUNAS"

El elemento esencial de *Perito en lunas* es la metáfora. Los objetos más comunes y vulgares se iluminan estéticamente constituyendo un nuevo mundo artístico gracias al continuo y complicado juego de metáforas de una gran osadía poética. Miguel Hernández se complace en la lenta y detallada descripción de los objetos de su mundo campestre con una complacencia sensual en sus formas y colores muy próxima al gusto de Homero en sus detalladas pinturas de la Ilíada. Los objetos sufren una leve deformación estética, pero muy diferente de la que les impone Góngora. Mientras éste sublima e hiperboliza todo cuanto toca convirtiéndolo en oro, plata, rubíes, dioses, héroes, gigantes y soles de belleza —tesoro metafórico muy del gusto renacentista y barroco—, el poeta pastor acude al mundo real de su vida diaria para proveerse de material metafórico. En su labor selectiva se deja guiar únicamente por la mayor potencia descriptiva y la originalidad y novedad de los objetos. Ninguna tendencia a la idealización o sublimación, sino el más estricto apego a la realidad que se ilumina de colorido y gracia poética con intermitentes dejos de humorismo:

Agrios huertos, azules limonares,
de frutos, si dorados, corredores (OC 67, XXI).
   [mar y peces]

...vientres que ordeña el puño en cubos claros
por un sexo sencillo que se afloja.
Y la inseguridad, por dentro roja,
traducción apagada de los faros
con interpretaciones serpentinas,
equivocando pies, consulta esquinas (OC 69, XXVII).
   [tonel y borracho]

En la octava II, la palma se transforma en "luz comba", por
lo que el Domingo de Ramos se asiste a la procesión:

> *con la luz, enarcada de alborozo,*
> *en ristre, bajo un claustro de mañanas,*

repitiendo la misma imagen inicial: palma = luz, mañana.
La poesía hermética es, con frecuencia, un enigma difícil de
desentrañar. Por ello conviene avanzar con mucho tiento. Concha
Zardoya, y Marie Chevallier en grado muy superior, confían demasiado la interpretación a su propia fantasía al descubrir en la
octava V toda una infinita serie de visiones plásticas o fenómenos
tropológicos. El poeta está describiendo no una columna, sino una
palmera. Toda esta serie de tropos no son trasmutaciones de la
imagen primera, sino diversas metáforas que, por su semejanza
con el plano real, intentan describírnoslo de un modo pintoresco
y próximo a la realidad. La imagen visual de la palmera se asemeja a una columna que comienza en espuela y acaba con las
palmas abiertas en forma de surtidor. Por su altura parece como
si quisiera colgarle a la luna un tirabuzón o se asemeja a un ca-
mello de canela. En su cumbre se despliega "resuelta en claustro".
(El poeta vuelve a la imagen de la octava II: las palmas se abren
formando una bóveda o "claustro".) Se doblega como si estuviera
paciendo. Se eleva en el desierto como "oasis de beldad" en toda
su plenitud ("a toda vela", usando un término náutico). Los racimos de dátiles le cuelgan como "gargantillas de oro". Por fin, el
viento choca contra la palmera produciendo un silbido de sierpe.
Veamos ahora la octava después de haber aclarado un poco sus
enigmas:

> *Anda, columna; ten un desenlace*
> *de surtidor. Principia por espuela.*
> *Pon a la luna un tirabuzón. Hace*
> *el camello más alto de canela.*

Resuelta en claustro viento esbelto pace,
oasis de beldad a toda vela
con gargantillas de oro en la garganta:
fundada en ti se iza la sierpe, y canta (OC 62, V).

El poeta esquiva por completo la realidad, pero la va susti-
tuyendo metódicamente por una cadena de imágenes ingeniosas,
tomadas de su mundo de la vida agrícola o de la vida diaria,
ateniéndose en todo al más estricto realismo. Se recrea en los
objetos menudos, concretos, y nos los pinta condensados en breves
imágenes visuales de fuerte colorismo:

Blanco narciso por obligación (OC 65, XIV).
[barbero, como Narciso siempre ante el espejo]

Párrafos de la más hiriente punta,
verdes sierpes ya trémulas de roces
y rocíos [surcos] (OC 67, XX).

Arcángel tornasol, y de bonete
dentado de amaranto, anuncia el día,
en una pata alzado un clarinete.
La pura nata de la galanía
es este Barba Roja a lo roquete,
que picando coral, y hollando, suma
"a batallas de amor, campos de pluma" [gallo]
(OC 65, XIII).

A veces, el mismo motivo metafórico se desarrolla en una imagen continuada a lo largo de varios versos. Si el poeta, en lo alto
de la higuera, echa los higos como maná, los niños que atienden
abajo serán "pueblo israelita", "moiseses rubios", y el mismo poeta,
en imagen llena de audacia, originalidad y humorismo, se tras-
formará en "dios con calzones" por su generosidad y su ligero traje
estival:

> *El maná, miel y leche, de los higos,*
> *lluevo sobre la luz, dios con calzones,*
> *para un pueblo israelita de mendigos*
> *niños, moiseses rubios en cantones* (OC 63, IX).

Adopto la lectura "lluevo" en vez de "llueve" por no destruir el
paralelismo aludido a lo largo de la octava: Dios llueve maná
sobre los israelitas, yo "dios con calzones" lluevo higos sobre los
niños mendigos. Esta lectura queda confirmada por el título puesto
por Miguel Hernández a esta octava: "Yo: Dios."

El material metafórico abandona a veces la intemporalidad del
gusto de los clásicos y de la poesía pura, y no oculta su afición
a motivos contemporáneos, que le prestan actualidad y honda
vibración humana. Así, las veletas de las iglesias serán "bákeres",
aludiendo a la danzarina negra de moda en sus años de juventud,
Josefina Báker:

> *Danzarinas en vértices cristianos*
> *injertadas: bákeres más viüdas,*
> *que danzan con los vientos* (OC 68, XXIV).

El enlace de objetos insignificantes con temas de actualidad y
con hondas preocupaciones del poeta elevan la octava XXIII muy
por encima de un simple juego intrascendente, prestándole calor
humano y cierto contenido ideológico y engarzándola con motivos
(sangre, tragedia) esenciales a la cosmovisión hernandiana. Con
estas pinceladas de actualidad le presta valores ausentes del poema
paralelo *Les grenades* de Paul Valéry, que, dentro de su forma
perfecta, impecable, se reduce a simple juego de luces, evocando
de modo dinámico el vivo colorido de la granada abriéndose. "El
resultado poético es ciertamente bello" y "la mención expresa de
palabras como sangre, tragedia, zares, revoluciones, nos salpica de

emociones intensamente humanas y hasta apremiantemente actuales de 1933" [101] :

> *Sobre el patrón de vuestra risa media,*
> *reales alcancías de collares,*
> *se recorta, velada, una tragedia*
> *de aglomerados rojos, rojos zares.*
> *Recomendable sangre, enciclopedia*
> *del rubor, corazones, si mollares,*
> *con un tic-tac en plenilunio, abiertos,*
> *como revoluciones de los huertos* [granadas] (OC 68, XXIII).

Tras recordar la exposición de la octava XXXVI, p. 84, avance prematuro de motivos decisivos de la cosmovisión del poeta, reproduzcamos otra octava, logrado juego de ingenio y humor. Por la intensa concentración, a veces en el mismo verso, de los dos elementos del contraste, y la hábil proyección del motivo sexual, tan caro al poeta, en imágenes que oscilan entre la brutalidad y la distinción, nos parece una octava bien lograda, expresión de rasgos característicos de este libro:

> *A fuego de arenal, frío de asfalto.*
> *Sobre la Norteamérica de hielo,*
> *con un chorro de lengua, África en lo alto,*
> *por vínculos de cáñamo, del cielo.*
> *Su más confusa pierna, por asalto,*
> *náufraga higuera fue de higos en pelo*
> *sobre nácar hostil, remo exigente...*
> *¡Norte! Forma de fuga al sur: ¡serpiente!* (OC 73, XL).

La octava nos describe a un negro ahorcado por violación. El primer verso es la descripción breve y concentrada de los dos

---

[101] DIEGO, GERARDO, *"Perito en lunas"*, en *Cuadernos de Ágora*, números 49-50, Madrid, nov.-dic. 1960, p. 27.

mundos en juego, África y América, con su clima y sus hombres, fogosos o fríos: "A fuego de arenal, frío de asfalto." "Sobre la Norteamérica... África..." : bello contraste de los dos mundos, esta vez a lo largo de dos versos. El negro ahorcado: "con un chorro de lengua", "por vínculos de cáñamo". En los cuatro últimos versos, el crimen del negro. "Sobre nácar hostil" : es el cuerpo femenino descrito según la tradición clásica. A continuación se reitera el intenso contraste del primer verso. Al final, una nueva evocación de toda la escena indicando su causa: el pecado ("serpiente"). Ya en la octava XVI, encarna la serpiente, como símbolo cristiano surgido de la narración bíblica del paraíso, el pecado carnal. La estrofa nos revela gran habilidad, ingenio y dominio de la forma, y constituye un avance de motivos típicos del poeta.

Las octavas hernandianas —a semejanza de la poesía gongorina— se desarrollan en un proceso perfectamente lógico que va encadenando las imágenes para traducir a un plano artístico, miembro por miembro, realidades concretas y sin relevancia, creando un mundo de luz, gracia y color. La voz de Miguel Hernández aparece en esta obra más poderosa y auténtica de lo que se acostumbraba a decir, revelándonos datos inconfundibles de su impetuosa personalidad. Hernández no es un simple imitador, aun en esta obra primeriza. El mundo donde él busca el material metafórico y numerosos motivos de estas octavas, revelan, al que conozca la totalidad de su obra, la impronta indeleble del poeta [102].

---

[102] Cfr. los títulos de todas las octavas en la nota 70. El artículo de Marie CHEVALLIER nos revela la gran dificultad de las octavas hernandianas y el peligro de una interpretación que fácilmente se ha dejado seducir por ciertos vocablos de sentido metafórico tomados como plano real y que se ha entregado demasiado a la imaginación en lugar de practicar una mayor sobriedad.

LA IMAGEN DESCRIP-
TIVA Y PICTÓRICA

Tras el esfuerzo titánico de *Perito en lunas* con su metáfora descriptiva, concentrada e intensa, Miguel Hernández continúa sus lecturas y su aprendizaje, ejercitándose en una serie de poemas en torno a la vida del campo (OC 77 ss.). Lo rebuscado, enigmá- tico y abstracto de sus lecturas barrocas sigue resonando en estas poesías que van abandonando la concisión de *Perito en lunas* y en las que el elemento sensorial, y sobre todo visual, afirma su importancia:

frescuras manantiales
coro de inocencia (OC 77)   } = aguas

agilidad
desliz de lujo   } = lagarto
cocodrilo en miniatura (OC 77)

saturno de sol y piedra   = arena

gallardía de rubio y amaranto   = torero

la muerte en las manos larga y fina   = espada
(Elegía media del toro)

La metáfora de *Corrida real* y *Vuelo vulnerado* (OC 133; 136) y otras composiciones del mismo tiempo llama nuestra atención por su verbosidad y extensión. Antes de llegar a la imagen breve, simple y expresiva, de sus últimos poemas necesita el poeta nu- merosos tanteos inseguros. Recordemos que Miguel se encuentra en pleno período de aprendizaje y que la enorme tensión de *Perito en lunas* no pudo mantenerse largo tiempo. La sustitución metafórica tiene aquí más bien el carácter de perífrasis, y nos va dibujando con toda detención el objeto del plano real.

Al poeta le brotan imágenes originales, acertadas y rotundas:

Gabriel de las imprentas   = cartel
estrella giratoria   = hélice
barítono pastor de gasolina = aeroplano

La metáfora tiene marcado carácter descriptivo y predominantemente pictórico. Todo lo perceptible del plano real queda plasmado con gran nitidez en la imagen, que refleja preferentemente impresiones visuales. La sustitución se realiza casi exclusivamente mediante un sustantivo completado por el epíteto, y se percibe el esfuerzo titánico del poeta, con simpatías por el neogongorismo, en busca de la imagen original y brillante:

verdes prolongaciones y amarillas	= banderillas
yedra cuadrangular de las esquinas	= cartel
marzos lluviosos de mantones nutridos de belleza deseada	= palcos
luto articulado	= toro
cisne de geometría que en la gloria canta y muere; cigarra del enero y el agosto gigante y transitoria	= aeroplano

ABSTRACCIÓN Y COLORISMO

En el poema *Citación final* (OC 138) a la muerte de Sánchez Mejías, la imagen es sometida a un intenso proceso de depuración. Elementos innecesarios van desapareciendo; la metáfora gana en vigor expresivo. El poeta ejerce una labor de artífice que se hace notar en pinceladas maestras. La imagen tiende —entre antítesis barrocas— hacia lo conceptual y abstracto. No falta, sin embargo, la pincelada colorista. Lo que decimos sobre la imagen de este poema conserva su valor para numerosos otros del mismo período, sobre todo para las décimas de OC 163 ss.:

en la inquietud inmóvil de la arena ⎱	= plaza
con Dios alrededor, perfecto anillo ⎰	
una vida de muerte	= torero
una muerte de raza	= toro

Por su extraordinaria belleza y perfección técnica nos llaman la atención numerosas metáforas que resultan características de un momento de la producción hernandiana, en que lo conceptual, procedente de sus lecturas barrocas, y lo sensorial, colorista, auditivo o gustativo de su temperamento levantino, se abrazan en imágenes de lograda belleza:

deseos con mantillas	= damas
la muerte astada ⎱	= toro
palco de banderillas (OC 138) ⎰	
luto arrope y grana	= higo
lujo sabroso ⎱	= racimo
inflamación moscatel (OC 170) ⎰	

Todavía destaca el carácter descriptivo de tal tipo de imágenes. Sin embargo, las dos primeras tienen, sobre todo, una función intensificadora. Para acentuar la angustiosa ansiedad del público femenino, el poeta olvida otros rasgos, para reproducir únicamente, pero en su máxima concentración, el esencial: deseos con mantillas. Es el procedimiento pictórico conocido con el nombre de *reducción,* en que se eliminan varios elementos de importancia secundaria para hacer pasar a primer plano y presentar en brillante *aislamiento* el aspecto o elemento que queremos destacar en su máxima intensidad. La imagen está, además, en estos casos construida siempre a base de la misma técnica: una pincelada abstracta revestida de rasgos coloristas [103]. La metáfora "palco de banderillas" es exclusivamente visual.

___
[103] Imágenes semejantes aparecen en otros lugares de la obra: toro:

LA METÁFORA EN LA
POESÍA RELIGIOSA

En *El Gallo Crisis*, órgano del movimiento neocatólico oriolano,
acaudillado por Ramón Sijé, amigo y maestro de Miguel Hernández, salen a luz casi la totalidad de sus poemas religiosos.

La lectura de nuestros escritores del Siglo de Oro ha dejado
su huella profunda en la metáfora de toda la poesía religiosa hernandiana, directamente llamada a la vida e inspirada por ellos.
El gusto por lo enigmático, conceptual y abstracto, el empleo de
determinadas construcciones gramaticales y sintácticas, el engranaje
antitético de ciertas metáforas y la elección del material imaginativo, dan una idea clara del círculo de influencias, predominantemente calderonianas, bajo las que iba cristalizando su producción
poética:

> *Un elemento*
> *de inacabable caudal,*
> *transparente, celestial,*
> *que ni es vidriera ni es fuente,*
> *siendo como ésta corriente*
> *y como aquélla cristal* [viento] (OC 439).
>
> *Huye la orilla encantada,*
> *que hechizo de la mirada,*
> *áspid del ánima es* [agua del río] (OC 457).

"luto articulado"; ancianas viciosas: "vicios desdentados"; hostia: "cereal
geometría. de la tierra"; nube: "cano portento", "gloria lanar". Sabido es
cómo el poeta simbolista belga Maurice Maeterlinck empleó con gusto durante algún tiempo asociaciones semejantes en que se unían un elemento
físico y otro mental: "les palmes lentes de mes désires", "l'herbe mauve
des absences". Cfr. RAYMOND, p. 285.

ventana para el Sol ¡qué solo! abierta:
sin alterar la vidriera pura [María] (OC 141)
triunfo y consagración de lo redondo [cáliz] (OC 84; 121).

La personalidad poética de Miguel Hernández se va perfilando
ya en estas obras, y sabe salir a flote con su sello personal entre
las oleadas de tanto material imaginativo clásico. Para ello le basta
invertir en su empleo dos elementos recibidos o introducir material
metafórico procedente de su mundo campestre. Éste queda extraordinariamente ennoblecido, y aparece siempre unido —como plano
real o evocado— a motivos poéticos los más elevados. Al encarnarse las ideas y sentimientos religiosos en objetos de la vida campestre oriolana, se humaniza considerablemente la metáfora adquiriendo un acento estremecedor:

Se cosecha cenizas,
parvas de llamaradas,
en la Sagrada Forma de la era (OC 162).

Trillo es tu pie de la serpiente lista,
tu parva el mundo... (OC 142)

la sagrada eucaristía
de la Blanca-Luna-Llena (OC 531)

y ya está en tierra el arbusto
que ha de hacerlo enredadera [cruz] (OC 545; 499).

En la II parte, escena V, del auto sacramental, el Pastor —símbolo de Cristo— habla con el Hombre agricultor desarrollando una
imagen continuada surgida de la contemplación directa de los inmensos trigales castellanos y desarrollada con gran maestría y originalidad:

Yo te vi llegar, criatura,
a este atlántico de oro.

> *Te vi, terrestre remero,*
> *rasar cereales olas;*
> *y tras tu paso, ligero,*
> *te vi dejar un reguero*
> *malherido de amapolas.*
>
> *Te vi avanzar; con la mano*
> *te vi vencer del henchido*
> *y caliente mar del grano;*
> *pero al fin, hombre y hermano,*
> *te vi naufragar vencido* (OC 505 s.).

Si el trigal es un "atlántico de oro", el segador tendrá que ser "remero" que siega "cereales olas" y que, al fin, "naufraga vencido". La imagen-base del segundo verso sugiere todas las otras sustituciones metafóricas, que no hacen sino continuar el plano ideal evocado por la imagen inicial. Siempre que el poeta acude al motivo de la vida campestre, su poesía adquiere tal vigor expresivo que las influencias externas ceden necesariamente al brío de lo auténticamente hernandiano. La imagen del "reguero malherido de amapolas" es ya un zarpazo de la garra trágica del poeta que se ceba en motivos de sangre, dolor, cuchilladas, heridas y ensangrentadas amapolas.

3. — HACIA UNA IMAGEN DE SU DRAMA INTERNO

PRIMEROS TANTEOS

El silbo vulnerado marca el primer paso en el proceso de interiorización de la poesía miguelhernandiana [104]. La metáfora se sim-

---

[104] En el *Silbo de la llaga perfecta* se vislumbra ya el comienzo de este

plifica extraordinariamente. Con esta obra irrumpe poderosamente en su producción poética la vida y el drama interno de Miguel Hernández. Imágenes sencillas sellan la autenticidad del sentimiento y lo hacen más conmovedor. El tributo a la pedantería gongorista o a las formas barrocas de obras anteriores no haría sino deslucir y poner la nota de lo ficticio en esta obra, primer intento de convertir el sujeto en objeto poético.

El poeta usa casi exclusivamente la imagen-sustantivo. Sólo en un caso tropezamos con una imagen continuada. La metáfora-comparación, grado inicial en el desarrollo del lenguaje tropológico, aparece con mucha frecuencia. La imagen es clara, de sentido fácilmente descifrable y en la mayoría de los casos queda explicada en el mismo soneto.

El pastor-poeta, ante el problema de hallar material imaginativo apto para plasmar su drama interno, recurre al mundo de su vida de pastor. La fauna y la flora hallan frecuente mención en la metáfora de este libro. Esto presta a la obra la nota de lo primigenio y auténtico, cualidad no alcanzada en la poesía anterior y sólo vislumbrada en el auto sacramental.

La imagen poética de *El silbo vulnerado,* exceptuados raros ejemplos que flotan en el ambiente de la poesía tradicional, es elaboración del poeta que parte de sus experiencias y vivencias de pastor y enamorado:

---

proceso. La imagen va perdiendo su carácter descriptivo de realidades externas y comienza a reflejar estados interiores:

> *Abre para que sean*
> *fuentes puras mis venas,*
> *mis manos cardos mondos,*
> *pozos quietos mis ojos* (OC 174).

El germen de *El silbo vulnerado* se halla en *Imagen de tu huella,* colección de trece sonetos, de los que pasaron sólo ocho al libro que estudiamos. Cfr. GUERRERO ZAMORA, p. 220.

> *Tu corazón, una* naranja helada.
>
> *Mi corazón, amor,* una granada (OC 200, 8);
>
> *pena es mi paz y pena mi batalla,*
> perro *que ni me deja ni se calla,*
> *siempre a su dueño fiel, pero importuno.*

Cardos, *penas, me ponen su corona,*
cardos, *penas, me azuzan sus* leopardos (OC 203, 13).

> *como pájaros negros los extiendo* [mis pensamientos]
> *y en tu memoria pacen poco a poco* (OC 207, 21).

La vida rural viene a ofrecer al poeta una imagen de gran vigor, sangrante. Miguel siente la pena como un arado que se le va clavando en las entrañas. La imagen surge de la más honda fuente del sentimiento ante la necesidad de concentrar en breves palabras una vivencia anímica singularmente intensa y desacostumbrada. Las profundas heridas del poeta, cada vez más dolorosas, buscarán en adelante su más aguda expresión en afiladas imágenes metálicas (arados, cuchillos, puñales):

> *así me quedo yo solo y maltrecho*
> *con un arado urgente junto al pecho,*
> *que hurgando en mis entrañas me asesina.*
>
> *Así me quedo yo cuando el ocaso,*
> *acogiendo la luz, el aire amansa*
> *y todo lo avalora y lo serena:*
>
> *perfil de tierra sobre el cielo raso,*
> *donde un* arado en paz fuera *descansa*
> *dando* hacia dentro un aguijón de pena (OC 205, 17).

En el soneto 19 encontramos imágenes breves y directas con motivos de fauna y flora:

> *Zarza es tu mano si la tiendo, zarza,*
> *ola tu cuerpo si lo alcanzo, ola,*
> *cerca una vez, pero un millar no cerca.*
>
> *Garza es mi pena, esbelta y negra garza,*
> *sola, como un suspiro y un ay, sola* (OC 206).

El soneto 22 nos ofrece una metáfora continuada de gran delicadeza de sentimiento:

> *Te me mueres de casta y de sencilla...*
> *Estoy convicto, amor, estoy confeso*
> *de que, raptor intrépido de un beso,*
> *yo te libé la flor de la mejilla.*
>
> *Yo te libé la flor de la mejilla,*
> *y desde aquel dulcísimo suceso,*
> *tu mejilla, de escrúpulo y de peso,*
> *se te cae deshojada y amarilla* (OC 207, 22).

La imagen en su misma continuidad carece de toda complicación. Sin dificultad descubre el lector que las dos metáforas-adjetivo "*deshojada y amarilla*" sólo hallan su justificación como continuación del plano evocado "flor de la mejilla".

La imagen pierde definitivamente en *El silbo vulnerado* su carácter pictórico o descriptivo de lo externo, y sirve preferentemente para comunicarnos vivencias internas o estados anímicos, intentando plasmarlos en la forma más sangrante y desgarrada. La metáfora no logra todavía el vigor expresivo y la desnuda crudeza de *El rayo que no cesa*, pero nos sorprenderá si tenemos en cuenta que es el fruto de los primeros sondeos del poeta por los lagos interiores de su espíritu.

INTENSIFICACIÓN Y PERFEC-
CIONAMIENTO DE LA IMAGEN

El rayo que no cesa es una segunda redacción corregida de
El silbo vulnerado con la adición y supresión de algunos poemas.
El sentimiento amoroso y dolorido del libro anterior, y la imagen
poética, su portadora, van ganando en hondura y adquieren por
momentos fuerza explosiva y caracteres trágicos.

La *pena* ya no es "cardo", "zarza", "arado" que va hurgando
en las entrañas; se convierte en "huracán de lava", "rayo", "carnívoro cuchillo"... Lo que antes era sólo melancolía de enamorado, sentimiento dolorido, es ahora pasión, explosión volcánica.
El *crescendo* del sentimiento va hallando su resonancia en la imagen cada vez más directa y vigorosa:

> *No me conformo, no: me desespero*
> *como si fuera un huracán de lava*
> *en el presidio de una almendra esclava*
> *o en el penal colgante de un jilguero.*
>
> *Besarte fue besar un avispero*
> *que me clava al tormento* [105].

Por lo demás, a lo largo de todo el libro sorprendemos la
paciente mano del artífice puliendo, redondeando y perfeccionando
la imagen.

El soneto 8 de *El silbo vulnerado* nos ofrecía este cuarteto:

---

[105] OC 224, 20. También el símbolo, que estudiamos en el capítulo V,
coopera a dar hondura e intensidad a este libro. En la misma línea de
intensificación se mueven estos versos:

> *ya puedes, amorosa fiera hambrienta,*
> *pastar mi corazón, trágica grama* (OC 228, 28).

> *Mi corazón, amor, una granada*
> *de pechiabierto carmesí de cera,*
> *que su sangre preciosa te ofreciera*
> *con una obstinación enamorada* (OC 200).

La metáfora "granada" no justifica suficientemente el v. 3, que brota del plano real "corazón". Tenemos aquí un ejemplo palpable de cómo Miguel Hernández va intensificando y perfeccionando la metáfora: suprime lo superfluo, busca material más expresivo y va elaborando una estructura menos interrumpida y más lógica. Con ello queda plasmado el sentimiento en forma más concentrada e intensa.

En *El rayo que no cesa* queda trocado el cuarteto en este otro:

> *Mi corazón, una febril granada*
> *de agrupado rubor y abierta cera,*
> *que sus tiernos collares te ofreciera*
> *con una obstinación enamorada* (OC 215, 5).

No es difícil constatar cómo el plano evocado "granada" es el que justifica las expresiones metafóricas "agrupado rubor", "tiernos collares". En esta segunda redacción, el poeta ha convertido la imagen primitiva, que se balanceaba insegura entre el plano real y el evocado, en una metáfora continuada, en que el plano evocado queda prolongado y enriquecido con otra nueva imagen.

El proceso de perfeccionamiento y enriquecimiento de la metáfora sigue su curso ascendente. El soneto 25 nos ofrece un ejemplo logrado de imagen continuada:

> *Exasperado llego hasta la cumbre*
> *de tu pecho de isla, y lo rodeo*
> *de un ambicioso mar y un pataleo*
> *de exasperados pétalos de lumbre.*

> Pero tú te defiendes con murallas
> de mis alteraciones codiciosas
> de sumergirte en tierras y oceanos.
>
> Por piedra pura, indiferente, callas:
> callar de piedra, que otras y otras rosas [deseos]
> me pones y me pones en las manos (OC 227, 25).

La metáfora "isla" suscita primeramente la imagen correlativa "ambicioso mar", y ésta justifica, a su vez, la metáfora engarzada "un pataleo de exasperados pétalos de lumbre" (salpicaduras del agua). El plano evocado "isla" queda continuado en las metáforas "murallas", "piedra pura", mientras el segundo plano evocado "mar" emite la imagen "alteraciones [oleaje] codiciosas de sumergirte en tierras y oceanos". Una doble cadena de configuraciones imaginativas se va desarrollando paralelamente a lo largo de este soneto en que llega Miguel a una gran perfección técnica. Lentamente nos vamos alejando de la simplicidad metafórica de *El silbo vulnerado*.

La elaboración intensa, el enriquecimiento del material poético durante la estancia en Madrid y el desaparecer lento de la rusticidad nativa del poeta nos ofrece su fruto en versos de finura incomparable y gran fuerza descriptiva. Observemos la forma dinámica, hasta ahora desconocida, en que nos presenta las metáforas de los versos 3 y 4:

> Por tu pie, la blancura más bailable,
> donde cesa en diez partes tu hermosura,
> una paloma sube a tu cintura
> baja a la tierra un nardo interminable (OC 217, 8; 225, 21).

COMPLICACIÓN DE SU ESTRUCTURA

Estudiando el poema *Me llamo barro aunque Miguel me llame,* tropezamos con hallazgos sorprendentes.

Lo primero que fascina nuestra mente es el continuo relampagueo de las imágenes. ¡ Qué viveza de fantasía capaz de suscitar las más expresivas y variadas metáforas de la visión de lo más vulgar! El simple salpicar del cieno suscita en su mente creadora un torrente de configuraciones:

> *embisto a tus zapatos y a sus alrededores...*
> *tu talón que me injuria beso y siembro de flores...*
> *Coloco relicarios de mi especie*
> *a tu talón mordiente, a tu pisada...*
> *bajo tus pies un gavilán de ala,*
> *de ala manchada y corazón de tierra...*
> *bajo tus pies un ramo derretido...*
> *un despreciado corazón caído*
> *en forma de alga y en figura de ola* (OC 221).

Las imágenes suelen seguir el tipo tradicional y se apoyan en una semejanza preponderantemente visual: el parecido que una salpicadura de barro presenta con el corazón, un alga o una flor, sin ofrecer carácter subconsciente o visionario alguno.

La metáfora adquiere en este poema una complicación de estructura hasta ahora desconocida. La desbordante fantasía del poeta acumula y encadena las imágenes en combinaciones muy dignas de tenerse en cuenta:

> *Bajo tus pies...*
> *un despreciado corazón caído*
> *en forma de alga y en figura de ola.*

El plano real A es la misma persona del poeta. La primera imagen simbólica o plano evocado B es "el barro". Éste se va intensificando de tal modo, verso tras verso, que el poeta llega a tomarlo por plano real, y sobre él construye un nuevo plano evocado C: "un despreciado corazón caído". Esta imagen C es considerada de nuevo como plano real del que emergen dos nuevas imágenes para expresar plásticamente la forma que adopta ese "barro-corazón" en su caída: "en forma de alga y en figura de ola" (D). Hemos visto, pues, que cada plano evocado ha servido como plano real sobre el que se levanta una nueva imagen. Carlos Bousoño llama a este fenómeno estilístico *superposición de imágenes*. Es muy frecuente en Vicente Aleixandre y también lo encontramos en esta composición del poeta orcelitano.

4. — *UN NUEVO ELEMENTO EXTERNO: EL SUPERREALISMO*

Bajo el influjo directo de Vicente Aleixandre y Pablo Neruda recibe en 1935 la poesía de Miguel Hernández un impulso de gran alcance con el que la imagen queda vigorosamente renovada. Tal vez la lectura de poemas surrealistas, traducidos del francés y publicados por revistas literarias españolas, cooperaron también con sus aires revolucionarios a la renovación radical de la imagen hernandiana.

Louis Aragon ha dicho que el superrealismo "est l'emploi déréglé et passionnel du stupéfiant imagé" [106]. En efecto, la ima-

---

[106] *Le paysan de Paris*, E. de la N. R. F., 1926, p. 81. Ap. RAYMOND, p. 284.

El superrealismo es, ante todo, un movimiento revolucionario. El gran dogma de este movimiento antidogmático es la rebelión absoluta. Arranca del descontento causado por la guerra, como reacción contra las concepciones tradicionales que habían acarreado a Europa tal catástrofe. Bergson vitupera la razón y proclama la omnipotencia del *élan vital*. Einstein prueba

gen posee una importancia decisiva en la poesía superrealista, y
resulta ser como el brote y quintaesencia de sus concepciones cosmológicas. La imagen intentará revelarnos "la unidad tenebrosa
y profunda del universo". Por ello irá a buscar su material poético
a los extremos del mundo, relacionando objetos los más dispares
y distanciados, de modo que la relación entre ellos resulte con
frecuencia imperceptible. El fundamento racional de la imagen debe
desaparecer por completo según los teorizadores de la escuela. André
Breton llega a decir: "Pour moi, l'image la plus forte est celle
qui présente le degré d'arbitraire le plus élevé, je ne le cache
pas" [107].

Sin llegar a estos extremos, Miguel Hernández emplea una imagen de fuerte inspiración superrealista. Los poemas se iluminan
con el relampagueo ininterrumpido de imágenes atrevidas, visionarias, bañadas de irrealidad, y el material metafórico adquiere
extensión ilimitada.

---

la falsedad de numerosos conceptos de la física tradicional y el psiquiatra
vienés Freud descubre la importancia y el papel sorprendente del subconsciente. Estos éxitos alientan el movimiento renovador.

El *Manifeste de 1924* proclama el automatismo psíquico como procedimiento de escritura, fuera de toda preocupación estética y moral y libre
del control de la razón. El superrealismo se apoya en una concepción filosófica que intenta reducir a la unidad la gran variedad del universo. Se ve
claro el entronque con el panteísmo. Es, al mismo tiempo, cosmovisión, estética, lógica (la del absurdo) y norma ética. El *Segundo manifiesto* expone
con la noción de *point suprème* sus concepciones cosmológicas de importancia decisiva en la elaboración de la imagen surrealista: "...il existe un
certain point de l'esprit d'où la vie et la mort, le réel et l'imaginaire, le
passé et le future, le communicable et l'incommunicable, cessent d'être
perçus contradictoirement" (*Manifestes*, p. 92. Ap. Carrouges, *André Breton et les données fondamentales du surréalisme*, Gallimard, Lagny-sur-
Marne, 1950, pp. 20 s.). "Le surréel... contient... en lui toute la réalité
terrestre, mais transverbérée par les rayons d'une lumière fantastique. Le
surréel ne se confond pas avec l'irréel, il est la synthèse vivante du réel et
de l'irréel, de l'immédiat et du virtuel, du banal et du fantastique"
(Carrouges, o. c., p. 22).

[107] *Manifeste du surréalisme*, Ap. Raymond, p. 288.

NUEVAS FÓRMULAS INTRODUC-
TORIAS DE LA METÁFORA

Los medios tradicionales de introducir la metáfora —aposición,
partículas "como", "de", el verbo "ser", etc.— que habían pre-
ponderado en libros anteriores se enriquecen en *Otros poemas*
(OC 235 ss.) con nuevas fórmulas, sobre todo por medio de imágenes-frase a base de un verbo, que prestan a la imagen poétic:
gran vivacidad y dinamismo.

Tales formulaciones tienen evidentemente un origen superrealista. Incluso creemos muy probable que para su poesía *Relación*
que dedico a mi amiga Delia se inspirara Miguel en un par de
poemas superrealistas franceses. Nos referimos a las composiciones
L'union libre de André Breton y *Clin d'oeil* de Benjamin Péret.
La composición a Delia parece realizada sobre el molde de *Clin*
d'oeil: ambas dirigidas a una dama, Delia o Rosa; verso libre y
estructura sintáctica muy parecida. Cronológicamente sería posible
la prioridad de la poesía de Benjamin Péret (1936). Las fórmulas
introductorias de la metáfora se parecen a *L'union libre*:

Ma femme à la chevelure de feu de bois
Aux pensées d'éclairs de chaleur
A la taille de sablier
Ma femme à la taille de loutre entre les dents du tigre
Ma femme à la bouche de cocarde et de bouquet d'étoiles de
    dernière grandeur
Aux dents d'empreintes de souris blanche sur la terre blanche
À la langue d'ambre et de verre frottés
Ma femme à la langue d'hostie poignardée [108].

---

[108] NADEAU, Maurice, *Histoire du surréalisme*, p. 339 s.

Comparemos ahora con el poema a Delia:

> *Delia, con tu cintura hecha para el anillo*
> *con los tallos de hinojo más opuestos,*
> *Delia, la de la pierna edificada con las liebres perseguidas,*
> *Delia, la de los ojos boquiabiertos...* (OC 255).

Observemos en otros ejemplos del mismo poema cómo un material imaginativo tradicional, o muy cercano a él, adopta formas originales y bellísimas. La imagen se mueve, desborda de vida y dinamismo. ¡Qué diferencia de decir "tus cabellos son oro" a cantar con Miguel Hernández! :

> *Tu cabeza de espiga se vence hacia los lados*
> *con un desmayo de oro cansado de abundar*
> *y se yergue relampagueando trigo por todas partes* (OC 255 s.).

AMPLIACIÓN DEL MA-
TERIAL METAFÓRICO

El influjo de Pablo Neruda contribuye enormemente a enriquecer el material imaginativo hernandiano. El *Prólogo-Manifiesto* de Neruda denuncia un claro entronque con el superrealismo. "Así sea la poesía que propugnamos, gastada como un ácido por los deberes de la mano, penetrada por el sudor y el humo, oliente a orina y a azucena, salpicada por las diversas profusiones que se ejercen dentro y fuera de ley" [109]. Este modo de producir poéticamente no sólo con material noble, como la poesía clásica, sino también con los elementos más abyectos, fue una de tantas libertades conquistadas por la poesía moderna, a partir de Baudelaire, y explotada por los surrealistas. Imbuido por esta concepción com-

---

[109] *Prólogo-Manifiesto de Pablo Neruda.* ZARDOYA, p. 23, nota.

pone Miguel su *Oda entre sangre y vino* a Pablo Neruda. Cualquier elemento queda ennoblecido y elevado a la categoría de
imagen poética: la taberna, el sagrario, botellas, pezuñas, barcos,
mujeres, orines, raíces, ciempieses, caracolas, chivos...
Esta complacencia en un material metafórico *impuro*, con abundancia del motivo sexual y de las esferas instintivas, tiene un
sentido hondo. Las nuevas corrientes acusaban a la poesía clásica
de describirnos únicamente los aspectos luminosos de la existencia.
En nombre de un humanismo más integral se comienza a mirar
también *hacia abajo*. Pero como bien observa Pongs, descubriendo
una profunda ley psicológica y buscando una interpretación a este
tipo de metáforas, "inconscientemente... la elección de *imágenes
de esferas asquerosas* denuncia siempre... una *tendencia catagógica,*
hacia abajo, y su abundancia es también síntoma de la fuerza
arrolladora con que las imágenes del inconsciente inundan el conjunto total, sencillo, fuerte, sano y normal" [110]. La reiteración de
ciertas imágenes sexuales en *Otros poemas,* y sobre todo en *Mi
sangre es un camino* (OC 237), nos muestran lo hondamente enraizados que se hallan estos pensamientos en la cosmovisión hernandiana, de la que son vigorosa expresión, y la fuerza con que
los instintos rompen las fronteras del subconsciente para proyectar-
se en metáforas muy reveladoras de ciertas ideas centrales de su
mundo poético.
    Salvador Dalí ha cooperado decisivamente a dar forma defini-
tiva al *objeto surrealista,* creando los objetos simbólicos, objetos-
máquina, objetos transustanciados —como los relojes que se doblan
cual hojas de árbol—, las fantasías experimentales, como las mece-
doras para pensar... Toda la pintura de Dalí es un desfile inter-
minable de objetos y conjuntos extraños. El objeto o material
poético surrealista es, pues, esencialmente un *objeto desplazado,*
sacado de su cuadro habitual y empleado para usos a los que no

---

110 PONGS, II, p. 78.

estaba destinado [111]. Miguel Hernández no emplea su material poético en el modo extremo usual entre los surrealistas. No obstante observamos en la *Oda entre sangre y vino a Pablo Neruda* una audacia poética desusada, en que numerosos elementos son desplazados de su ambiente normal para aparecer en medios impropios al objeto:

> *En este aquí más íntimo que un alma,*
> *más cárdeno que un beso del invierno,*
> *con vocación de púrpura y sagrario...* [la taberna].

> *Con la boca cubierta de raíces*
> *que se adhieren al beso como ciempieses fieros,*
> *pasas ante paredes que chorrean*
> *capas de cardenales y arzobispos* (OC 252).

LA IMAGEN CONTINUA-
DA EN SU PERFECCIÓN

Toda la *Oda entre arena y piedra a Vicente Aleixandre* está construida sobre la base de una imagen continuada. Nuevas expresiones metafóricas que hallan su justificación y sentido, tanto en un plano como en otro, brotan ininterrumpidamente y llenas de audacia de las dos imágenes-base "mar" y "padre":

> *Tu padre el mar te condenó a la tierra*
> *dándote un asesino manotazo*
> *que hizo llorar a los corales sangre.*

---

111 "Qu'est-ce qu'un objet surréaliste? On pourrait dire en gros: c'est tout objet dépaysé, c'est-à-dire sorti de son cadre habituel, employé à des usages autres que ceux auxquels il était destiné, ou dont on ne connaît pas l'usage. Par suite, tout objet qui semble fabriqué gratuitement, sans autre destination que la satisfaction de celui qui l'a fait, et par suite encore: tout objet fabriqué suivant les désirs de l'inconscient, du rêve." NADEAU, p. 212.

> *Tu padre se quedó* despedazando su colérico amor
> entre desesperados pataleos.
>
> *Tu padre el mar te busca* arrepentido
> *de haberte* desterrado de su flotante corazón crispado,
> *el más hermoso imperio de la luna,*
> *cada vez más amargo* (OC 249 ss.).

Imagen-base : padre :   Imagen-base : mar :

> *dándote un asesino manotazo*   *golpe de ola*
> *entre desesperados pataleos*   *el oleaje del mar*
> *su flotante corazón crispado.*   *superficie ondulada del mar.*

En *Sino sangriento,* canta el poeta la fuerza inexorable y trágica de la sangre en la imagen continuada de un río de coléricos
raudales, contra cuya corriente lucha Miguel Hernández impotente
y desesperado. En este poema halla el mito de la sangre su más
vigorosa expresión y la metáfora se convierte en portadora de uno
de los más impresionantes pensamientos de la cosmovisión hernandiana. El motivo hallará resonancias en poetas inmediatamente
posteriores[112]. La metáfora del "fatal torrente de puñales" subraya
la tonalidad trágica general del poema :

> *Crece la sangre, agranda*
> *la expansión de sus frondas en mi pecho*
> *que álamo desbordante se desmanda*
> *y en varios torvos ríos cae deshecho.*
>
> *Me veo de repente,*
> *envuelto en sus coléricos raudales,*

---

[112] El *mito de la sangre,* de importancia tan capital en la obra her-
nandiana, ha tenido sus resonancias en poetas inmediatamente posteriores.
Así, en José Luis Hidalgo la sangre tiene también el doble sentido biológico
(potencia vital) y fatídico (destino). Cfr. "Juan Ramón Medina und José
Luis Hidalgo durch eine Metapher gesehen", en *Romanische Forschungen,*
Frankfurt am Main, LXX (1958). Eugenio de Nora repite este motivo.

> y nado contra todos desesperadamente
> como contra un fatal torrente de puñales.
> Me arrastra encarnizada su corriente,
> me despedaza, me hunde, me atropella,
> quiero apartarme de ella a manotazos,
> y se me van los brazos detrás de ella,
> y se me van las ansias en los brazos.
>
> Me dejaré arrastrar hecho pedazos... (OC 241 s.).

ELEMENTOS CLÁSICOS EN
ORIGINALÍSIMA FUSIÓN

Una metáfora continuada de extraordinaria belleza, encontramos en la *Égloga* a Garcilaso de la Vega. En un lenguaje transparente, purísimo, con un sentimiento delicado y fino a lo Garcilaso, bebido en sus églogas, va describiendo con maestría insuperable cómo el cuerpo del *caballero de hermosura* descansa en el fondo del Tajo, custodiado y dulcemente acariciado por "una efusiva y amorosa cota de mujeres de vidrio avaricioso", que son las ninfas y que también son las aguas.

Cómo el poeta ha llegado a esta metáfora, no es difícil de adivinar para cualquier lector de nuestra literatura clásica. Sabido es cómo los vocablos *vidrio, cristal* eran metáforas usuales para expresar la clara belleza del cuerpo femenino y la transparencia cristalina del agua. De aquí a llamar a las aguas "mujeres de vidrio" no es difícil el salto de la imaginación y mucho menos cuando media el motivo mítico de las ninfas fluviales.

El poeta considera a Garcilaso como sepultado en el fondo del río, cubierto por las aguas del Tajo. En la composición a Bécquer (OC 247) hace uso del mismo recurso. Creemos que en la elección de esta ficción y motivo metafórico influyeron, sin duda, las ninfas fluviales de las églogas de Garcilaso y de las leyendas de Bécquer, donde se describen con frecuencia hadas o mujeres que viven en el fondo de las aguas (*Los ojos verdes, El rayo de luna, La corza blanca*). Tal vez haya sido también de importancia decisiva el valor simbólico del agua que por su profundidad, transparencia y belleza alucinante es considerada desde antiguo como elemento femenino [113].

La metáfora está fundada en una asimilación metafórica de uso frecuente en nuestra tradición poética del Siglo de Oro. Ya la *Soledad primera* de Góngora nos brinda un bello ejemplo:

> *juntaba el cristal líquido* [agua] *al humano* [cuerpo femenino]
> *por el arcaduz bello de una mano* (versos 244-245).

> *Una efusiva y amorosa cota*
> *de mujeres de vidrio avaricioso,*
> *sobre el alrededor de su cintura*
> *con un cedazo gris de nada pura*
> *garbilla el agua, selecciona y tañe,*
> *para que no se enturbie ni se empañe*

---

[113] Cfr. CIRLOT, *Aguas*. En la Égloga II de Garcilaso encontramos varias escenas de la vida de las ninfas bajo las aguas del Tajo:

> *Peinando sus cabellos de oro fino,*
> *una ninfa, del agua, do moraba,*
> *la cabeza sacó, y el prado ameno*
> *vido de flores y de sombra lleno...*

> *...somorgujó de nuevo su cabeza,*
> *y al fondo se dejó calar del río...*

> *El agua clara con lascivo juego*
> *nadando dividieron y cortaron...*

Miguel Hernández se movía en este período, y singularmente al componer esta Égloga, bajo el influjo directo de Garcilaso. La lectura de estos versos u otros parecidos bien pudo sugerirle la ficción poética de que hace uso en este poema y en la composición a Bécquer. Obsérvese la semejanza entre el caprichoso juego de las aguas en torno al *claro caballero de rocío* y los versos del poeta bucólico últimamente citados.

tan diáfano reposo
con ninguna porción de especie oscura.

El coro de sus manos merodea
en torno al caballero de hermosura
sin un dolor ni un arma,
y el de sus bocas de humedad rodea
su boca que aún parece que se alarma (OC 246 s.).

El poeta y caballero de hermosura Garcilaso de la Vega yace sepultado en las aguas del Tajo. La misma ficción que Miguel aplica también a Bécquer en *El ahogado del Tajo*. En las *Leyendas* de Bécquer *El beso* y *Los ojos verdes*, la amada ansiada y buscada, símbolo en el poeta romántico de la belleza absoluta e inalcanzable, mata a sus enamorados. ¿Será también éste el sentido simbólico y la razón de ser de estas ficciones en Miguel Hernández, que, por otra parte, carecen de toda justificación histórica? Recordemos cómo en la mitología clásica aparecen las aguas como un mundo maravilloso y encantado, símbolo de la belleza por su aspecto mágico y alucinante. El estar sepultados en el fondo de las aguas ¿significará que los dos poetas de extraordinaria sensibilidad murieron enamorados de la belleza y ahogados en ella? Recordemos de nuevo que, en las *Leyendas* de Bécquer, el ideal alcanzado, la belleza poseída, embriaga y da la muerte.

EL FENÓMENO DEL REFLEJO
COMO FUENTE DE IMÁGENES

Miguel Hernández, como antes García Lorca, recibe a veces del reflejo de las aguas material imaginativo para sus metáforas, que, mediante esta técnica, nos sumergen en un mundo encantado y fantástico y prestan al poema extraordinaria belleza. Ya Bécquer había usado de este recurso en sus *Leyendas* para reproducir ambientes de misterio y alucinación. Veamos algunos ejemplos:

> *y el* agua en plenilunio *con alma de tronada...*
> *de haberte desterrado de su flotante corazón crispado,*
> el más hermoso imperio de la luna [el mar]...
> *hasta tu pecho* [del mar], ciudad de las estrellas... (OC 251).

En *El ahogado del Tajo* a Gustavo Adolfo Bécquer, aparecen también un par de imágenes basadas en este fenómeno:

> *Todo lo ves tras vidrios y ternuras*
> desde un Toledo de agua sin turismo...
> *qué corros te rodean de llanto femenino,*
> *qué* ataúdes de luna acelerada... (OC 248).

A este recurso volverá de nuevo Miguel Hernández en *El labrador de más aire* (1937). El poeta ve la realidad desdoblada por el reflejo, y realiza combinaciones originalísimas mezclando entre sí el objeto real y su reflejo, como dos elementos que se unen y completan:

> *El agua pone en mi cara*
> *unos* tornasoles verdes,
> *una* guirnalda de algas
> y un temblor resplandeciente.
>
> *El movimiento del agua*
> me recoge y me distiende,
> *y plegada y desplegada*
> en sus columpios me mece (OC 751).

Ya muy al principio de su producción poética, en el período pregongorino, sorprendemos la misma técnica metafórica inspirada por el reflejo de las aguas:

Y en una alberca
—*arcón donde la luna es tul de plata*—
se echa la Leda astral como una joya (OC 42).

Miguel Hernández va llegando a pasos acelerados a las cumbres de la poesía. Para ello ha recibido vigorosos impulsos del exterior, de su círculo de amigos y de sus lecturas madrileñas, pero él lleva ya en sí mismo el germen de todos sus triunfos literarios. Su fantasía rica y desbordante sabe ofrecerle en el momento oportuno elementos nuevos y combinaciones originales que tanta brillantez prestan a *Otros poemas* (OC 235).

CAPÍTULO IV

LA IMAGEN POÉTICA HERNANDIANA
(continuación)

5. — *BAJO EL SIGNO DEL POPULARISMO DE LOPE*

VUELTA A LA ME-
TÁFORA CLÁSICA

Miguel Hernández había desarrollado su primera actividad dramática de la mano de Calderón. Las numerosas publicaciones del
centenario de Lope de Vega en 1935 le hacen volver también su
atención sobre la obra del Fénix de los ingenios y escribe bajo su
influjo *El labrador de más aire* (1937).
La metáfora clásica y tradicional se halla fuertemente represen-
tada en esta obra. Las lecturas de Lope de Vega debieron refrescar
el caudal imaginativo clásico, ya existente en el poeta, que se
desborda abundantemente en este drama. El amplio material metafórico de *Otros poemas* queda aquí casi reducido al material
noble de cristal, piedras y metales preciosos:

> *las noches*
> *son vidrio de puro claras;*
> *las tardes de puro verdes,*
> *de puro azul, esmeraldas;*

> *plata pura las auroras*
> *parecen de puro blancas,*
> *y las mañanas son miel*
> *de puro y puro doradas* (OC 697).

Material metafórico clásico, formulación de la imagen también de tipo tradicional, y todo ello engarzado en un ingenioso juego a base del vocablo "puro", de origen y gusto barroco.

El tema amoroso adopta también las formas usuales de nuestra poesía del Siglo de Oro, siguiendo la tradición petrarquista:

> *y he sentido*
> *que mi corazón herido*
> *de un solo dardo certero...* (OC 673).

> *Desde que entré en las prisiones*
> *de esta rabiosa pasión...* (OC 687).

Los motivos para la metáfora descriptiva de la belleza del cuerpo femenino coinciden exactamente con el material clásico. Sin embargo, con frecuencia, formulaciones y combinaciones originales del poeta dinamifican y dan nueva vida a la imagen, e incluso añaden material metafórico nuevo:

> *Prima de la luz parezco,*
> *y mis cabellos parecen*
> *veneros de plata oscura,*
> *chorros de metal perenne.*
> *Es de cogollos de vidrio*
> *mi cuerpo y casi celeste,*
> *mi piel de escarcha rizada,*
> *de estrella lanar mi especie.*
> *Son mis ojos oro tierno,*
> *oro tierno son mis sienes*
> *y espuma suspiradora*
> *mi garganta de relente* (OC 751; 699).

METAFORISMO AGRESTE

Miguel Hernández se vuelve al motivo campestre para la expresión de sus temas más auténticos. El motivo del drama exigía
ciertamente material poético rural. Pero, si tenemos en cuenta que
el poeta convierte toda esta obra en representación simbólica de
su propio drama interno [114], llegaremos a comprender más perfectamente cómo Miguel, que había vivido largo tiempo ambientes
de campo y pastoreo, no encuentra medio más directo y auténtico
para revelarse a sí mismo que el motivo metafórico campestre. El
poeta podrá ofrecernos imágenes más brillantes recurriendo a otra
clase de material poético —recordemos Otros poemas—, pero, para
la comunicación sincera, directa y sangrante de su drama, prefiere
recurrir a su mundo metafórico de toros, cuchillos y arados. Así
ocurre en El rayo que no cesa, y así también en El labrador de
más aire.

La imagen adopta casi exclusivamente la forma de la metáfora-
sustantivo. Vino, bodegas, viñadores, campos, molinos, parameras,
eriales, cisternas, manantiales, aljibes, fuentes y una copiosa fauna
y flora de chivos, alacranes, lobos, leones, ciervos, rosas, perejil,
espigas, trigo, etc., desfilan a través del drama sirviendo de plano
evocado en la pintura de estados anímicos, personajes, etc.

El material imaginativo escogido cuadra perfectamente en boca
de los personajes. Cuando Juan, el labrador de más aire, bañado
en sangre, cae víctima de su propia valentía, surge en boca de
Encarnación la imagen sencilla, sin pretensiones, pero intensa y
lograda:

---

114 "Lo escribo, eso sí, entusiasmado, porque sé que no es posible que
tarde en estrenar, pero, sobre todo, porque el personaje, mejor, los personajes centrales de la obra, los estoy creando a mi imagen y semejanza de
lo que soy y quisiera ser." Carta a Carlos Fenoll, sin fecha, probablemente
escrita el 15-VII-1936. Ap. ZARDOYA, p. 28.

> *cayó tu cuerpo hecho un haz*
> *y tu corazón un río* (OC 803).

En mil otras ocasiones tropezamos con la sencillez y el acierto de imágenes de motivos campestres:

> *Devuélveme los colores,*
> *que parezco una retama*
> *de amarilla.*
> *Que anden tus labios pastores*
> *devorando como grama*
> *mi mejilla* (OC 731).

LA IMAGEN DE
SABOR POPULAR

La imagen es con frecuencia manejada con gusto poético popularista, impregnado de simplicidad y sin pretensiones, y reproduce dichos metafóricos tomados de la boca del pueblo:

> *¿Qué mal te llaga la vida*
> *o qué cuerda se te ha roto?* (OC 666)

> *y en cuanto tengo ocasión*
> *de apropiarme una listeza,*
> *la paso por la cabeza*
> *al zurrón del corazón* (OC 721).

Otras veces, el motivo popular es tratado con un coraje poético a lo García Lorca, que impregna la imagen de nuevo sentido y la satura de colorismo y vivacidad, introduciendo con frecuencia elementos nuevos. He aquí un tema popular en que guitarras, clavijas y cuerdas se visten de enamorados. La fantasía popular anima, personifica los objetos, les inyecta sentimientos y deseos, los convierte en seres míticos vivos, en faunos o semidioses:

> *Al verlo venir* [a mayo] *se han puesto*
> *cintas de amor las guitarras,*
> *celos de amor las clavijas,*
> *las cuerdas lazos de rabia,*
> *y relinchan impacientes*
> *por salir de serenata* (OC 696).

LA METÁFORA DEL "CUCHILLO" Y SU INTENSIDAD SIMBÓLICA

A lo largo de la obra hernandiana tropezamos con un motivo —de cuchillos, navajas, espadas y puñales— que se va cargando de sentido trágico y obtiene su plenitud máxima en *El labrador de más aire* y en *Viento del pueblo*. Sin duda fue García Lorca quien le sugirió esta imagen poética, aunque Miguel Hernández la desarrolla con absoluta independencia y ninguna formulación del vate granadino ha hallado eco en las imágenes hernandianas, como fácilmente se puede constatar.

Conocida es la obsesión continua del cuchillo en la obra lorquiana. Por todas partes, en el *Romancero gitano*, en el *Poema del cante jondo*, en *Bodas de sangre*, surge el espectro del puñal o del cuchillo. Álvarez de Miranda, en un estudio profundo y sugestivo, ha hallado una explicación a la misteriosa intensidad de este símbolo. Dentro de una concepción religiosa arcaica y naturalística en torno a la sacralidad de la vida orgánica, en que el sacrificio resulta ser un elemento esencial, el cuchillo es el instrumento sacrificial que lleva a cabo la inmolación cruenta. En efecto, los héroes lorquianos mueren siempre con el puñal o el cuchillo en el corazón, bañados en su propia sangre; su muerte tiene algo de cultual. También el héroe de *El labrador de más aire* muere en sacrificio cruento, a golpes de hoz. La muerte para Miguel Hernández se encarna en las "astas de tragedia" del toro o en el "carnívoro cuchillo", resolviéndose ambos en ríos de sangre:

> *No sabe andar despacio* [la muerte], *y acuchilla*
> *cuando menos se espera su turbia cuchillada* (OC 267).

Las manos vengativas, sembradoras de muerte:

> *caerán sobre vosotros con dientes y cuchillas* (OC 296).

El poeta-padre nos describe su dolor inmenso en la muerte de su hijo primogénito, niño de diez meses:

> *Vengo de dar a un tierno sol una puñalada,*
> *de enterrar...* (OC 415).

El cuchillo, como instrumento sacro de las religiones arcaicas, es tremendo y fascinador, atractivo y repulsivo, lo que coincide también plenamente con las intuiciones de la poesía lorquiana:

> *las navajas de Albacete*
> *bellas de sangre contraria*
> *relucen como los peces*
> > (*La reyerta*).

"...la navaja, la navaja. ¡*Malditas sean todas* y el bribón que las inventó!" (*Bodas de sangre*).

Esta misma potencia fascinadora y tremenda del cuchillo, signo de su sacralidad, nos sorprende ya en la primera estrofa de *El rayo que no cesa:*

> *Un carnívoro cuchillo*
> *de ala dulce y homicida*
> *sostiene un vuelo y un brillo*
> *alrededor de mi vida* (OC 213).

El cuchillo es el símbolo y la encarnación en la palabra poética de esa amenaza fatídica que se yergue sobre la vida del poeta. En esta estrofa es, sobre todo, el amor que acaricia y hiere, que es principio de vida y destrucción. "El cuchillo es la muerte y su causa, es su misterio y su fascinación" (Álvarez de Miranda). Miguel Hernández va cargando este símbolo con los sentimientos más íntimos y las ideas esenciales de su mundo poético (amor, amenaza, muerte). El cuchillo es la encarnación directa del tragicismo hernandiano:

> *Vine con un* dolor de cuchillada,
> *me esperaba* un cuchillo *a mi venida...*
> *y nado contra todos desesperadamente*
> *como contra un* fatal torrente de puñales... (OC 239 s.).

> *Me siento atravesado del* cuchillo
> de tu dolor...
> *este dolor de recomida grama*
> *que llevo, estas* congojas
> de puñal... (OC 246).

El poeta está tan poseído por la magia de este instrumento fatídico, es tanta la fascinación que en él suscita, que se busca "la muerte por las manos, mirando con cariño las navajas" (OC 257). El cuchillo aparece por todas partes convirtiéndose en afilada metáfora de gran vigor. Ya muy al principio de su producción poética nos sorprende esta afición a los "cuchillos de Albacete" (OC 96). El poeta consagra una décima a la navaja, instrumento mortífero, sin ocultar su evidente parentesco con poemas lorquianos como *La reyerta* (OC 171):

> *Remudan los claros ciervos*
> *su cornamenta arbolada*
> *igual que un* ramo de rayos
> *y una* visión de navajas (OC 697).

> El color de su calzona
> ha sido en mi ojo cuchilla.
> Y el color de su persona
> como el color de Castilla.
> Me clavó en el corazón
> cuchilladas de colores (OC 674).

Observemos cómo las "cuchilladas de colores" de las metáforas aducidas no son meras pinceladas impresionistas, sino expresión de cómo el color de los vestidos de Juan abre en las mozas enamoradizas la herida del amor. El motivo del cuchillo sirve a la expresión de una singular pasión amorosa que en *El rayo que no cesa*, como aquí, es concentración intensa de tormento y felicidad. Cfr. OC 307; 681; 775.

6. — HACIA LA IMAGEN TÍPICAMENTE HERNANDIANA

LA IMAGEN CORPÓREA Y LA VI-
SIONARIA: "VIENTO DEL PUEBLO"

La imagen llega en este libro a superar todas las influencias y adquiere un acento marcadamente personal. La palabra de Miguel Hernández, siempre terrestre y corpórea, se hace más pesada y dura, se carga de piedra y metal. Es la vuelta a un mundo primitivo y elemental, a un mundo de las realidades que se imponen por los sentidos, por su pesantez y dureza: lo palpable, lo duro, lo pesado, y cuanto más, tanto más vigorosa su fuerza expresiva. En el drama *Pastor de la muerte* (1937) se dice que el pueblo lucha:

> sin pólvora y sin metralla
> pero con una pasión
> que vale cuatro montañas (OC 836).

Para el hombre moderno de civilización refinada, es un descubrimiento impresionante esta vuelta a concepciones primitivas. De aquí la violenta sacudida que nos producen tales versos. Hay poemas que deben su vigor a la corporeidad y pesantez del material empleado, que nos asaltan y se nos imponen con su inexorable realidad. Se trata de un sentimiento mágico, casi religioso en que las realidades corpóreas aparecen como seres numinosos. Los objetos intensifican su fuerza impresionante: "los claveles se disparan, los arados braman, las flores hierven". Pero es siempre el sentido del tacto, el sentido primitivo y elemental del hombre arcaico, el que nos impone los objetos. Éstos se intensifican ascendiendo todos en un grado en esta escala táctil: "lágrimas de hierro", "ojos de granito", "pie de mármol", "voz de bronce" (OC 320). Las sensaciones son siempre reforzadas por otras de los demás sentidos hasta alcanzar la fuerza impresionante de lo elemental y de la materia indómita.

En el poema *Pasionaria* (OC 305 s.), la imponente realidad de lo metálico, de lo que se palpa y pesa, de lo cuantitativo y material, la fuerza de lo corpóreo, es lo que más impresiona a la naturaleza elemental de Miguel. La heroína es una "estepa habitada de aceros", es "encina" y "piedra", nacida "para dar dirección a los vientos" o "para ser esposa de algún roble"; "sólo los montes pueden sostener(la)".

Imágenes corpóreas, duras, metálicas, de herramientas y armas, son la expresión de este mundo implacable de la guerra:

> *todos te ven, te cercan y te atienden*
> *con ojos de granito amenazante...*
>
> *Valentín el volcán, que si llora algún día*
> *será con unas lágrimas de hierro,*
> *se viste emocionado de alegría*
> *para robustecer el río de tu entierro.*
>
> *Como el yunque que pierde su martillo,*

> *Manuel Moral se calla*
> *colérico y sencillo* (OC 276 s.).

> Avanza la alegría derrumbando montañas
> y las bocas *avanzan como* escudos (OC 298).

> *...y estoy para defenderte*
> *con la sangre y con la boca*
> *como* dos fusiles fieles (OC 268).

Conceptos abstractos se hacen materiales, corpóreos, duros. De modo muy significativo, por darnos la clave de lo que es este libro de poemas —"voz templada al fuego vivo", o sea, pasión encarnada en metal— y del medio expresivo que tanto intensifica su fuerza hasta hacerla arrolladora, canta el poeta:

> *La* voz de bronce *no hay quien la estrangule:*
> *mi* voz de bronce *no hay quien la corrompa...*
> *Con esta* voz templada al fuego vivo,
> amasada en un bronce *de pesares* (OC 308).

La muerte aparece cual guerrero medieval "con herrumbrosas lanzas y en traje de cañón" (OC 265) y "acuchilla cuando menos se espera su turbia cuchillada" (OC 267). Después se trocará en "mueble roto":

> *Se ve la muerte como un mueble roto,*
> *como una blanca silla hecha pedazos* (OC 299).

La alegría también se materializa:

> *Tu agitada alegría*
> *que agitaba, columnas y alfileres,*
> *de tus dientes arrancas y sacudes* (OC 266)

> cuando, avasalladora llamarada,
> galopa la alegría en un caballo
> igual que una bandera desbocada (OC 297).

La sangre de García Lorca deberá caer sobre sus asesinos "como un derrumbamiento de martillos feroces". En atrevida corporeización llega a transformar el alma en cetro o puñal: "porque yo empuño el alma cuando canto" (OC 282); así como los soldados deberán conservar las palabras del poeta mordiéndolas entre los dientes cual si fueran cuchillos (OC 279). Incluso el sudor se transformará en "árbol desbordante y salado", "voraz oleaje", "blusa silenciosa y dorada", "vestidura de oro de los trabajadores", "maná", "bebida", "corona" y "espada de sabrosos cristales" (OC 296 s.). Fundado en su palabra corpórea y terrestre, afilada y metálica, logra el poeta imágenes vigorosas, valientes, atrevidas.

La guerra, dura e inexorable, impone su ley a los objetos: los claveles se proyectan como disparos, la caballería truena, los corceles y toros surgen como fundición de bronce y hierro, los arados braman, las flores hierven, el sol gira. La naturaleza trastorna sus leyes en una variada serie de metáforas-verbo:

> No sé qué sepultada artillería
> dispara desde abajo los claveles,
> ni qué caballería
> cruza tronando y hace que huelan los laureles.

> Sementales corceles,
> toros emocionados,
> como una fundición de bronce y hierro,
> surgen tras una crin de todos lados,
> tras un rendido y pálido cencerro.

> Mayo los animales pone airados:
> la guerra más se aíra,

y detrás de las armas los arados
braman, hierven las flores, el sol gira.
Hasta el cadáver secular delira (OC 299).

se llevan a estos hombres vestidos de disparos (OC 278).

La materialización de los objetos más abstractos presta también
fuerza arrolladora a un tipo de metáfora en que se nos plasma, en
originales conjuntos de imponente grandiosidad, la conmoción del
universo ante la fuerza invasora del optimismo. El abundante empleo de la sinestesia y el choque psicológico de continuas rupturas
de sistema, junto con la palabra corporal y vigorosa, son las técnicas de gran efecto que, arrastradas por el fluir del ritmo, comunican a estas imágenes originalidad y potencia arrolladora:

Oigo pueblos de ayes y valles de lamentos,
veo un bosque de ojos nunca enjutos,
avenidas de lágrimas y mantos:
y en torbellinos de hojas y de vientos,
lutos tras otros lutos y otros lutos,
llantos tras otros llantos y otros llantos.

No aventarán, no arrastrarán tus huesos,
volcán de arrope, trueno de panales...

Por hacer a tu muerte compañía,
vienen poblando todos los rincones,
del cielo y de la tierra bandadas de armonías,
relámpagos de azules vibraciones.
Crótalos granizados a montones,
batallones de flautas, panderos y gitanos,
ráfagas de abejorros y violines,
tormentas de guitarras y pianos,
irrupciones de trompas y clarines (OC 267).

> constelaciones crueles
> de crímenes...
>
> Bajo una zarpa de lluvia,
> y un racimo de relente,
> y un ejército de sol... (OC 280).

La metáfora se colorea con frecuencia de irrealidad, se tiñe de elementos visionarios para engrandecer al héroe. El soldado, el trabajador, o los objetos que éstos tocan, quedan transfigurados en seres astrales, celestes, tocados de una luz divina. El hombre "mueve sus miembros trabajados como constelaciones" (OC 297):

> Y paren las mujeres lanzando carcajadas,
> desplegando en su carne firmamentos (OC 298).

En *Rosario dinamitera*, la imagen se carga de fuerza visionaria hasta convertirse en motivo mítico:

> ¡Bien conoció el enemigo
> la mano de esta doncella,
> que hoy no es mano porque de ella,
> que ni un solo dedo agita,
> se prendió la dinamita
> y la convirtió en estrella! (OC 286).

En *Visión de Sevilla*, la naturaleza se dinamiza y vivifica, se desangra, sufre y muere con el hombre, cuya tragedia comparte. Imágenes-verbo de gran crudeza se entrecruzan con metáforas sensoriales, ligeras, aleteantes, que describen la gracia femenina:

> Se nubló la azucena,
> la airosa maravilla:
> patíbulos y cárceles degüellan los gemidos,
> la juventud, el aire de Sevilla.

Amordazado el ruiseñor, *desierto*
el arrayán, el día deshonrado,
tembloroso el cancel, el patio muerto
y *el* surtidor, *en medio,* degollado.

¿Qué son las sevillanas
de claridad radiante y *penumbrosa?*
Mantillas mustias, mustias porcelanas
violadas a la orilla de la fosa (OC 291).

Mientras tanto, el hombre —en este libro sólo el partidario
del bando contrario o el cobarde— se deshumaniza, desciende a
la bestia convirtiéndose en "monstruo", "fieras", "liebres", "poden-
cos", "hienas". El proceso de deshumanización se extenderá en
El hombre acecha al hombre en general que, entregado al odio
y al asesinato, desciende a fiera. La evolución de este tipo de
metáforas nos revela el proceso seguido por Miguel Hernández,
quien, de poeta de una clase social combatiente, pasa lentamente a
través de *El hombre acecha* a vate universal y hondamente humano.

LA IMAGEN POÉTICA DEL
ODIO: "EL HOMBRE ACECHA"

Siguiendo la tendencia del libro anterior, los seres abstractos
adoptan formas concretas, se corporeizan y truecan en objetos sensibles y palpables. El poeta emplea expresiones como "las fauces
de la guerra" (Rusia), "la luna menguante de las derrotas" (Madrid), "con callos en el alma" (el hambre), "el martillazo del hambre" (OC 259):

El hambre paseaba sus vacas exprimidas,
sus mujeres resecas, sus devoradas ubres,
sus ávidas quijadas...

En cada casa, un odio como una higuera fosca,
como un tremante toro con los cuernos tremantes,
rompe por los tejados, os cerca y os embosca,
y os destruye a cornadas, perros agonizantes (OC 325 s.).

Con frecuencia muestra sus preferencias por la materia dura, metálica o hiriente, reflejo del mundo inexorable y trágico de la guerra :

Gran toro, que en el bronce y en la hierba has mamado,
y en el granito fiero paciste la fiereza (OC 317; 338).

De entre las piedras, la encina y el haya,
de entre un follaje de hueso ligero
surte un acero que no se desmaya:
surte un acero (OC 340).

En este mismo poema, el hambre se convierte en espada al hablar de una ciudad "atravesada por el hambre".

La guerra despierta sus instintos animales en el hombre que rememora sus garras. La metáfora de este libro revela con gran intensidad un proceso catagógico, hacia abajo : el hombre se deshumaniza :

He regresado al tigre.
Aparta o te destrozo (OC 315).

A desollarte vivo vienen lobos y águilas
que han envidiado siempre tu hermosura de pueblo (OC 316).

...y os destruye a cornadas, perros agonizantes (OC 326).

En la lucha de clases, mientras los ricos se rebajan a ser perros que ladran, se ennoblece la figura del niño hasta adquirir fuerza visionaria :

Ladrabais cuando el hambre llamaba a vuestras puertas
a pedir con la boca de los mismos luceros (OC 326).

El poeta lucha por no dejarse llevar de los bajos instintos que
intentan reducirlo a fiera:

El animal influye sobre mí con extremo,
la fiera late en todas mis fuerzas, mis pasiones.
A veces, he de hacer un esfuerzo supremo
para acallar en mí la voz de los leones (OC 326),

mientras el rico "se ejercita en la bestia":

y empuña la cuchara
dispuesto a que ninguno se le acerque a la mesa.
Entonces sólo veo sobre el mundo una piara
de tigres, y en mis ojos la visión duele y pesa.

Ayudadme a ser hombre: no me dejéis ser fiera
hambrienta, encarnizada... (OC 327).

En tanto que el hombre se rebaja hasta la fiera, la naturaleza
se ennoblece, cobra vida y se humaniza: "¡Qué abismo entre el
olivo y el hombre se descubre!" (OC 315). Incluso el campo llega
a retirarse horrorizado ante la fiereza del hombre:

Se ha retirado el campo
al ver abalanzarse
crispadamente al hombre (OC 315).

El hierro solloza y la espada se entrega al llanto, ya que no lo
hacen los hombres, impasibles a la angustia y al dolor ajenos:

No se ve, que se escucha la pena de metal,
el sollozo del hierro que atropellan y escupen:

> *el llanto de la espada puesta sobre los jueces*
> *de cemento fangoso* (OC 332).

También el tren de los heridos se humaniza y cobra entrañas de
madre en una logradísima y cálida personificación:

> *...el silencioso, el doloroso, el pálido,*
> *el tren callado de los sufrimientos.*
> *Ronco tren desmayado, enrojecido:*
> *agoniza el carbón, suspira el humo,*
> *y maternal la máquina suspira,*
> *avanza como un largo desaliento.*
> *Detenerse quisiera bajo un túnel*
> *la larga madre, sollozar tendida.*
> *No hay estaciones donde detenerse,*
> *si no es el hospital, si no es el pecho* (OC 335).

Las cartas se truecan a veces en palomas cálidas y albergan los
más hondos sentimientos humanos:

> *Allí perecen las cartas*
> *llenas de estremecimientos.*
> *Allí agoniza la tinta*
> *y desfallecen los pliegos...*
> *Cuando te voy a escribir*
> *se emocionan los tinteros:*
> *los negros tinteros fríos*
> *se ponen rojos y trémulos,*
> *y un claro calor humano*
> *sube desde el fondo negro* (OC 330).

La metáfora del "ave" que aparece en este libro deja pronto
de ser tema épico, exterior al poeta, para adquirir hondo lirismo
en el poema *Las cárceles*, que presiente ya la cálida emoción de

este motivo en el *Cancionero,* al comenzar a simbolizar las ansias de libertad del encarcelado (OC 332 ss.). La imagen de esta obra rehuye la proyección de motivos épicos y se vuelve más lírica e íntima. Se va despojando de elementos inútiles y abandona el tono retórico del libro anterior, reflejando una visión del mundo llena de dramatismo y amargura y expresando realidades de validez universal y gran hondura humana.

LA METÁFORA DE
MOTIVO SEXUAL

En perfecta consonancia con los motivos capitales de la cosmovisión hernandiana, tropezamos en *Viento del pueblo* y *El hombre acecha* con el tema metafórico de la fecundación-sexualidad. La imagen poética gusta proyectar los instintos del amor carnal en todo su vigor pasional, pero no degradados a mero placer, sino íntimamente ligados a su finalidad natural, la procreación.

La vida instintiva en general y la sexual en concreto, invaden el contenido de numerosos poemas. Esta orientación de su lírica hacia tales motivos y el hecho de que Miguel Hernández estuviera en Rusia por este tiempo nos podría inducir a hablar en este caso de *poesía proletaria* con su reducido mundo en torno a la vida sexual, el trabajo, las herramientas, las máquinas, todos estos temas entrecruzados y fundidos, es decir, reducidos al "círculo de las herramientas como instrumentos de generación" ("Umkreis der Werkzeuge als Zeugwerke"), como se llegó a hacer típico en amplios sectores de la poesía proletaria [115].

Los instintos primarios van extendiendo sus tentáculos y marcando su honda huella en todo lo que el proletario toca. También en su mundo de hierro, máquinas, martillos y yunques se pro-

---

[115] Cfr. PONGS, I, p. 272.

yectan las concepciones metafóricas de tendencias instintivas que dominan ahora el gigantesco mundo de la industria y la gran fábrica. Si Walt Whitman hablaba del "padre martillo", como "instrumento masculino formado según el instrumento de la generación" [116], Miguel Hernández cantará en *La fábrica-ciudad*:

> *Y el tornillo penetra como un sexo seguro,*
> *tenaz, uniendo partes, desarrollando piezas.*
>
> *Y los hombres se entregan a la función creadora*
> *con la seguridad suprema de los astros.*
>
> *La fábrica-ciudad estalla en la armonía*
> *mecánica de brazos y aceros impulsores.*
> *Y a un grito de sirenas, arroja sobre el día,*
> en un grandioso parto, *raudales de tractores* (OC 321).

En el poema *Madre España* es también el elemento instintivo-sexual el que informa y da sentido al vocablo *madre*:

> Abrazado a tu cuerpo como el tronco a su tierra,
> *con todas las raíces y todos los corajes,*
> *¿quién me separará, me arrancará de ti,*
> *madre?*
> *Abrazado a tu vientre ¿quién me lo quitará,*
> si su fondo titánico da principio a mi carne?
> *Abrazado a tu vientre, que es mi perpetua casa,*
> *¡nadie!* (OC 341).

En medio de la guerra, las mismas armas son sexo con ansias de posesión y el tambor se convierte en vientre tenso:

> *Ansias de matar invaden*
> *al fondo de la azucena.*

---

[116] PONGS, I, p. 272.

Acoplarse con metales
todos los cuerpos anhelan:
desposarse, poseerse
de una terrible manera.
Desaparecer...
Y un tambor enamorado,
como un vientre tenso, suena (OC 398).

Con las inevitables vacas de oro yacentes
que ordeñan los mineros de los montes urales (OC 319).

la gestación del aire *y el* parto del acero
el hijo de las manos y de las herramientas (OC 320).

Ya en *Perito en lunas* apuntaba prematuramente este motivo:

vientres que ordeña el puño en cubos claros
por un sexo sencillo que se afloja [tonel] (XXVII).

(Cfr. también OC 43, 44, 150).

Aunque se trata evidentemente de coincidencias sorprendentes con los motivos de los llamados poetas proletarios, creemos que este material metafórico arranca en Miguel Hernández de fuentes mucho más hondas. Recordemos el entronque de estos tres motivos con el tríptico central de la temática hernandiana y su coincidencia con los mitologuemas típicos de las religiones primitivas, naturalísticas en torno a la sacralidad de la vida orgánica. Las intuiciones de numerosas metáforas hernandianas nos revelan ese arranque de lo religioso, telúrico, primitivo, brotado en intenso contacto con la vida del campo y el ambiente rural. Miguel Hernández nació y creció en él, de aquí que nos resulta fácilmente explicable la coincidencia de estas intuiciones con otras frecuentes en el mundo clásico griego, que también tuvo su eclosión en ambientes primitivos y rurales muy semejantes.

Ya muy al principio de su producción lírica y en un poema de gran espontaneidad tropezamos con la metáfora del "arado":

> El sexo macho y fuerte de la reja,
> el surco femenino, *en desaseo,*
> *para abrir cauces a la muerte, deja* (OC 162).

En *Vecino de la muerte* vuelve a recoger el motivo del "arado y los dos bueyes" (OC 242).

El mismo motivo metafórico de la "madre" como "tierra" y, al contrario, de la "tierra" como "madre" abierta y fecundada por el arado, se repite en *El niño yuntero* y en la *Canción del esposo-soldado:*

> *Nace como la herramienta,*
> *a los golpes destinado,*
> de una tierra descontenta
> y un insatisfecho arado.
>
> *Empieza a vivir y empieza*
> *a morir de punta a punta*
> levantando la corteza
> de su madre con la yunta (OC 272 s.).
>
> *Con un temor de amor y de grandeza*
> sembré en tu vientre *mi hijo* (OC 445).
>
> He poblado tu vientre de amor y sementera,
> *he prolongado el eco de sangre a que respondo*
> y espero sobre el surco como el arado espera:
> *he llegado hasta el fondo* (OC 301).
>
> ¿ ... *juntemos como en la siembra*
> *el trigo al surco, mi cuerpo*
> *a tu cuerpo de belleza?* (OC 852).

En otra composición en prosa llama Miguel Hernández a la tierra "la esposa oscura del arado" (OC 959).

Recordemos que *el arado* simboliza ya, desde muy antiguo, la fecundación, el principio activo, frente a la tierra que es el elemento femenino. En una leyenda aria, el héroe *Arado* contrae matrimonio con *Sita* (el surco del campo) [117]. El simbolismo de que venimos tratando fue descubierto ya por civilizaciones primitivas y arcaicas, desarrolladas al abrigo de la agricultura, y arranca de concepciones míticas de una religiosidad naturalística. Ya Hesíodo nos narra (*Teogonía* 154 ss.), en el mito de Cronos rebelado contra su padre, cómo la tierra de ancho seno recibe gotas de sangre de los miembros paternos y engendra así diversos seres. En Esquilo, *Los siete contra Tebas* 756, canta el coro, aludiendo al incesto inconsciente de Edipo con su madre Yocasta, que éste "sembró la tierra sagrada de su madre", y Sófocles, *Edipo rey* 1485, habla de Edipo refiriéndose metafóricamente al seno de su madre "de donde él fue labrado".

Como vemos, Miguel Hernández, por su hondo arraigo en la tierra y por la reiterada meditación del motivo sexual, coincide con intuiciones importantes de mitologías primitivas y de los poetas griegos, y vuelve a desenterrar metáforas de tradición varias veces milenaria, expresión vigorosa y honda de los más profundos misterios de la vida. Pero, si el poeta se detiene en el motivo sexual, ¡qué modo más diverso de considerarlo si lo comparamos con un Whitman! No es la metáfora descarnadamente realista sin más contenido espiritual. Miguel Hernández comunica aún al motivo sexual una espiritualidad y trascendencia que transfigura estas realidades concretas convirtiéndolas en acontecimientos cósmicos, como se echa de ver en algunos poemas citados, y sobre todo en el grandioso tríptico *Hijo de la luz y de la sombra*.

---

[117] Cfr. CIRLOT, *Arado*.

7. — *LA IMAGEN POÉTICA HERNANDIANA EN SU CENIT
ARTÍSTICO*

LA IMAGEN CORPÓREA

En la cárcel de Torrijos (Madrid), donde permaneció desde el
18 de mayo hasta mediados de septiembre de 1939, Miguel Hernández intensifica su vida interior. La soledad le invita a la reflexión y el vate orcelitano crea una poesía de hondo contenido,
cargada de emoción y depurada de todo elemento no absolutamente necesario. El estilo se vuelve sentencioso, el gusto por el
colorido se atenúa hasta casi desaparecer, y como medio expresivo
eficaz surge un tipo de metáfora simplificada en sus elementos,
pero llena de vigor, encarnación de ideas, sentimientos y estados
anímicos. Así surge el *Cancionero y romancero de ausencias* (1938-
1941). El poeta va descubriendo la imagen apropiada para dar
figura palpable a sus estados interiores y encarnar lo más íntimo
y abstracto.

Hay un elemento mágico en el estilo hernandiano que resulta
inefable. Por más que agotemos el estudio de sus medios expresivos bajo todos los aspectos posibles, siempre constataremos que
algo muy importante se ha evadido a nuestra captación, si prescindimos de una fuerza virgen agazapada a lo largo del poema.
Esta fuerza originaria es el verbo cálido, arrancado del corazón, la
palabra directa, varonil, corpórea, afilada, sangrante, de Miguel
Hernández.

¿Por qué la fuerza arrolladora y el calor entrañable de esta
palabra? ¿Cómo logra la metáfora de este libro su vigor de fuerza
primigenia, irresistible? Observemos cómo Miguel Hernández busca
sus motivos metafóricos en el mundo material. Cuanto más honda
es la idea y más entrañable el sentimiento, tanto más palpable,

concreta y corpórea se hace la palabra. En las obras precedentes hemos podido constatar este hecho. Pero aquí logra la imagen una mayor intensidad al despojarse de todo elemento ornamental y quedar en su máxima desnudez, reducida al simple sustantivo. Sin el lastre de galas líricas innecesarias se hace la imagen más directa y emotiva. El material metafórico de la vida campestre le imprime el sello de la autenticidad.

El odio es, pues, una "llama", las voces son "bayonetas", el dolor un "cuchillo". El sentido del tacto, el sentido por antonomasia del hombre primitivo y elemental, es el que nos impone los objetos, que nos asaltan con su corporeidad, pesantez y dureza. Los objetos se intensifican ascendiendo todos uno o varios grados en esta escala táctil orientada hacia la dureza: las bocas son "puños", los puños son "cascos":

> Troncos *de soledad,*
> barrancos *de tristeza*
> *donde rompo a llorar* (OC 383, 60).

> *Alarga la llama el odio*
> *y el clamor* cierra las puertas.
> *Voces como* lanzas *vibran,*
> *voces como* bayonetas.
> *Bocas como* puños *vienen,*
> *puños como* cascos *llegan,*
> *pechos como* muros roncos...

> *Pasiones como* clarines,
> *coplas,* trompas *que aconsejan*
> *devorarse ser a ser,*
> *destruirse piedra a piedra* (OC 397, 92).

Los conceptos más abstractos alcanzan vida y realidad corpórea, palpable, visible. El odio es rojo, el amor es pálido; los hombres son piedras duras; las soledades son personas:

El odio aguarda *un instante*
dentro del carbón más hondo.
Rojo es el odio y *nutrido.*
El amor, pálido y solo.
Llueve tiempo, *llueve tiempo...*
Piedras, hombres como piedras,
duros y plenos de encono
chocan en el aire...

Soledades que hoy rechazan
y ayer juntaban sus rostros.
Soledades que en el beso
guardan el rugido sordo (OC 402).

Otras veces tropezamos en este libro con la metáfora-sustantivo
de valor simbólico. La imagen materializada asciende a la categoría de símbolo de una realidad espiritual:

Y un día triste entre todos,
triste por toda la tierra,
triste desde mí hasta el lobo,
dormimos y despertamos
con un tigre entre los ojos (OC 402; 404).

LA IMAGEN-FRASE

Dentro del proceso de concentración, que va reduciendo los
elementos de la metáfora a su mínima expresión, cabe situar el
fenómeno de la metáfora-frase, que aparece con cierta frecuencia
en este libro. Ya en la *Canción última* de *El hombre acecha* hallamos un ejemplo logradísimo de metáfora-frase, en que el verbo
es portador de la sustitución metafórica, y no necesita sobrecargar

la expresión con aposiciones y epítetos que frenarían con su sobre-
abundancia el efecto estético:

> Florecerán los besos
> *sobre las almohadas.*
> *Y en torno de los cuerpos*
> elevará la sábana
> su intensa enredadera
> *nocturna, perfumada* (OC 343).

Trascribimos un cuarteto en que toda una expresión metafórica describe la lluvia como el llanto de un ojo inmenso:

> *Llueve como si* llorara
> raudales un ojo inmenso,
> *un ojo gris,* desangrado,
> pisoteado *en el cielo* (OC 393).

Pero no siempre llega a tal complicación la imagen; con frecuencia basta un verbo metafórico para transfigurar toda la expresión:

> *Qué quiere el viento de enero*
> *que baja por el barranco*
> *y violenta las ventanas*
> *mientras* te visto de abrazos (OC 390, 78).

> *y niños*
> *que gritan vívidamente*
> *si* un muerto nubla el camino (OC 386, 68).

Un ejemplo de imagen-adjetivo, en que toda la sustitución
metafórica se halla concentrada en un epíteto, lo hallamos en el
poema *Antes del odio.* El horizonte es descrito como un ave con
sus inmensas alas extendidas: "horizonte aleteante" (OC 404).

LA METÁFORA DE
GRANDIOSIDAD CÓSMICA

La imagen hernandiana se va cargando de hondo sentido en
el *Cancionero,* precisamente poco antes de quedar la producción
del poeta definitivamente truncada. La metáfora logra un elevado
grado de perfección artística y expresividad concentrada, y adquiere acentuado carácter de modernidad. Recurre a las conquistas
de la imagen superrealista para recobrar su fuerza primitiva y
virginal y cargarse de honda emoción. Busca sus elementos en
objetos los más distanciados, y obtiene gran originalidad y fuerza,
dejando entrever, no obstante, el fundamento racional de la sustitución metafórica.

En medio de la guerra y sus odios ve el poeta, al anochecer, las
casas iluminadas como ojos y bocas que acechan y quieren morder,
por despertar en él el sentimiento de que alguien espía sus pasos.
En los versos pares se nos va mostrando a base de qué elementos
se establece el contacto entre los dos planos metafóricos:

> *Todas las casas son ojos*
> *que resplandecen y acechan.*
> *Todas las casas son bocas*
> *que escupen, muerden y besan.*
>
> *Todas las casas son brazos*
> *que se empujan y se estrechan* (OC 365, 13).

En el poema *Hijo de la sombra,* la esposa se transfigura en
"noche". Esta metáfora brota de motivos muy hondos del mundo
poético hernandiano, por lo que la vamos a estudiar con alguna
detención. La esposa es "noche" en el momento supremo de su
"potencia lunar y femenina", es culminación de la sombra, del

sueño y del amor. Esta imagen poética nos sumerge por sí misma
en un ambiente de misterio, en que dominan también fuerzas
misteriosas, casi mágicas. Si la esposa, cual noche, constituye el
momento cumbre de lo lunar y femenino, la culminación del sueño
y del amor, el esposo será "luz suprema", "cumbre de las mañanas
y los atardeceres", "mediodía". Pero existe todavía una fuerza, "la
sombra", que ejerce un auténtico poderío sobre los esposos, que es
como el cauce a través del cual proyecta el universo entero sobre
ellos sus fuerzas de imán:

Moviendo está la sombra sus fuerzas siderales.

La esposa es "noche", el esposo es "mediodía" y el universo
entero pide que ambos se fundan ante el estremecimiento de la
tierra y el firmamento. El poeta ha convertido el acto nupcial en
acontecimiento cósmico, con hondas raíces telúricas, casi en un rito
sacro exigido por una deidad estelar.

En el capítulo II hemos hablado del paralelismo de motivos
constatado entre la cosmovisión hernandiana y ciertas religiones
naturalísticas primitivas en torno a la sacralidad de la vida orgánica con los motivos centrales vida, amor, muerte. Para estas religiones arcaicas, el acto de la fecundación vegetal, animal y humana es un verdadero rito que tiene lugar bajo el influjo de la
luna o de los otros seres celestes. La luna es, por excelencia, el
ser numinoso que preside los ritmos vitales, es agente y símbolo
de fecundidad. La fecundidad animal y humana depende de la
luna; éste es un dato de experiencia que Miguel había observado
durante su vida de pastor; de aquí a la visión mágica y misteriosa
de las religiones arcaicas o a la transfiguración del acto nupcial
en acontecimiento cósmico, sólo hay un paso.

Aunque tales motivos sólo quedan aludidos en este poema,
aparece claro que también para Miguel Hernández el acto nupcial
se desarrolla bajo el influjo de las mismas fuerzas misteriosas y
mágicas ("potencia lunar", "sombra culminante", "avaricioso anhelo

de imán y poderío") que presidían la fecundación en las religiones arcaicas. Las intuiciones religiosas del hombre primitivo han coincidido con las intuiciones poéticas de un hombre moderno, que ha crecido ante el mismo espectáculo impresionante de la naturaleza desbordante de vida. Tras estas aclaraciones comprenderemos mucho mejor varios detalles de estas estrofas:

> Eres la noche, *esposa: la noche* en el instante
> mayor de su potencia lunar y femenina.
> *Eres la medianoche: la sombra culminante*
> *donde culmina el sueño, donde el amor culmina.*

> La sombra pide, *exige seres que se entrelacen,*
> *besos que la constelen de relámpagos largos,*
> *bocas embravecidas, batidas, que atenacen,*
> *arrullos que hagan música de sus mudos letargos.*

> *Pide que nos echemos tú y yo sobre la manta,*
> tú y yo sobre la luna, tú y yo sobre la vida.
> *Pide que tú y yo ardamos* fundiendo en la garganta,
> con todo el firmamento, la tierra estremecida (OC 409 s.).

En torno a la metáfora inicial *Eres la noche, esposa* ha brotado todo el poema con su atmósfera misteriosa y mágica, con sus poderosos símbolos concentrados en el de "la sombra" y con el hondo contenido ideológico y emocional de este poema.

El motivo metafórico se continúa en el poema *Hijo de la luz.* En el momento de alumbrar la esposa se trocará en "alba": "Tú eres el alba, esposa" y el hijo en "sol naciente", continuando esta tendencia a adoptar motivos astrales y cósmicos que mantengan y afirmen la grandiosidad del momento:

> *Tú eres el alba, esposa: la principal penumbra,*
> *recibes entornadas las horas de tu frente.*
> *Decidido al fulgor, pero entornado, alumbra*
> *tu cuerpo. Tus entrañas forjan el sol naciente.*

La gran hora del parto, la más rotunda hora:
estallan los relojes sintiendo tu alarido,
se abren todas las puertas del mundo, de la aurora,
y el sol nace en tu vientre donde encontró su nido (OC 410 s.).

En el poema *Boca que arrastra mi boca,* el poeta echa mano
sucesivamente de material imaginativo diverso para captar en toda
su plenitud y bajo todos los aspectos la compleja unicidad de un
sentimiento hondo y misterioso. La boca de la esposa es "rayo de
luz", "alba", "pájaro", "canción", "muerte", "ave"... Se trata,
pues, de imágenes que suscitan sentimientos de misterio, sublimi-
dad, ternura, espasmo, grandiosidad y trascendencia cósmica:

> *Boca que arrastra mi boca:*
> *boca que me has arrastrado:*
> *boca que viene de lejos*
> *a iluminarme de rayos.*
> *Alba que das a mis noches*
> *un resplandor rojo y blanco.*
> *Boca poblada de bocas:*
> *pájaro lleno de pájaros.*
>
> *Canción que vuelve las alas*
> *hacia arriba y hacia abajo.*
> *Muerte reducida a besos,*
> *a sed de morir despacio,*
> *das a la grana sangrante*
> *dos tremendos aletazos.*
> *El labio de arriba el cielo*
> *y la tierra el otro labio* (OC 428).

La boca, objeto real, queda modificada por cualidades irreales:
"iluminarme de rayos". Esta visión inicial suscita la metáfora "alba"
que viene revestida de colores simbólicos de hondo significado. La

boca se trueca en "pájaro" —armonía, melodía—, imagen suscita-
dora del plano "canción", que, no obstante, sigue contagiado por
la evocación "pájaro":

> *que vuelve las alas*
> *hacia arriba y hacia abajo.*

El motivo del pájaro se continúa en una bella imagen-frase, descriptiva del beso, de lenguaje directo y fuerte y con el trágico
epíteto "sangrante" tan típico de Miguel Hernández:

> *das a la grana sangrante*
> *dos tremendos aletazos.*

En los dos últimos versos se interpreta la metáfora atribuyéndole
dimensiones cósmicas. El beso, como antes la unión nupcial, es
como un acto ritual de todo el universo:

> *el labio de arriba el cielo*
> *y la tierra el otro labio.*

Es admirable la honda intensidad que va logrando el poeta a base
de estos elementos visionarios, su palabra sangrante y el continuo
relampagueo de imágenes cargadas de fuerte emotividad.

EL MOTIVO META-
FÓRICO DEL AVE

En el proceso de interiorización de la imagen hernandiana, el
poeta ha encontrado un motivo que, sin duda, le satisfizo plenamente. Es sorprendente la frecuencia con que el poeta recurre a
él. A base de material imaginativo en torno al tema "ave" nos
ofrece numerosas imágenes-sustantivo e imágenes-frase:

Es la casa un palomar... (OC 421).

Alondra de mi casa... (OC 418).

Una sonrisa se alza sobre el abismo; crece
como un abismo trémulo, pero batiente en alas.
Una sonrisa eleva valientemente el vuelo... (OC 423).

Te has negado a cerrar los ojos, muerto mío,
abiertos ante el cielo como dos golondrinas... (OC 414).

Bajo las huecas ropas aleteó la vida... (OC 420).

Siempre en la cuna,
defendiendo la risa
pluma por pluma.

Ser de vuelo tan alto,
tan extendido,
que tu carne es el cielo
recién nacido.

¡Si yo pudiera
remontarme al origen
de tu carrera!

Vuela, niño, en la doble
luna del pecho... (OC 519 s.).

Incluso encontramos una vez una imagen-adjetivo con el mismo
motivo: "la carne aleteante".

El motivo del "ave", vivo, cálido, intenso, expresaba maravillosamente los estados sentimentales de Miguel. Al poeta encarcelado debió gustar, sobre todo, el tema del ave como símbolo
de la libertad, de las ansias de volar sin trabas. La evocación "ave",
"alas", le suscita la idea de libertad y su contrario prisiones:

Ríete tanto
que mi alma al oírte
bata el espacio.

> *Tu risa* me hace libre,
> me pone alas.
> *Soledades me quita,*
> cárcel me arranca (OC 418).

En las *Nanas de la cebolla* (OC 417 ss.) sorprendemos imágenes breves, sencillas y pregnantes de vigor expresivo. El poeta domina ya el arte difícil de la pincelada breve y acertada, y en un verbo, un epíteto o un sustantivo nos ofrece metáforas brillantes, cargadas de emoción y de una gracia insuperable.

LA EVOLUCIÓN DE LA METÁFORA HERNANDIANA

Los capítulos III y IV nos dan una visión detallada de la imagen poética a lo largo de toda la obra hernandiana. Para marcar más claramente la trayectoria que sigue, resumimos los rasgos característicos a lo largo de su evolución.

Expresión en un principio de una visión periférica del universo, se carga de elementos sensoriales y sobre todo visuales, y refleja la profunda huella de las lecturas del poeta principiante.

En *Perito en lunas*, Miguel Hernández asimila a la perfección la técnica metafórica del neogongorismo y se muestra original e independiente en la selección del material metafórico. Mientras Góngora sublima e hiperboliza todo cuanto toca convirtiéndolo en oro, plata, rubíes y demás material imaginativo renacentista, el poeta-pastor busca sus motivos en el mundo real de la vida campestre.

En los poemas siguientes, que preceden a *El silbo vulnerado*, contemplamos la lucha que libra el poeta entre las dos fuerzas que intentan absorberle: el levantinismo sensorial procedente de su paisaje mediterráneo y el barroquismo provocado por la lectura de nuestros clásicos. De ahí nace una metáfora de carácter descriptivo y pictórico, que otras veces lucha indecisa entre elementos abstractos y coloristas. El material metafórico, preponderantemente de la vida campestre, es cada vez más original y el poeta va perfeccionando su técnica metafórica y comienza a usar la imagen continuada.

A partir de *El silbo vulnerado,* Miguel Hernández busca en la metáfora la encarnación de los sentimientos, emociones y luchas de su drama interno. La imagen surge directamente de sus experiencias y vivencias de pastor y enamorado. El material metafórico de la vida campestre le presta el sello de la autenticidad. El dolor intenso y trágico comienza a encarnarse en imágenes desgarradoras y casi brutales, como la del arado. *El rayo que no cesa* logra intensificar aún más la imagen. Lo que antes era sólo melancolía de enamorado y sentimiento dolorido se convierte aquí en pasión irresistible y fuerza explosiva y volcánica. El poeta elabora y perfecciona más la imagen, y la metáfora continuada llega a un elevado grado de perfección.

Con la irrupción del elemento superrealista se enriquece extraordinariamente el material metafórico hernandiano. Cualquier objeto queda ennoblecido y elevado a la categoría de imagen poética. La semejanza entre la esfera real y evocada se hace casi imperceptible y el elemento subconsciente y onírico cobra un influjo decisivo. En este período (1935-1936) tropezamos con poemas que cuentan entre los más logrados de la producción hernandiana. El mito y la metáfora de la sangre, que será imitado por poetas posteriores, produce la importante composición de acento trágico *Sino sangriento,* y la *Égloga* a Garcilaso desarrolla una metáfora continuada de corte clásico y gran riqueza y belleza de sentimiento.

En *El labrador de más aire* abunda el material metafórico clásico. Pero es, sobre todo, el elemento de la vida rural el que presta los motivos a este drama. También el motivo de sabor popular,

exigido por el tema y por el modelo lopesco, abunda en el drama
y logra imágenes pintorescas y llenas de gracia a lo García Lorca.
El motivo metafórico de navajas y cuchillos denuncia el contacto
más o menos intenso con el poeta granadino y acentúa la nota
trágica de este drama, cuyo personaje central es la proyección
impresionante de los ideales humanos del mismo Miguel Hernández.

Los libros *Viento del pueblo* y *El hombre acecha* nos conducen
lentamente hacia la imagen libre de toda influencia y típicamente
hernandiana. El material metafórico se endurece; la imagen se
encarna en objetos corpóreos, duros, metálicos, de herramientas y
armas. Conceptos abstractos se hacen materiales, corpóreos y palpables. Por otra parte, la metáfora se tiñe de elementos visionarios
e irreales. La guerra ha despertado en el hombre sus instintos más
fieros. El hombre —en este libro sólo el del partido contrario o
el cobarde— se deshumaniza y desciende a bestia. El proceso de
deshumanización se extenderá en *El hombre acecha* a todo ser
humano. La evolución de este tipo de metáfora nos revela el
proceso seguido por Miguel Hernández, quien, de poeta de una
clase social combatiente, pasa lentamente a través de esta obra
a vate universal y hondamente humano. La imagen rehuye la
proyección de motivos épicos y se vuelve más lírica e íntima.
Se despoja de elementos inútiles y abandona el tono retórico,
que abundaba en el libro anterior, reflejando una visión del mundo llena de amargura y dramatismo y expresando realidades de
validez universal y gran hondura humana.

En el *Cancionero y romancero de ausencias* alcanza la imagen
poética hernandiana su cenit artístico. La palabra varonil, directa,
corpórea, afilada, sangrante, despojada de todo elemento ornamental
y el elemento surrealista y visionario es lo que presta a la metáfora
de este libro su fuerza irresistible. Recordemos que las imágenes son
preponderantemente sustantivos desnudos y despojados incluso de
epítetos. Cuanto más honda es la idea y más entrañable el senti-

miento, tanto más palpable, concreto y corpóreo se hace el material metafórico. Dentro de este proceso de concentración encaja también la imagen-frase que reduce el material imaginativo a su mínima expresión: el verbo es el único portador de la sustitución metafórica. El elemento de procedencia surrealista se acentúa y los planos comparados son buscados en objetos los más distanciados. La imagen, medio expresivo de importancia primaria en la obra hernandiana, alcanza aquí su grado máximo de intensidad.

Capítulo V

EL SÍMBOLO Y EL FENÓMENO VISIONARIO

I. — *EL SÍMBOLO*

CONCEPTO DE SÍMBOLO

El símbolo poético consiste, en general, en la adopción de un plano extraído del mundo sensible (plano evocado o sensible), para comunicar una realidad de índole espiritual (plano real o espiritual). Éste sólo se vislumbra difusa, genéricamente y de un modo conjunto —no miembro por miembro como en la alegoría— a través de la imagen simbólica.

Hay símbolos poéticos en que el plano sensible, como pura creación de la fantasía que no se da en la realidad, sólo existe para expresar un contenido simbólico (símbolo monosémico o de un solo significado). En otros casos se adopta como plano evocado cualquier objeto o escena de la vida real, una anécdota o un acontecimiento histórico, que goza de pleno sentido en sí mismo (contenido no simbólico) para expresar por medio de él otro contenido universal y espiritual (contenido simbólico o esfera espiritual). El plano sensible nos comunica, por tanto, dos contenidos diversos:

uno no simbólico y otro simbólico, por lo que lo llamaremos bisémico o de doble significado [118].

El vocablo *símbolo*, de συμβάλλειν, juntar, cotejar, nos insinúa la idea de analogía. En efecto, el símbolo se establece sobre la correspondencia analógica general que pone en contacto el orden material y el espiritual, visible e invisible. Mientras las ciencias establecen relaciones *horizontales* entre los objetos, el simbolismo levanta puentes *verticales* entre los diversos estratos del universo que gozan del mismo ritmo cósmico. El símbolo sintetiza, pues, el encuentro de dos mundos, el de la naturaleza y el del espíritu, de lo particular y lo universal, del mundo físico y metafísico. Un hecho real determinado se convierte en espejo reflector de todo un complejo mundo de ideas y emociones.

Los comienzos del pensar simbólico se remontan a épocas prehistóricas de la humanidad, y el simbolismo ha sido cultivado en las artes a lo largo de toda la historia. Pero es la teología cristiana la que ha hecho el uso más intensivo de la *tipología* —forma tradicional cristiana del simbolismo—, que nunca ha dejado de cultivarse. En el siglo pasado, Goethe y los simbolistas franceses secularizaron este medio expresivo empleando procedimientos paralelos a los de los exegetas cristianos. Si éstos veían en todos los actos y acontecimientos narrados en la Biblia *figuras* y símbolos de otros hechos del Nuevo Testamento, los simbolistas modernos descubrirán *el objeto simbólico* del cosmos. Si Rábano Mauro, siguiendo la tradición de los exegetas cristianos, dice: *"quidquid in sermone divino* neque ad morum honestatem neque ad fidei veritatem proprie referri potest, *figuratum esse cognoscas"*, Goethe afirmará: *"Todo lo que acontece es símbolo,* y al representarse perfectamente nos llama la atención sobre el resto" [119].

---

[118] Cfr. BOUSOÑO, *Teoría de la expresión poética,* cap. VII.
[119] Carta de Goethe a Karl Ernst Schubarth, 1918. Rhabanus Maurus, PL 107, col. 389.

El poeta ahonda en el sentido de las cosas hasta descubrir estos valores simbólicos no captados por la masa. El objetivismo simbólico de Goethe, en la línea del objetivismo aristotélico ("crear metáforas consiste en descubrir la semejanza de los objetos"), está en agudo contraste con el subjetivismo de Schiller, para quien el símbolo es el fruto de la función simbolizadora del hombre, es creación del poeta: "Mi entendimiento actúa más bien simbolizando" [120]. Según Schiller es el poeta creador quien inyecta sentido simbólico a las cosas. En el fondo, los puntos de vista de Goethe y de Schiller no son tan opuestos, y reflejan la visión del idealismo alemán que en el dios-naturaleza descubre fusionadas todas las fuerzas de la materia y del espíritu: "Ya sea que yo, en la naturaleza, revele y vea revelado al espíritu, ya sea que busque en ella un cuerpo a las ideas, en ambos casos se trata de la misma participación apasionada que sumerge al poeta en el todo de naturaleza y espíritu y, en el momento creador, ve iluminarse este algo inexplorado, a partir del cual se nos revela un nuevo sentido" [121].

También, según el simbolismo francés, nos presta la imagen simbólica una *sensation d'univers,* nos da a percibir en un hecho concreto (plano sensible) todo un *système complet de rapports* o plano espiritual [122].

Hemos expuesto estos puntos de vista del idealismo alemán y del simbolismo francés para convencernos de la honda potencia expresiva del símbolo. No se trata aquí de una simple figura retórica o de un ornato literario. El símbolo arranca de una visión

---

[120] Schiller a Goethe, 31 de agosto de 1794.
[121] PONGS, II, p. 4.
[122] "Il doit s'enquérir de la signification permanente des faits passagers, et tâcher de la fixer..., il doit chercher l'Éternel dans la diversité momentanée des formes, la Vérité qui demeure dans le Faux qui passe, la logique perennelle dans l'Illogisme instantané..." Rémy de Gourmont, "Le chemin de velours". Ap. GENGOUX, Jacques, *La pensée poétique de Rimbaud.* Nizet, Paris, 1950.

profunda del universo y trata de reproducirla reconcentrada en un objeto sensible, pero sin reducir en lo más mínimo su rica complejidad de elementos, sino precisamente poniéndolos de relieve en su rica variedad. A lo largo de este capítulo observaremos cómo Miguel Hernández echará mano del símbolo para plasmar, en todo su vigor y complejidad, sus sentimientos y problemas existenciales más hondos, inefables y contradictorios, y las ideas centrales de su *Weltanschauung* poética.

EL SÍMBOLO MONOSÉMICO

El símbolo literario, medio expresivo tan raro en la poesía tradicional, resulta de uso frecuentísimo en la lírica contemporánea, desde que la escuela simbolista francesa, tras la huella de Verlaine, Rimbaud y Mallarmé, halla una potente resonancia en toda la literatura europea. También en la lírica española cobra el símbolo una importancia capital a partir de Antonio Machado.

Gracias a sus abundantes lecturas de poesía moderna, el símbolo irrumpe con gran vigor en la poesía de Miguel Hernández en *El rayo que no cesa* [123]. Ya el primer poema se abre con el impresionante símbolo del "carnívoro cuchillo" que cuelga sobre su cabeza como una espada de Damocles. El símbolo está impregnado de un rico contenido, expresión de las más complejas realidades. El desgarrón interno del amor, el gran problema de la obra hernandiana de este período, se encarna en este símbolo en toda su rica complejidad, es caricia y es herida, es "ave" y "rayo", es "dulce" y "homicida"... El símbolo inicial, para reproducir con

---

[123] Un atisbo de posible interpretación simbólica hallamos ya en *El silbo vunerado*, soneto 14: "Silbo en mi soledad, pájaro triste, / con una devoción inagotable, / y me atiende la sierra siempre muda." El último verso reviste carácter simbólico para expresar la impasibilidad de la naturaleza entera ante las penas del poeta.

más exactitud la vivencia, se bifurca en otros dos símbolos, "ave" y "rayo", que se desarrollan a lo largo de todo el poema sustentados en su duplicidad por una correlación bimembre. Sólo el símbolo ha logrado dar a las contradicciones de la vida una expresión concentrada fundiendo lo antagónico con tanta mayor fuerza de conmoción cuanto más dispares eran los elementos que la constituían. En efecto, según M. Schneider, la capacidad de expresar simultáneamente varios aspectos (tesis y antítesis) de la realidad, es algo esencial en el símbolo [124]. De ahí su gran fuerza dinámica y su indudable carácter dramático. Con este símbolo nos abre Miguel Hernández una ventana, que nos permite asomarnos a su mundo interior de amor, muerte y tragedia. Reproducimos algunas estrofas:

> *Un carnívoro cuchillo*
> *de ala dulce y homicida*
> *sostiene un vuelo y un brillo*
> *alrededor de mi vida.*

> *Rayo de metal crispado*
> *fulgentemente caído,*
> *picotea mi costado*
> *y hace de él un triste nido.*

> *Pero al fin podré vencerte,*
> *ave y rayo secular,*
> *corazón, que de la muerte*
> *nadie ha de hacerme dudar.*

> *Sigue, pues, sigue, cuchillo,*
> *volando, hiriendo. Algún día*
> *se pondrá el tiempo amarillo*
> *sobre mi fotografía* (OC 213).

---

[124] *La danza de espadas y la tarantela.* Barcelona, 1948. Ap. CIRLOT. p. 35.

Nos encontramos, pues, ante un símbolo monosémico. El plano real, la compleja pasión amorosa del poeta, se descubre de un modo difuso tras el simbolismo del objeto sensible, que sólo está ahí para comunicarnos el sentido simbólico. Ofrecemos una interpretación concreta de este símbolo fundados en el motivo específico de todo *El rayo que no cesa*, que es el tema amoroso. Pero el poema sería susceptible de una interpretación diversa, más amplia: una amenaza vaga, indeterminada que se yergue sobre su vida y que correspondería a la "mala estrella" o "mala luna" de que con frecuencia habla el poeta.

La misma pasión amorosa se oculta en el soneto 2 tras un par de símbolos desarrollados en perfecto paralelismo a lo largo del soneto, que en su temática constituye una continuación del poema primero. El "rayo" y la "terca estalactita" —la pasión amorosa— son algo fatídico e inevitable por arrancar no de una causa externa, sino del alma misma del poeta. En los tercetos viene a fundirse el plano simbólico con el plano real:

> ¿No cesará este rayo que me habita
> el corazón de exasperadas fieras
> y de fraguas coléricas y herreras
> donde el metal más fresco se marchita?
>
> ¿No cesará esta terca estalactita
> de cultivar sus duras cabelleras
> como espadas y rígidas hogueras
> hacia mi corazón que muge y grita?
>
> Este rayo ni cesa ni se agota:
> de mí mismo tomó su procedencia
> y ejercita en mí mismo sus furores.
>
> Esta obstinada piedra de mí brota
> y sobre mí dirige la insistencia
> de sus lluviosos rayos destructores (OC 214).

Carácter simbólico tiene el poemita 21 del *Cancionero y romancero de ausencias*. Aquel "'agua removida" de que habla el
poeta es el revuelto conjunto de bajos instintos, instintos de
muerte y destrucción, despertados por la guerra en el corazón de
los hombres. El poeta, aunque de manera discreta, no resiste a
interpretárnoslo :

> *En el fondo del hombre,*
> *agua removida.*
>
> *En el agua más clara*
> *quiero ver la vida.*
>
> *En el fondo del hombre,*
> *agua removida.*
>
> *En el agua más clara*
> *sombra sin salida.*
>
> *En el fondo del hombre,*
> *agua removida* (OC 368).

Del período de su crisis religiosa, que más que crisis religiosa
fue una crisis social, de rebelión contra el capitalismo, en cuyas
filas Miguel Hernández veía al Clero en un puesto muy preemi-
nente, poseemos un valioso poema en que canta su liberación por
medio de un vigoroso símbolo :

> *Vengo muy satisfecho de librarme*
> *de la serpiente de las múltiples cúpulas,*
> *la serpiente escamada de casullas y cálices;*
> *su cola puso en mi boca acíbar, sus anillos verdugos*
> *reprimieron y malaventuraron la nudosa sangre de mi corazón*
>
> (OC 258).

Algunos objetos metafóricos van enriqueciendo su mensaje a
lo largo de la obra hernandiana hasta convertirse en verdaderos

símbolos de sentido denso y múltiple que se fija ya de una manera definitiva. Siempre se trata de objetos o seres concreto-sensoriales. Así, el "cuchillo", la "espada" y la "sombra" se convierten en símbolo de la pena, la angustia mortal de enamorado y las fuerzas cósmicas. A lo largo de *Viento del pueblo* y *El hombre acecha*, las obras épico-líricas de la guerra, se van constituyendo dos series de símbolos contrapuestos que encarnan el valor y la cobardía:

> *No soy de un pueblo de* bueyes,
> *que soy de un pueblo que embargan*
> *yacimientos de* leones,
> *desfiladeros de* águilas
> *y cordilleras de* toros
> *con el orgullo en el asta* (OC 270 s.).

En Euzkadi han caído no sé cuántos leones (OC 308).

Véase también *Visión de Sevilla*, donde además de los símbolos antitéticos del "toro" y del "buey" aparecen otras tres series de símbolos contrapuestos:

> *A la ciudad del* toro *sólo va el* buey *sombrío,*
> *en la ciudad de* mayo *sólo hay* grises inviernos,
> *en la ciudad del* río
> *sólo hay* podrida sangre *que resbala:*
> *sólo hay* innobles cuernos
> *en la ciudad del* ala (OC 292).

Algunos objetos cobran también valor simbólico en OC 226, 24; 379, 52; 380, 54; 390, 78.

SÍMBOLO BISÉMICO

Mientras en el símbolo monosémico el plano sensible sólo tiene razón de ser como portador del contenido simbólico, en el bisé-

mico el plano sensible goza de verdadero sentido en sí mismo y
no necesitaría insinuarnos una realidad espiritual o psicológica para
justificar su existencia. Cuando este sentido espiritual se le añade,
constituye un símbolo bisémico (σημεῖον), de doble sentido; tras
él se guarece un significado literal y obvio, que no existía en el
símbolo monosémico y otro más hondo de índole espiritual.

La poesía simbolista presta al símbolo un elemento original
y característico: la primacía de la idea (plano espiritual o real)
sobre la sensación (plano sensible, tipos o figura). La bisemia no
es sino la secularización de los medios expresivos de la *tipología*
cristiana, en que a cualquier acción o acontecimiento real se le
atribuía un sentido más profundo y espiritual. Los profetas rea-
lizaban acciones que por encima de su aspecto material y externo
expresaban una *voluntas* o intención simbólica más honda. Esta
acción externa era, pues, un τύπος o figura del otro sentido simbólico más profundo. La intención simbólica del poeta se comunica
al lector a través de ciertos indicios del lenguaje, signos que llaman
la atención —por encima del sentido obvio y literal del poema—
sobre el mensaje lírico simbólico y universal. En la poesía simbolista es precisamente este plano espiritual el que cobra caracteres
de verdadera realidad, relegando a un segundo puesto el plano
sensible. Así, en *La guerre de Troie n'aura pas lieu,* Giraudoux
llega a violentar la realidad del medio histórico y geográfico en
que se desarrolla la acción, para poner de relieve el sentido simbólico que se va insinuando a lo largo de la obra. Los personajes
hablan de conferencias internacionales, antiguos combatientes, con-
gresos de juristas y otros anacronismos, que hacen pasar a primer
plano el sentido simbólico del drama. "Il y a symbolisme dès le
moment où, des deux côtés d'un être, son intériorité ou idée,
et son apparence ou extériorité, c'est l'intériorité qui est jugée la
plus réelle, au point que les apparences en perdent leur substance
propre et leur lien à l'espace et au temps" [125].

---

[125] GENGOUX, *o. c.,* p. 628. Cfr. nota 122.

En la bisemia aparece el símbolo en toda su plenitud, y de él se puede decir que es verdaderamente un encuentro del micro y el macrocosmos. El poeta ve a la primera mirada, como todos, *lo que son los objetos* y sabe profundizar su sentido hasta descubrir *lo que significan;* del hecho concreto y material sabe elevarse a la visión de lo espiritual y universal.

Examinemos un soneto de *El rayo que no cesa:*

Silencio de metal triste y sonoro,
espadas congregando con amores
en el final de huesos destructores
de la región volcánica del toro.

Una humedad de femenino oro
que olió puso en su sangre resplandores,
y refugió un bramido entre las flores
como un huracanado y vasto lloro.

De amorosas y cálidas cornadas
cubriendo está los trebolares tiernos
con el dolor de mil enamorados.

Bajo su piel las furias refugiadas
son en el nacimiento de sus cuernos
pensamientos de muerte edificados (OC 220).

¿Es tal soneto la simple descripción externa de una escena campestre? ¿O se sirve Miguel Hernández de ella para comunicarnos de una manera plástica su hondo "dolor de mil enamorados" en toda su riqueza de matices: cólera y amores, gemidos, llanto, caricias impacientes, desesperación y pensamientos de suicidio? Nos encontramos claramente ante un símbolo bisémico. El soneto tiene perfecto sentido aplicado al toro. Pero el toro, que ya desde antiguo simboliza, según Jung, el principio activo y masculino, adquiere dimensiones simbólicas y Miguel presta a la escena un sentido más hondo y conmovedor al proyectarnos en ella sus íntimas penas de enamorado. El toro es para Miguel el tipo del gran enamorado, cuyo amor no es correspondido. Por eso su pasión acaba en desesperación y pensamientos de muerte: "espadas congregando con amores". De ahí su "dolor de mil enamorados" y su "vasto lloro". El poeta constata estas semejanzas y las proyecta en el logrado simbolismo de este soneto. En efecto, aunque no se nos dé la clave para su interpretación, observamos que todo *El rayo que no cesa* gira en torno a la pasión amorosa y las penas del poeta. Los únicos sonetos que desarrollarían motivos sin conexión aparente con este tema central, el 14, el 22 y el 24, son susceptibles de una interpretación simbólica que los incorporaría a la temática del libro. En el soneto 26 nos insinúa el paralelismo entre el toro y el poeta, ambos varones y trágicamente arrancados a los goces del beso y del amor:

> *Por una senda van los hortelanos,*
> *que es la sagrada hora del regreso,*
> *con la sangre injuriada por el peso*
> *de inviernos, primaveras y veranos.*
>
> *Vienen de los esfuerzos sobrehumanos*
> *y van a la canción, y van al beso,*
> *y van dejando por el aire impreso*
> *un olor de herramientas y de manos.*
>
> *Por otra senda yo, por otra senda*
> *que no conduce al beso aunque es la hora,*
> *sino que merodea sin destino.*
>
> *Bajo su frente trágica y tremenda,*
> *un toro solo en la ribera llora*
> *olvidando que es toro y masculino* (OC 227).

El terceto final está impregnado de un hondo simbolismo. En los dos sonetos se trata evidentemente de símbolos bisémicos: un plano sensible sirve para evocar dos contenidos afectivos, el del toro y el del poeta. Motivos tan centrales de la cosmovisión hernandiana como el amor y su contrario la soledad "impar", que tan hondos gemidos arrancan de la lira de Miguel Hernández, hallan su encarnación en el mito y símbolo del toro de "frente trágica y tremenda".

El poema 15 de *El rayo que no cesa* se desarrolla en forma de un símbolo que merece desentrañarse por su honda riqueza de contenido.

El poeta ve en el barro del camino, que salpica los pies y el calzado de la amada, la imagen simbólica de su pasión amorosa. El barro es el motivo de la composición y sirve de base a todas las construcciones imaginativas del poema:

> *Soy un triste instrumento del camino.*
> *Soy una lengua dulcemente infame*
> *a los pies que idolatro desplegada.*
>
> *Como un nocturno buey de agua y barbecho*
> *que quiere ser criatura idolatrada,*
> *embisto a tus zapatos y a sus alrededores,*
> *y hecho de alfombras y de besos hecho*
> *tu talón que me injuria beso y siembro de flores.*
>
> *Coloco relicarios de mi especie*
> *a tu talón mordiente, a tu pisada,*
> *y siempre a tu pisada me adelanto*
> *para que tu impasible pie desprecie*
> *todo el amor que hacia tu pie levanto.*
>
> *Más mojado que el rostro de mi llanto,*
> *cuando el vidrio lanar del hielo bala,*
> *cuando el invierno tu ventana cierra*
> *bajo a tus pies un gavilán de ala,*
> *de ala manchada y corazón de tierra.*

Bajo a tus pies un ramo derretido
de humilde miel pataleada y sola,
un despreciado corazón caído
en forma de alga y en figura de ola.

Barro, en vano me invisto de amapola,
barro, en vano vertiendo voy mis brazos,
barro, en vano te muerdo los talones,
dándote a malheridos aletazos
sapos como convulsos corazones.

Apenas si me pisas, si me pones
la imagen de tu huella sobre encima,
se despedaza y rompe la armadura
de arrope bipartito que me ciñe la boca
en carne viva y pura,
pidiéndote a pedazos que la oprima
siempre tu pie de liebre libre y loca (OC 220 s.).

El *barro* habla en primera persona, como también Rimbaud
nos describiera en primera persona en *Le bateau ivre* sus ansias
de libertad por los océanos sin límite. Y, sin embargo, no sólo
habla el barro; es el poeta "de corazón desmesurado" quien da
cuerpo en este bello símbolo a sus ansias irresistibles de enamorado y a su entrega absoluta y servil a la amada hasta desear ser
pisoteado por ella.

El simbolismo absoluto de Rimbaud en *Le bateau ivre* había
excitado controversias entre sus contemporáneos. El poeta Banville, a quien Rimbaud había leído el poema, echó de menos unos
versos explicativos del símbolo. La ausencia de una etiqueta, indi-
cadora del contenido real, era, en la segunda mitad del siglo XIX,
un escandaloso atrevimiento, que chocaba con las mentes todavía
suficientemente lógicas de los escritores románticos. Rimbaud, el
gran rebelde e innovador de la poesía, no se dejó atemorizar por

tales protestas. Su poema no contiene ninguna expresión aclaratoria del contenido íntimo. Bajo este aspecto observamos una gran diferencia al considerar la composición hernandiana. Miguel, que había desarrollado y formado su gusto artístico en la lectura de poetas clásicos del Barroco y Renacimiento, se movía todavía dentro de concepciones tradicionales que le exigieron ineludiblemente el terceto aclaratorio del principio de la composición:

> *Me llamo barro aunque Miguel me llame.*
> *Barro es mi profesión y mi destino*
> *que mancha con su lengua cuanto lame* (OC 220).

¡ Precisamente lo que Banville había exigido en vano del gran rebelde Rimbaud! Este detalle es de gran importancia para fijar el puesto de Miguel Hernández entre la poesía tradicional y la moderna.

Siguiendo la comparación de los dos poemas, el rimbaudiano y el de Miguel, observemos cómo los dos poetas siguen técnicas bien parecidas. El plano real que comunicar es un estado anímico en plena efervescencia: deseos, pasiones, ímpetus, ansias de amor o libertad, en fin, un estado psíquico muy complejo y confuso. Precisamente por ello recurren los poetas a un medio que pueda dar en cierto modo plasticidad y hacer visible lo que en sí es tan complicado, oscuro y recóndito. Escogen un objeto sensible que dé cuerpo a sus ideas y sea capaz de trasmitir todo un haz de realidades psíquicas por intrincadas que sean. El símbolo es "el barro", pero lleno de la vida y movimiento que le inyecta el poeta: embistiendo a los zapatos de la amada, besando y sembrando de flores su talón, adelantándose a sus pies para que lo pisotee y humille, enviándole sapos como convulsos corazones...

El plano sensible queda marcado con numerosos atributos sólo aplicables al plano espiritual: "los pies que idolatro", "beso", "mi llanto", "mis brazos". Estos rasgos acercan a Miguel a la poesía simbolista, que tiende a dar relieve y convertir en realidad de primer orden el plano espiritual. En efecto, con estos datos, sólo aplicables al poeta que habla, pasa a absorber la atención del lector el sentido espiritual y simbólico de la composición, haciéndonos olvidar por un momento que es el "barro" quien habla [126].

Además de los citados, encontramos otros sonetos simbólicos en *El rayo que no cesa*. Así, el soneto 22: *Vierto la red, esparzo la semilla,* y el 24: *Fatiga tanto andar sobre la arena,* expresión de sus esperanzas y ansias insatisfechas a través del símbolo de la pesca, la siembra y la vida de puerto. En el soneto *Astros momificados y bravíos* (OC 191), el poeta da expresión a sus presentimientos trágicos bajo el símbolo de un cielo encapotado de astros amenazadores. A estos poemas se podría añadir *Llamo al toro de España* (OC 316).

En el poema conceptista *Mar y Dios* (OC 149), un símbolo de tanto arraigo en la tradición como la mar, "inmensidad misteriosa de la que todo surge y a la que todo torna" [127], degrada su fuerza simbólica, racionaliza sus elementos y se convierte en alegoría por la interpretación detallada y paralela de todos sus componentes. Sin embargo, observa la plenitud de contenido propia del símbolo bisémico.

El auto sacramental *Quien te ha visto y quien te ve y sombra de lo que eras* nos ofrece un símbolo bisémico bien logrado en la escena en que el Deseo muestra al Hombre-Niño —encarnación y símbolo, a su vez, de todo el género humano según una visión cristiana de la historia— una parra enroscada a un chopo. ¿Podrá haber cosa más inocente? Y, sin embargo, ¡cómo el Deseo nos va insinuando quedamente sus malignas intenciones en un sentido

---

126 GUERRERO ZAMORA, ofrece una interpretación bastante confusa e insegura de este poema al considerarlo como una imagen suprarreal continuada, aunque también descubre en él elementos simbólicos y visionarios. Cfr. GUERRERO ZAMORA, p. 259.

127 Cfr. PAUL DIEL, *Le symbolisme dans la mythologie grecque,* Paris, 1942. Ap. CIRLOT, *Mar.*

más hondo, cuando nos habla de una "parra alhajada", con "senos",
"en espirales lascivas" y "abrazada al chopo"! Todos estos detalles
nos vuelven la atención sobre el sentido simbólico:

> *¿Ves aquella sutil parra*
> *alhajada de delicias*
> *como senos de topacio,*
> *que en espirales lascivas*
> *está con fuerza abrazada*
> *al chopo aquél?... ¿No te harías*
> *chopo tú por una parra*
> *más viciosa y más pulida?* (OC 476).

Observemos, para concluir, cómo a lo largo de *El labrador de*
más aire se perfila la silueta de un personaje simbólico, en cuyos
rasgos proyecta Miguel Hernández todos sus ideales y ensueños.
Así surge la figura de Juan en su plena existencia simbólica: el
varón insobornable, valiente, viril, generoso, enamorado, capaz de
ofrecer su vida en la lucha contra la tiranía, y víctima al fin de
un destino trágico inevitable. El héroe de *El labrador de más aire*
encarna y resume en un personaje simbólico todos los valores y la
visión del mundo hernandiana. Con esto no nos retractamos de lo
que decíamos en las páginas 91 y siguientes, sino que precisamente
tratamos de confirmarlo. Recordemos la escena en que el toro y
Juan, en un plano de igualdad, aparecen frente a frente como dos
temibles rivales.

Se ha acusado al simbolismo de haber despreciado la vida para
entregarse al ensueño. El simbolismo hernandiano no sólo no es
extraño a la vida, sino que se da precisamente en función de
ella, para profundizar en su sentido y darnos una misión clara
y lo más completa posible de sus complejos problemas existenciales.
El poeta intenta plasmar en el símbolo su agitado mundo interior
cargado de angustias e inquietudes: cuchillos y espadas que ame-

nazan y acarician, penas de enamorado, dolor de la soledad, su inquieta y fuerte pasión amorosa, las amenazas fatídicas de un cielo encapotado. Una vez más constatamos la potencia expresiva del símbolo para captar estados psíquicos complejos, contradictorios, en plena ebullición. *El rayo que no cesa,* obra muy cargada de inquietud y problemas interiores, es la que más uso hace del símbolo (ocho veces). El símbolo hernandiano está ahí para plasmar la rica interioridad del poeta e iluminar momentos cumbres de su cosmovisión : amor, angustias, vida amenazada. Los medios expresivos se han puesto al servicio incondicional del mensaje lírico hernandiano.

2. — *EL FENÓMENO VISIONARIO*

Al igual que "el mito es el símbolo colectivo del pueblo" (Rank), el sueño y la visión onírica constituyen el mundo simbólico del individuo [128]. La ciencia psicológica moderna, al profundizar en la vida del subconsciente, llega a revelarnos la gran importancia simbólica del ensueño como proyección de los más íntimos y secretos fenómenos psíquicos del hombre. Apoyados en los datos experimentales prestados por el estado onírico y en su modo especial de contemplar los objetos bañados de una luz misteriosa e irreal, han llegado los poetas modernos a descubrir medios expresivos de gran originalidad. Carlos Bousoño estudia algunos de ellos agrupándolos bajo el nombre de *visión,* que él define como la "simple atribución de cualidades o de funciones irreales a un objeto". En la metáfora quedaba sustituido el plano real por otro plano imaginado ; en la visión subsiste el plano real, pero teñido de colores irreales. El fenómeno visionario se produce en poesía para

---

[128] Cfr. CIRLOT, pp. 19, 28, y BOUSOÑO, *La poesía de Vicente Aleixandre,* cap. VIII, y *Teoría de la expresión poética,* cap. VI.

subrayar una cualidad o función del plano real —en esto coincide con la metáfora—, pero lo hace destacando su carácter extraordinario y su enormidad, rasgo típico de la *visión*. Ésta tiene casi siempre carácter hiperbólico, ya que expresa lo extraordinario, lo gigantesco, lo maravilloso, lo extraño, coloreando de tonos fantásticos un objeto real.

En la visión no hay plano real, sino sólo creación de la fantasía, por lo que no es traducible al lenguaje no poético como la metáfora. Su sentido es generalmente difuso y vago. La razón es capaz de captarlo en su plenitud con la ayuda de las otras facultades, pero el mensaje lírico pierde frescura y potencia expresiva si se pretende traducirlo a fórmulas extrapoéticas.

Nos podemos representar la visión como una verdadera imagen o símbolo, en que a fuerza de acentuar el plano imaginativo se pierde de vista el plano real. Es un paso adelante, una conquista de la poesía moderna en su esfuerzo por enriquecer el tesoro de las formas expresivas.

El fenómeno visionario abunda extraordinariamente en la obra poética de Pablo Neruda y Vicente Aleixandre. A estos dos poetas, amigos íntimos de Miguel Hernández, debe éste numerosas sugerencias que vinieron a enriquecer su estilo y temática. También la *visión* aparece por primera vez en la obra hernandiana en este período y precisamente en dos poemas dedicados a sus amigos y protectores.

En la *Oda entre sangre y vino a Pablo Neruda,* escrita con toda probabilidad en mayo de 1935, comienza a aparecer el fenómeno visionario en la poesía hernandiana:

> Con la boca cubierta de raíces
> que se adhieren al beso como ciempieses *fieros,*
> *pasas ante paredes...* (OC 252).

Un objeto real, "la boca", cobra una fuerza desacostumbrada al revestirse de cualidades irreales. Si quisiéramos interpretar de algu-

na manera el pensamiento que quiere comunicar el poeta, habría
que decir, tal vez, que nos habla de una boca apasionadamente
ansiosa, apegada al beso. El poeta nos transmite esta sensación profunda por medio de una visión. Algo semejante a lo que ocurre
en el estado onírico en que para figurarnos a una persona que no
puede moverse, nuestra fantasía se la representa inconscientemente
como un ser al que, en un momento, comienzan a crecerle raíces.

Así, al fin del mismo poema:

> *Te encomiendas al alba y las esquinas...*
> *te arrancas las raíces que te nacen*
> en todo lo que tocas y contemplas (OC 255).

Miguel contempla a Pablo Neruda que abandona la taberna a
la hora del alba agarrándose a todo lo que encuentra en su camino.
Esto le sugiere de nuevo la visión de las raíces. Carácter visionario
revisten también los versos siguientes:

> *Viene a tu voz el vino episcopal...*
> *moviendo un rabo lleno de rubor y relámpagos,*
> *nos relame, muy bueno, nos circunda*
> *de lenguas tintas, de efusivo oriambar...* (OC 253).

Y aquellos otros:

> *De nuestra sangre ahora surten crestas,*
> *espolones, cerezas y amarantos;*
> *nuestra sangre de sol sobre la trilla*
> *vibra martillos, alimenta fraguas,*
> *besos inculca, fríos aniquila,*
> *ríos por desbravar, potros exprime*
> *y espira por los ojos, los dedos y las piernas*
> *toradas desmandadas, chivos locos* (OC 253).

En la *Oda entre arena y piedra a Vicente Aleixandre,* escrita probablemente en septiembre de 1935, destacan algunos versos de verdadero carácter visionario:

> *Tu padre el mar te condenó a la tierra*
> *dándote un* asesino manotazo
> *que hizo llorar a los corales sangre* (OC 249).

El "asesino manotazo" queda coloreado con un tinte de irrealidad al producir un efecto tan extraordinario. El fenómeno visionario ha logrado pintarnos el "asesino manotazo" en toda su terrible brusquedad.

Al fin del poema, sin duda para destacar la íntima relación de Vicente Aleixandre con el mar, su padre, recurre también a una visión:

> *Te recorre el Océano los huesos*
> *relampagueando perdurablemente,*
> *tu corazón se enjoya con peces y naufragios,*
> *y con coral, retrato del esqueleto de tu corazón,*
> *y el agua en plenilunio con alma de tronada*
> *te sube por la sangre a la cabeza como un vino con alas*
> *y desemboca, ya serena, por tus ojos* (OC 250 s.).

Objetos reales aparecen bañados de irrealidad con una finalidad expresiva vaga, pero segura.

A pesar del carácter popular y su dependencia directa de los clásicos no podía faltar en *El labrador de más aire* la iluminación transfiguradora del fenómeno visionario, cuya técnica ya dominaba Miguel al componer este drama:

> *La parte de mi pechera*
> *que con su cuerpo rozara*
> se ha vuelto una primavera
> de luz amorosa y clara.

> Que con el toque ligero
> de sus vestidos flotantes
> provocó en ella un reguero
> de luciérnagas brillantes...
> Con ella en brazos corría
> el campo, y tras mí la fiera,
> y el cuerno se le encendía
> como una envidiosa hoguera (OC 733 s.).

El toro queda impregnado de irrealidad. El poeta contempla sus cuernos encendidos en hoguera, sin duda expresión visionaria de los celos y apasionado amor que también ardía en el alma de la fiera.

La conmoción de la guerra con sus grandiosos y terribles espectáculos de muerte, destrucción y heroísmo, excita la imaginación febril del poeta-soldado y ofrece a sus ojos las más impresionantes visiones de un mundo amenazado por la catástrofe, pero que intenta superarla creando héroes de talla de gigante. *Viento del pueblo* nos ofrece poemas de gran fuerza visionaria (OC 280). Una visión prolongada casi a lo largo de todo el poema presta al héroe dimensiones sobrehumanas:

> Fuego la enciende, fuego la alimenta:
> fuego que crece, quema y apasiona
> desde el almendro en flor de su osamenta.
>
> Sólo los montes pueden sostenerte,
> grabada estás en tronco sensitivo,
> esculpida en el sol de los viñedos.
>
> Tus dedos y tus uñas fulgen como carbones,
> amenazando fuego hasta a los astros
> porque en mitad de la palabra pones
> una sangre que deja fósforo entre sus rastros.

> *Claman tus brazos que hacen hasta espuma*
> *al chocar contra el viento:*
> *se desbordan tu pecho y tus arterias*
> *porque tanta maleza se consuma...* (OC 305 s.).

En otro poema se convierte la alegría en fuerte sacudida que
conmueve a su paso toda la naturaleza, en un derroche de imágenes que se atropellan en movimiento rítmico acelerado (OC 297 s.),
mientras las manos del obrero cobran en otro dimensiones casi
cósmicas constelando los espacios de relámpagos:

> *Endurecidamente pobladas de sudores,*
> *retumbantes las venas desde las uñas rotas,*
> *constelan los espacios de andamios y clamores,*
> *relámpagos y gotas* (OC 295; 600).

En el *Cancionero y romancero de ausencias* aparecen también
algunas visiones. El beso queda coloreado de irrealidad al atribuír-
sele un efecto imposible. Con ello queda realzada su trascendencia
y alcance casi cósmico:

> *Llegó tan hondo el beso*
> *que traspasó y emocionó a los muertos* (OC 362).

La composición *Hijo de la luz y de la sombra* se ilumina por
momentos con el relampagueo de elementos visionarios, que comunican dimensiones cósmicas a los grandes acontecimientos cantados
por el poeta. Lo real se tiñe de irrealidad para plasmarnos la inmensa potencia y la gran fuerza vital que arrastra al hombre y
la mujer a los grandes misterios de la fecundación. La sombra, la
noche, es esa fuerza llena de misterio que se reviste de irrealidad,
llegando a alcanzar dimensiones cósmicas:

> *El aire de la noche desordena tus pechos,*
> *y desordena y vuelca los pechos con su choque.*

Como una tempestad de enloquecidos lechos,
eclipsa las parejas, las hace un solo bloque.

Moviendo está la sombra sus fuerzas siderales,
tendiendo está la sombra su constelada umbría,
volcando las parejas y haciéndolas nupciales.
Tú eres la noche, esposa. Yo soy el mediodía (OC 409 s.).

La visión guarda una relación esencial con la temática del poeta y se pone a su servicio inmediato iluminando sus momentos cumbres. La visión transfigura y presta dimensiones y transcendencia cósmica a motivos tan centrales como la unión de los esposos, el beso y los temas del toro y la vitalidad desbordante de la sexualidad.

Capítulo VI

EXPRESIVIDAD FÓNICA Y RÍTMICA

1. — *SIMBOLISMO FÓNICO*

El estrato de los elementos fónicos —grupos vocálicos y consonánticos, ritmo, rima, sonidos simbólicos, etc.— desempeña en
la polifonía de la obra literaria una función relevante, y constituye
con su sonoridad y eufonía la caja de resonancia que crea la atmósfera adecuada a la difusión del mensaje lírico.

Con esto no queda agotada, sin embargo, su potencia expresiva.
Los sonidos, aun careciendo en principio de fuerza semántica, son
capaces de sugerir por medio de su rica gama musical de vocales
y consonantes una gran variedad de ideas, emociones y sentimientos. "En poésie, comme en musique, tout se peint par des sons,
même le silence"... "Ici éclate la différence de valeur du mot et
de la syllabe. Car le mot est par nature et reste, de quelque façon
qu'on l'utilise, avant tout signification; la syllabe, qui, elle, *ne
signifie* rien, est, dans son usage poétique, foncièrement et curieu-
sement suggestive" [129].

---

[129] René Waltz, *La création poétique*, Flammarion, Paris, 1953, pp. 193,
195.

Este fenómeno se hace posible, según expone Grammont [130],
gracias a la labor asociativa de la inteligencia humana, que clasifica y ordena según ciertas relaciones, ideas, sensaciones, emociones
y sentimientos. Con frecuencia ideas completamente abstractas son
asociadas a sensaciones de color, olor, dureza, blandura: pensamiento sombrío, negra intención, ocurrencia brillante, insípida. Es
evidente que los pensamientos no tienen color ni sabor. Lo que
ocurre es que hemos expresado un fenómeno psíquico mediante una
impresión visual o gustativa. Si esta *traducción* es perfecta, la
idea no ha perdido fuerza ni claridad y se ha enriquecido de afectividad y carácter pintoresco. De igual manera podremos trasmitir
una impresión visual por medio de términos acústicos: colores
chillones, armoniosos. Gracias a esta misma facultad asociativa
podremos comunicar con sonidos claros una sensación de luz o por
acumulación de vocales oscuras una visión sombría o nocturna.

Esta capacidad expresiva de los sonidos carece de un sistema
perfecto de correspondencias, por lo que sólo puede ser genérica
y confusa. Es una fuerza expresiva que sólo cobra relieve y se
hace visible, comunicando inequívocamente su mensaje, al ser iluminados los sonidos o fonemas por el contenido semántico de la
frase.

La belleza de una obra poética depende fundamentalmente del
modo como en ella se armonizan los sonidos entre sí (armonía del
verso) y con el pensamiento o emoción que intentan comunicar
(relación entre contenido y forma, simbolismo fónico). El elemento
fónico juega en poesía, arte no de la vista, sino del oído, un papel
decisivo. De aquí la gran necesidad de estudiar también sus estructuras sonoras para apreciar debidamente en su conjunto el valor
de una obra lírica.

Todo sonido del lenguaje posee un valor simbólico y por su
repetición puede lograr efectos sugestionadores de gran intensidad

---

[130] GRAMMONT, *Le vers français*, p. 196.

que introduzcan al lector en el calor de un ambiente determinado. En *El silbo de afirmación en la aldea* pinta Miguel Hernández con gran maestría el contraste entre la ciudad y el campo. Aquélla es descrita con un duro martilleo de consonantes ásperas y sordas *rr, c,* un término cacofónico *catarata* y la monótona reiteración de la vocal más abierta *a;* en el penúltimo y, sobre todo, en el último verso nos refrigera la musicalidad de un vocalismo rico en diptongos y en vocales brillantes acentuadas, entre numerosas líquidas y nasales de gran blandura y suavidad :

> *Difíciles barrancos de escaleras,*
> *calladas cataratas de ascensores,*
> *¡qué impresión de vacío!*
> *ocupaban el puesto de mis flores,*
> *los aires de mis aires y mi río* (OC 182).

El idioma español con su escaso número de vocales, en comparación con el francés o el alemán, no dispone de grandes posibilidades para marcar el contraste. Por otra parte, los efectos expresivos son, de ordinario, tan finos y delicados, que difícilmente se los puede poner de relieve sin incurrir en exageraciones. La vocal *a,* dominante en los primeros versos, aparece también en el segundo miembro de la antítesis. Pero el efecto estético se produce. Los fonemas *ai, ai, i* dominan el último verso y, realzados por el acento rítmico, evocan con su timbre agudo y brillante y su rica musicalidad vocálica la atmósfera riente y deliciosa de la aldea.

Además de los fonemas aislados y de numerosos vocablos, hay también ciertas formas, sobre todo sufijos, llamados morfemas, de gran fuerza expresiva. Estos signos, no completamente arbitrarios, tampoco se los puede caracterizar como motivados por contenidos semánticos, no obstante que los iluminan y ponen de relieve. Entre ellos se encuentran todas las formas de aumentativos y diminutivos. La *Elegía a Ramón Sijé* nos ofrece el siguiente terceto :

> *Un manotazo duro, un golpe helado,*
> *un hachazo invisible y homicida,*
> *un empujón brutal te ha derribado* (OC 229).

Los morfemas *-azo, -azo* y *-jón* acentúan, en armonía con el pensamiento, un ambiente sentimental de inhumana dureza e inexorable brutalidad. Otros fonemas, como las consonantes sordas *t,*
p, y la *rr,* no hacen sino marcarlo con más relieve.

Fenómeno parecido ocurre al comienzo de *Mi sangre es un*
camino y en *Sino sangriento.* El verbo duro, cortante y viril de
Miguel Hernández adquiere fuerza arrolladora al cargarse con la
potencia expresiva de estos grupos fónicos apoyados por toda la
gama vocálica y consonántica de la estrofa :

> *Me empuja a martillazos y a mordiscos,*
> *me tira con bramidos y cordeles...* (OC 237).

> *Lucho contra la sangre, me debato*
> *contra tanto zarpazo y tanta vena,*
> *y cada cuerpo que tropiezo y trato*
> *es otro borbotón de sangre, otra cadena* (OC 240).

El momento más patético de *Sino sangriento* asciende a la
cumbre de una sonoridad y eufonía altamente expresiva, gracias
a la reiteración de ciertos fonemas de valor simbólico :

> *Me veo de repente*
> *envuelto en sus coléricos raudales,*
> *y nado contra todos desesperadamente*
> *como contra un fatal torrente de puñales.*

> *Me arrastra encarnizada su corriente,*
> *me despedaza, me hunde, me atropella,*
> *quiero apartarme de ella a manotazos,*

> *y se me van los brazos detrás de ella,*
> *y se me van las ansias en los brazos.*
>
> Me dejaré arrastrar hecho pedazos... (OC 241 s.).

Las numerosas consonantes explosivas, sobre todo las oclusivas sordas *p, t, c,* evocan con sus golpes secos las violentas sacudidas a que se halla expuesto el poeta en su agónica lucha contra el "fatal torrente de puñales". El empleo de oclusivas para simbolizar las duras sacudidas y golpes de la tormenta era medio expresivo muy usado por nuestros vates clásicos. Recordemos aquella estrofa del célebre soneto de antología *La tempestad y la calma:*

> *El austro proceloso airado suena,*
> *crece sus furias, la tormenta crece,*
> *y en los hombros de* Atlante se estremece
> el alto Olimpo y con espanto truena.
>
> (JUAN DE ARGUIJO)

También A. de Musset, Heredia, La Fontaine y Victor Hugo, siguiendo la rica tradición de los clásicos grecolatinos, tratan de evocar con semejantes sensaciones acústicas la tempestad [131].

La *rr* fuerte del español, con su sonido áspero y ronco, seis veces repetido, se suma a este concierto horrísono y ensordecedor del torrente que atropelladamente arrastra a Miguel. Ya Juan de la Cueva nos había llamado la atención sobre el peculiar efecto sugestivo de esta sensación acústica:

> *De la r usarás cuando el violento*
> *euro contrasta al bóreas poderoso*
> *con hórrido furor su movimiento.*
>
> (*Ejemplar poético*)

---

[131] GRAMMONT, *o. c.,* p. 291. *Odis.,* 6, 94-95; TEOGNIS, *Eleg.,* I, 10; VIRG., *Eneida,* I, 80 y ss.; 3, 415-423; HORAC., *Od.,* II, 10, 9-12; OVID., *Met.,* 4, 459.

Victor Hugo, Vigny y Heredia gustaban de este sonido para describir el estruendo de huracanes, tempestades y torrentes [132]. Todos
los demás sonidos, arrebatados y ásperos, la esdrújula "coléricos",
"manotazos", etc., se incorporan al movimiento rítmico haciendo
subir de grado el efecto acústico del poema.

Vamos a detenernos en unos versos del auto sacramental
Quien te ha visto y quien te ve y sombra de lo que eras. Miguel
Hernández nos presenta al Hombre-Niño intentando jugar y re-
crearse en las bellezas de la naturaleza inocente. Por medio de
una agradable aliteración de la *r* (24 veces en 10 versos), reforzada
por la acumulación de otras líquidas, nasales y sonoras (*l, m, n, b,
g, d*), nos introduce en un ambiente de amenidad y blandura
sumamente grato:

> Me iré al Pinar del Otero
> a batallar con las flores,
> a hablar con los ruy-señores
> y a jugar con el Cordero.
> En las aguas del Venero
> veré temblar y bogar
> barcas de hojas de cañar...
> Pero ni flor, ni Cordero,
> ni ruy-señor, ni Venero,
> me pueden ya hacer jugar (OC 467).

Miguel Hernández sigue la rica tradición de nuestros vates del
Siglo de Oro, quienes se servían de las líquidas y nasales combinadas con vocales claras y brillantes, para insinuar por medio de
sensaciones acústicas una atmósfera blanda y agradable y un am-

---

[132] GRAMMONT, p. 300.

biente paradisíaco. Ya Luis de León nos describía con un amontonamiento de líquidas sus sueños de vida retirada:

"un día, puro, alegre, libre quiero" [133].

En *El labrador de más aire*, la protagonista Encarnación pronuncia estos versos, en que con el susurro de un prolongado seseo —27 veces aparece la *s* en 14 versos— logra evocar un ambiente de ternura, intimidad y caricia:

> ...besando tu boca
> las horas me den!
> Bésame a la una,
> las dos y las tres,
> bésame a las cuatro,
> las cinco y las seis,
> bésame en el tiempo
> que tardan en ser
> las siete y las ocho,
> las nueve y las diez.
> Las once y las doce
> las oigo caer
> al son de tus besos,
> relojes de miel (OC 672).

Dámaso Alonso reconoce a la *s* la capacidad de crear una atmósfera de silencio, sosiego e intimidad, muy próxima a la descrita por Miguel, al comentar aquel verso de San Juan de la Cruz: "estando ya mi casa sosegada" [134]. Ya en nuestros siglos áureos,

---

[133] Garcilaso de la Vega describe el blando deslizarse de las aves en su *Égloga* I: "cual por el aire claro va volando". Cfr. también la dulzura de la *l* y la *i* en OVID., *Met.*, 392.

[134] ALONSO, Dámaso, *La poesía de San Juan de la Cruz*. Crisol, Aguilar, Madrid, 1946, p. 158. Véase un uso semejante en Lamartine: "Des baisers

Juan de la Cueva nos había llamado la atención en su *Ejemplar poético* sobre esta capacidad expresiva de la s:

> *La s al blando sueño y al sabroso*
> *sosiego has de aplicar...*

Examinemos un terceto logrado de la *Elegía* a la panadera:

> *Ibas a ser la flor de las esposas,*
> *y a pasos de relámpago tu esposo*
> *se te va de las manos harinosas* (OC 236).

¡Qué bien queda plasmado en el despeñado ritmo anapéstico del tercer verso la precipitada desaparición del amigo y compañero! ¡Cómo sugestiona la desacostumbrada acumulación de 15 s en tres versos, evocando con su suave seseo algo así como el resbalarse de un pez: "se te va de las manos harinosas"! El empleo de aspirantes, dentales o silbantes, para describir un zumbido seseante y un deslizamiento es usado ya, entre otros muchos, por Racine, Musset, La Fontaine, Heredia y Víctor Hugo, de quien son los versos siguientes:

> *Les choses qui sortaient de son nocturne esprit*
> *semblaient un glissement sinistre de vipère.*
>
> (*La rose et l'infante*)

Otros numerosos elementos cooperan a la gran expresividad del terceto. Pero hay un vocablo que resume en sí todo su contenido. Como un "relámpago" fue la desaparición del amigo entrañable. "Relámpago", único vocablo esdrújulo del terceto, de gran sono-

---

sont sur sa bouche", *Pensées des morts,* y en Chénier: "Debout sur ses genoux, mon innocente main / parcourait ses cheveux, son visage, son sein", *Un jeune homme.*

ridad por el juego consonántico *mp* en sílaba acentuada. Iluminado el vocablo por el acento rítmico y métrico, se constituye en
centro musical, ideológico y emocional de todo el terceto [135].

2. — EL RITMO

Nos queda por estudiar un aspecto esencial de toda obra lírica.
Todos los elementos fónicos que acabamos de estudiar: la musicalidad de la gama vocálica y la bella combinación de sonidos consonánticos con la línea melódica que constituyen, no serían nada
sin el soporte del ritmo. El ritmo es como el alma del verso, el
que presta unidad al poema y lo convierte en un organismo vi-
viente que se mueve y palpita. No hay poesía sin la actividad

---

[135] He aquí otros ejemplos de simbolismo fónico:

Tengo ya el alma ronca y tengo ronco
el gemido de música traidora...

Arrímate a llorar conmigo a un tronco:
retírate conmigo al campo y llora
a la sangrienta sombra de un granado
desgarrado de amor como tú ahora (OC 235).

Novia sin novio, novia sin consuelo,
te advierto entre barrancos y huracanes (OC 236).

Yo te guardo, yo te velo,
siempre en vela, siempre en vilo;
yo tu sosiego vigilo
con mi amor, que va de vuelo.
No vuelvas a la ribera;
si quieres lilios tempranos,
no es preciso que tus manos
se distancien de mi vera (OC 457).

Fragor de acero herido, resoplidos brutales,
hierro latente, hierro candente, torturado,
trepidando, piafando, rodando en espirales,
en ruedas, en motores, caballo huracanado (OC 320).

coengendradora del ritmo, base de todo movimiento vital creador, que tan potente influjo ejerce sobre el lenguaje y su estructura. Del fluir rítmico brota el chispazo de numerosas imágenes poéticas y el metro del poema con sus contornos externos visibles. El mismo contenido cobra relieve o pierde importancia ante la acción del ritmo, que, con el foco iluminador de sus acentos, fija nuestra atención sobre un vocablo o pensamiento, o nos hace pasarlo por alto. Su potencia dinámica llega incluso a actuar como fuerza modeladora en la misma estructura sintáctica de la frase. Al movimiento fluido de los "corceles rítmicos" se incorpora la pasión, el sentimiento, el pensamiento y la emoción, y todos unidos corren desbocados hasta penetrar con gran estruendo o insinuarse imperceptiblemente en el alma del lector. El verdadero ritmo brota del pensamiento poético y marcha a un paso con él.

Según P. Servien, el ritmo es "périodicité perçue", o expuesto más ampliamente por Francis Warrain, "une suite de phénomènes qui se produisent à des intervalles de durée, variables ou non, mais réglés suivant une loi". El ritmo es, pues, ordenación periódica de los componentes del lenguaje. Dos elementos lo constituyen: la materia o palabras y una *ley ordenadora,* ambas vitalmente fusionadas por la acción de un sentimiento fundamental y de la voluntad artística [136]. Esta incesante reiteración de idéntica imagen sonora, que constituye la armonía del verso, es la fuente de un placer sensorial irresistible que, al repetirse indefinidamente, produce en el espíritu un efecto mágico, envolvente y embriagador. Por sí constituye la esencia del goce estético de la poesía, al balancear en su movimiento y transmitir al lector en su chorro melódico toda la pasión, sentimiento y contenido ideológico del poema.

Pero el ritmo no aparece aislado en la composición, sino envuelto entre aliteraciones, juegos acústicos, combinaciones vocálicas, cuantidad, acento métrico, etc. De aquí que al estudiar el

---

136 PONGS, I, p. 48. Pius SERVIEN, *Essais sur les rythmes toniques du français.* Ap. GHYKA, p. 83.

ritmo se imponga el considerar también todos estos elementos, que
no pertenecen a él en sentido estricto, pero sin los cuales el ritmo
sería una abstracción. Las tres partes de este capítulo constituyen,
por tanto, una unidad indisoluble.

El *Juramento de la alegría* es una potente eclosión de musicalidad y riqueza rítmica de grandes efectos, que con su fuerza
mágica adormece y quebranta nuestra resistencia arrastrándonos en
el gran torrente de optimismo que invade la naturaleza:

> ...*cuando, avasalladora llamarada,*
> *galopa la alegría en un caballo*
> *igual que una bandera desbocada.*

> *A su paso se paran los relojes,*
> *las abejas, los niños se alborotan,*
> *los vientres son más fértiles, más profundas las trojes,*
> *saltan las piedras, los lagartos trotan...*

> *Avanza la alegría derrumbando montañas*
> *y las bocas avanzan como escudos.*
> *Se levanta la risa, se caen las telarañas*
> *ante el chorro potente de los dientes desnudos* (OC 297 s.).

Ya el movimiento rítmico de los versos segundo y tercero nos
describen con su despeñada marcha, rica en sílabas átonas que
aceleran el verso, el galopar del ligero corcel. El ritmo bien empleado es un excelente medio para subrayar y destacar los elementos más importantes. Los dos vocablos más sugestivos "alegría" y "bandera" aparecen iluminados en la cima de la sonoridad
del verso, marcados por el acento rítmico y métrico del endecasílabo. Lo mismo ocurre en los versos siguientes, donde vocablos
como "alegría", "avanzan", "risa", quintaesencia del pensamiento
del poema, destacan en el centro del verso intensificados por el
acento métrico.

El poema se halla sembrado de vocablos de hondo simbolismo fónico: "saltan las piedras", "los lagartos trotan", "derrumbando montañas", "chorro potente de los dientes". Pero no se trata de efectos aislados, sino que todos estos elementos son arrastrados con brío e incorporados a la acelerada carrera rítmica del poema al optimismo.

También en la *Elegía* a la muerte de su amigo entrañable Ramón Sijé tiene Miguel Hernández aciertos rítmicos sorprendentes, que no son, por otra parte, sino sólo un aspecto de la gran perfección con que está realizado este poema:

I. — *Temprano levantó la muerte el vuelo,*
temprano madrugó la madrugada,
temprano estás rodando por el suelo.

II. — *No perdono a la muerte enamorada,*
no perdono a la vida desatenta,
no perdono a la tierra ni a la nada.

III. — *En mis manos levanto una tormenta*
de piedras, rayos y hachas estridentes
sedienta de catástrofes y hambrienta.

IV. — *Quiero escarbar la tierra con los dientes,*
quiero apartar la tierra parte a parte
a dentelladas secas y calientes.

V. — *Quiero minar la tierra hasta encontrarte*
y besarte la noble calavera
y desamordazarte y regresarte.

VI. — *Volverás a mi huerto y a mi higuera:*
por los altos andamios de las flores
pajareará tu alma colmenera
de angelicales ceras y labores (OC 229 s.).

Veamos ahora, en forma esquemática, la estructura rítmica de estos versos [137]:

$$
\text{I.} - \begin{array}{ccc} 2 & 4 & 4', \\ 2 & 4 & 4', \\ 2 & 4 & 4'. \end{array}
$$

$$
\text{II.} - \begin{array}{ccc} 3 & 3 & 4', \\ 3 & 3 & 4', \\ 3 & 3 & 4'. \end{array}
$$

$$
\text{III.} - \begin{array}{cccc} 3 & 3 & & 4', \\ 2 & 2 & 2 & 4', \\ 2 & 4 & & 4'. \end{array}
$$

$$
\text{IV.} - \begin{array}{cccc} 1 & 3 & 2 & 4', \\ 1 & 3 & 2 & 2 & 2', \\ & 4 & 2 & 4'. \end{array}
$$

$$
\text{V.} - \begin{array}{ccc} 1 & 3 & 2 & 4', \\ & 3 & 3 & 4', \\ & & 6 & 4'. \end{array}
$$

$$
\text{VI.} - \begin{array}{ccc} 3 & 3 & 4', \\ 3 & 3 & 4', \\ 4 & 2 & 4', \\ 4 & 2 & 4'. \end{array}
$$

Con dos tercetos de versos paralelos, encabezados por sendas anáforas intensificadoras, va subiendo de grado el patetismo del

---

[137] Adoptamos la notación propuesta por P. Servien para hacer fácilmente visible, por medio de números, el esqueleto del movimiento rítmico. I: Cada cifra representa una serie de sílabas átonas terminada en sílaba acentuada. II: Cada cifra comprende todas las sílabas que se suceden desde una sílaba tónica, no comprendida, hasta la siguiente, incluida. III: Los silencios se indican colocando después de la cifra el signo de puntuación correspondiente. IV: Las sílabas que siguen al último acento se indican por medio de una comilla como índice de la cifra: 3', 5'. Ap. GHYKA, 145.

poema. En las estrofas I y II, el ritmo adopta un movimiento contenido y regular, fácilmente visible en el esquema, en perfecta
armonía con la estructura paralela de los versos.

En la tercera estrofa salta el primer chispazo de rebeldía que,
como un incendio, se agranda y multiplica en los versos siguientes.
Obsérvese en el esquema el movimiento revuelto e irregular de
los versos. Imposible descubrir en las estrofas III, IV y V dos versos
consecutivos con idéntico ritmo. El movimiento agitado y tempestuoso ajusta con el ánimo del poeta en rebeldía con la ley de la
muerte. ¡Cómo los elementos fónicos se enrolan en este movimiento huracanado y marcan con sonidos duros y martilleantes
el espíritu combativo de la estrofa! ¡Cómo queda descrita esa
tormenta de "piedras, rayos y hachas estridentes" por el golpear
seco de la oclusiva sorda *t* (27 en 9 versos), apoyada en su efecto
por las otras oclusivas sordas y sonoras, *p, c, d, g, b,* tan apropiadas todas ellas para expresar la sacudida y el ruido seco y
repetido!

Los elementos fónicamente simbólicos abundan: "tormenta",
"estridentes", "sedienta", "hambrienta", "tierra", "dentelladas",
"calientes". La única esdrújula de los tres tercetos, "catástrofes"
es de una gran dureza a causa de las consonantes explosivas sordas
que constituyen su estructura. Al recaer sobre ella el acento rítmico y métrico, asciende a la cumbre de la sonoridad del verso
y se ilumina resumiendo en sí todo el ambiente psicológico, combativo y tempestuoso de estos tercetos. La estrofa se cierra con un
verso, prodigio de potencia expresiva, loca decisión y desesperada
rebeldía contra la muerte:

> *y desamordazarte y regresarte.*

El ritmo del verso se atropella hasta quedar aprisionado en solos
dos acentos, de los tres o cuatro que suele tener el endecasílabo.
El verso lanza sonidos sordos y ensordecedores como un resque-

brajarse de la caja mortuoria: *d-rd-z-rt- r-gr-rt*. Recordemos una
vez más que toda esta riqueza fónica sólo cobra unidad y fuerza
arrolladora al ser envuelta y arrastrada por las aguas torrenciales
del movimiento rítmico.

En los versos siguientes, estrofa VI, se produce un cambio de
escenario. El aire se serena; un rayo de esperanza rompe la oscura
y revuelta tempestad del poema. El ritmo cobra regularidad, los
versos se agrupan, dos a dos, con idéntico ritmo. Véase el esquema. Una dulce sinfonía de líquidas y nasales: *l, m, n, r* blan-
das, acariciadoras, evocan, con la suavidad de su sonido, el delicioso rincón del huerto levantino donde se han dado cita los
dos amigos entrañables. Creemos no exagerar si consideramos este
poema como uno de los mayores aciertos y de los más grandes
valores de la producción hernandiana.

El soneto 21 de *El silbo vulnerado* acaba en un verso de ritmo
anapéstico despeñado y una selección de fonemas altamente des-
criptivos del rápido galopar de un corcel:

> *por el campo del llanto me desboco.*

El reiterado y seco golpear de las oclusivas y el ritmo acelerado a base de abundantes sílabas átonas nos recuerda el célebre
verso latino, también libre de espondeos:

> *Quadrupedante putrem sonitu quatit ungula campum.*

A lo largo de la obra podríamos encontrar otros numerosos
ejemplos de movimiento rítmico altamente expresivo. No solamente el ritmo acelerado de gran solemnidad sonora —más fácilmente perceptible al oído—, sino también otros movimientos más
sosegados y apacibles pueden ajustarse a la perfección a los movimientos del alma y evocarlos de manera sorprendente. He aquí
unos versos de ritmo callado, silencioso y sin sonoridad externa,

pero altamente conmovedores y en armonía con el sentimiento que
comunican:

Bocas de ira.	1	3′
Ojos de acecho.	1	3′
Perros aullando.	1	3′
Perros y perros.	1	3′
Todo baldío.	1	3′
Todo reseco.	1	3′
Cuerpos y campos.	1	3′
Cuerpos y cuerpos.	1	3′
¡Qué mal camino,	1	3′
qué ceniciento!	1	3′
¡Corazón tuyo,	3	1′
fértil y tierno!	1	3′
(OC 377).		

Siempre la misma imagen melódica, ritmo callado, monótono
como es monótono el tétrico paisaje que el poeta nos describe, de
cadáveres y cadáveres, ira, odios e intenciones aviesas: "perros
y perros", "cuerpos y cuerpos"... El movimiento rítmico sólo
rompe su monotonía para introducirnos de improviso, por un sorprendente contraste, en el delicioso oasis de amor del corazón de
la esposa:

> *¡Corazón tuyo,*
> *fértil y tierno!* [138].

El ritmo, que, como decíamos al principio, es el alma de la
poesía, empapa necesariamente toda obra verdaderamente poética;

---

[138] La ruptura de un movimiento rítmico para producir un efecto especial y extraordinario es medio usado comúnmente por clásicos y modernos.
Recuérdese el célebre verso virgiliano: "Cara deum soboles magnum Jovis
incrementum." GHYKA, p. 136, observa también esta ley en el verso francés.

de aquí la imposibilidad de reproducir todos los aciertos rítmicos
de la obra hernandiana.

3. — *MIGUEL HERNÁNDEZ Y EL VERSO LIBRE*

Mucho se podría decir sobre la amplia problemática del verso
libre. H. Pongs hace notar a este respecto las vastas polémicas
suscitadas por los "ritmos libres" de Walt Whitman. "Los unos
consideran su lírica como el movimiento rítmico originario y primitivo, los otros insultan su prosa de periódico" [139]. En los poemas de Pablo Neruda es una explosión ciega de la vitalidad y de
la sangre la que obliga a romper con las fronteras estrechas del
metro tradicional, dejándose guiar por la pura inspiración. Es el
ímpetu incontenible del torrente y de la naturaleza libre. Miguel
Hernández, al aceptar motivos temáticos nerudianos: la fuerza y
desbordante vitalidad de la sangre y de la vida, emplea también
el ritmo libre como cauce apropiado al fluir de sus impetuosos sentimientos. Lo mismo hace al imitar a Vicente Aleixandre.

Siguiendo la técnica de los versolibristas, Miguel va abocando
en versículos el ordenado fluir de sus emociones y sentimientos,
haciéndolos cristalizar en estructuras sonoras regulares.

En su mayor parte, los versos reproducen, combinadas entre
sí, unidades rítmicas de la poesía tradicional, según uso frecuente
de sus dos grandes maestros versolibristas Aleixandre y Neruda.
El endecasílabo, heptasílabo y los versos de 14, 15 y 17 sílabas
son reproducidos casi siempre con exactitud rítmica:

> *La sandía, tronando de alegría,* (endecasílabo)
> *se abrió en múltiples cráteres* (heptasílabo)
> *de abotonado hielo ensangrentado.* (endecasílabo)

---

[139] Pongs, I, p. 49.

> *Delia, con tu cintura hecha para el anillo* (14 sílabas)
> *con los tallos de hinojo más opuestos...* (endecasílabo).

> *Y las vacas sonaron su caracol abundante*
> *pariendo con los cuernos clavados en los estercoleros.*
> (de 15 y 17 sílabas respectivamente).

Otras veces un verso de largo aliento no es sino la reunión de dos metros tradicionales:

> *Delia, la de la pierna edificada / con las liebres perseguidas.*

A un endecasílabo de corte italiano sigue un octosílabo perfecto. En general, el verso libre hernandiano desarrolla su oleada rítmica con verdaderos aciertos de sonoridad:

> *No, ni polvo ni tierra:*
> *incallable metal líquido eres.*
> *Un flujo de campanas de bronce turbio y trémulo,*
> *un galope de espadas de acero circulante jamás enmohecido*
> *te preservan del polvo* (OC 247).

Desaparecido en el verso libre el lazo unificador externo de la rima, el poeta necesita descubrir nuevos medios que den unidad al poema. Los versos se reúnen en conjuntos estróficos mediante el sabio ordenamiento dentro de determinadas estructuras regulares. Veamos algunas de las más frecuentes.

La repetición de un pie (sucesión de sílabas átonas acabadas en sílaba acentuada) presta a veces unidad a un conjunto de versos por su frecuencia en los puntos sensibles de la estructura, el principio y el fin del verso. Esta ley rítmica, descubierta por P. Servien Coculesco [140], halla plena aplicación en nuestro poeta. Veamos un ejemplo en que los versículos se reúnen en un conjunto estrófico mediante su paralelismo como miembros de una enumeración y su

---

[140] *Lyrisme et structures sonores,* p. 179.

movimiento rítmico que siempre se abre con un dáctilo con o sin
anacrusis :

> *Úsate en contra suya,*
> *defiéndete de su callado ataque,*
> *asústalo con besos y caricias,*
> *ahuyéntalo con saltos y canciones,*
> *mátalo rociándolo de vino, amor y sangre* (OC 244).

El fenómeno se repite con bastante frecuencia.

Otras veces ganan cohesión los versos apoyándose cada uno
en un vocablo del verso anterior, al que sirven de desarrollo y
comentario, o distribuyendo en cada versículo uno o más de los
elementos sintácticos de la oración, que va así progresando a lo
largo del conjunto estrófico. El ritmo va creando también su lazo
unificador repitiendo a intervalos el mismo movimiento rítmico, o
sea, por medio de correspondencias cíclicas [141] :

> *Tu padre el mar te busca arrepentido*
> *de haberte desterrado de su flotante corazón crispado,*
> *el más hermoso imperio de la luna,*
> *cada vez más amargo* (OC 251).

Los versos primero y tercero, ambos endecasílabos y con el mismo
esquema rítmico, 2 2 2 4', son las correspondencias cíclicas
que convierten el conjunto en un organismo estrófico. El mismo
fenómeno, muy frecuente en los poemas hernandianos de verso
libre, se observa también en este fragmento :

> *¿Dónde ir con tu sangre de mar exasperado,*
> *con tu acento de mar y tu revuelta lengua clamorosa*
> *de mar cuya ternura no comprenden las piedras?* (OC 249).

---

[141] Esta terminología fue tomada de la música por SERVIEN COCULESCO.
La música puede ser lineal o cíclica, según sea mantenida la unidad por la
continuidad del movimiento o por correspondencias rítmicas entre partes no
contiguas. *Lyrisme et structures sonores,* p. 183.

Después de todo lo que llevamos dicho en este capítulo sobre el simbolismo fónico, el ritmo y el verso libre, no podemos compartir la opinión de J. Guerrero Zamora: "...su música es sobria, frecuentemente monótona, sin pasos en falso, pero tampoco con invenciones brillantes. En resumidas cuentas: Miguel no tiene el sentido musical que poseen los poetas andaluces. Prueba también, a mi modo de ver, de que Hernández no poseyó un rico sentido melódico es que no cultivó apenas el verso libre, piedra de toque determinadora del oído en los poetas" [142]. No creemos que la carencia de fino sentido musical haya sido la causa que alejó a Miguel Hernández del cultivo del verso libre. Es evidente que fueron causas extraliterarias, la guerra civil y su conversión a ser "voz del pueblo", las que le impidieron seguir cultivando una poesía de vanguardia para minorías. Entregado a la poesía de tipo popular y propagandista, tuvo que abandonar inventos rítmicos sin arraigo en la masa, para halagar y conmover al pueblo en forma para él comprensible. Por lo demás, sus intentos de composición en ritmo libre fueron un verdadero éxito. Ahí tenemos los poemas, y como criterio externo el juicio del gran maestro del ritmo libre, Vicente Aleixandre: "Sí, Miguel, tu oda tiene estrofas muy buenas, versos magníficos y *su conjunto me satisface plenamente* y me llena de alegría" [143].

Pero conviene no olvidar que Miguel Hernández es un poeta hondamente enraizado en la poesía tradicional, dada su larga entrega a la lectura de los clásicos. Al tiempo en que Miguel dio sus primeros pasos en el ritmo libre, su poesía rimada le alcanzaba éxitos estruendosos. Recordemos *Sino sangriento* y *Elegía a Ramón Sijé*, obras alabadas y celebradas por grandes figuras como Juan Ramón Jiménez y Ortega y Gasset, mientras sus poemas en ritmo libre no hallaban en modo alguno un eco parecido. Su

---

[142] GUERRERO ZAMORA, p. 218.
[143] Carta de Vicente Aleixandre a M. H., Miraflores de la Sierra, 23 de septiembre de 1935. Ap. ZARDOYA, p. 23.

muerte temprana nos dejó abierta la incógnita de los posibles rumbos que hubiera seguido [144].

Hemos podido constatar cómo Miguel Hernández sabe explotar la musicalidad y los valores emocionales y simbólicos de ciertos sonidos para subrayar determinados aspectos del poema o crear una atmósfera apropiada al mensaje lírico. También el movimiento rítmico, despeñado o sereno, se acomoda perfectamente al fluir del sentimiento y emoción lírica.

Conscientes de que la clave del subido valor lírico de la poesía hernandiana no hay que buscarla en sus valores musicales —también tropezamos a veces con versos duros y torpes—, la opinión de J. Guerrero Zamora sobre la falta de sentido musical del poeta no nos parece fundada en hechos palpables, pues abundan en la obra hernandiana los poemas de tal riqueza fónica y musical, que bastan para disipar tal sospecha.

---

[144] A los medios de expresividad fónica pertenecen también la versificación, la rima y todos los recursos de la métrica. No obstante, no nos detendremos a considerarlos por ser más conocidos.

CAPÍTULO VII

SONDEOS EN LA ESTRUCTURA INTERNA

Tras habernos dejado fascinar a lo largo de dos capítulos por el continuo relampagueo de la imagen poética y haber estudiado otros fenómenos literarios, como el simbolismo, la expresividad fónica y el movimiento rítmico, pretendemos ahora penetrar en la misma estructura arquitectónica del lenguaje en busca de aspectos expresivos que nos ayuden a un conocimiento más hondo de la obra de Miguel Hernández.

1. — SINTAGMAS NO PROGRESIVOS

El pensamiento en su inquieto bullir en busca de expresión y ante el insistente oleaje de impulsos afectivos o imágenes sensoriales, va cristalizando en formas determinadas, bimembres, trimembres, enumeraciones, etc., que intentan encarnar y fijar en figuras palpables el fluir del sentir poético. A la íntima unión de las pluralidades con el más hondo y oscuro fluir de la poesía se debe su importancia radical en el intento de desentrañar la obra de un poeta o de descubrir el sistema estético de un escritor [145].

---

[145] Cfr. ALONSO, Dámaso, *Estudios y ensayos gongorinos*, p. 218 ss. Adoptamos en nuestra exposición la nomenclatura de Dámaso ALONSO en

Comenzando por los elementos más sencillos, vamos a exponer primero los resultados de una investigación sobre los sintagmas no progresivos.

Las pluralidades de una expresión literaria pueden presentarse en forma de sintagmas progresivos o no progresivos. En la expresión: "quisiera que este libro fuera el más hermoso", el sintagma va progresando sintácticamente en cada uno de sus vocablos. Pero si sigo leyendo la frase cervantina del prólogo al *Quijote*: "quisiera que este libro fuera el más hermoso, el más gallardo y más discreto", veo que el sintagma queda estancado sintácticamente en el miembro "más hermoso", ya que los otros dos vocablos "el más gallardo y más discreto" desempeñan una función idéntica. Con Dámaso Alonso llamamos "sintagmas no progresivos a esos momentos de la elocución en que todas las voces que los forman tienen una misma función sintáctica". He aquí la fórmula general de un sintagma no progresivo:

$$A_1 \quad A_2 \quad A_3 \quad A_4 \ldots \ldots A_n.$$

La A marca la reiteración de la misma función sintáctica. Los subíndices indican el concepto diverso de cada miembro del sintagma. He aquí el esquema del ejemplo cervantino aducido:

$$\begin{array}{ccccccc}
\textit{Quisiera} & \textit{que} & \textit{este} & \textit{libro} & \textit{fuera} & \textit{el más hermoso,} & \textit{el más gallardo} \\
A & B & C & D & & E_1 & E_2
\end{array}$$

$$\begin{array}{c}
\textit{y más discreto} \\
E_3
\end{array}$$

$$A \quad B \quad C \quad D \quad E_1 \quad E_2 \quad E_3.$$

Seis calas en la expresión literaria española. Tratamos de reflejar en este capítulo las estructuras arquitectónicas fundamentales de la obra hernandiana y dar una idea de conjunto sobre sus líneas generales. No pretendemos presentar un estudio exhaustivo de los temas tratados, aunque la mayoría de los juicios se fundan en una lectura reposada de toda la obra.

ESTRUCTURAS DE EQUI-
LIBRIO (HASTA 1935)

Los poemas anteriores a la composición de *Perito en lunas*
muestran que la plurimembración ocupa un lugar muy secundario.
En las poesías publicadas en *El pueblo* (Orihuela) sólo la *enumeración panegírica* destaca por su abundancia relativa (unas 17 veces
en 15 poemas). Ésta trata de describir la totalidad del objeto can-
tado enumerando en grandioso concierto las partes que lo componen y le prestan su variedad y riqueza [146]. De gran antigüedad,
este tipo de enumeración tiene en la Biblia y en las letanías cris-
tianas sus mejores ejemplos, por lo que se halla hondamente enraizado en el alma popular. La verbosidad de este período incipiente
y las lecturas de Gabriel y Galán, que prodiga largas enumeraciones
en versos de gran sonoridad, arrastran a Miguel al uso de tal medio expresivo en versos de largo aliento, vacíos a veces de contenido, como meros ripios para completar el número de sílabas. La
enumeración panegírica de este período refleja un uso espontáneo
y sin estudio, y es fruto de una imaginación desbocada de principiante, sin el freno de la inteligencia y voluntad artística.

Muy al contrario nos ofrece *Perito en lunas* en su elaborada
concentración un tipo de pluralidad completamente diferente. El
sintagma no progresivo binario, alternado en raros casos con el
movimiento ternario, es casi exclusivamente la pluralidad empleada
en este libro. No aparece con profusión (menos de 40 en 42 octavas) y nos muestra un empleo estudiado, emparentado con la
bimembración gongorina, que se carga de matices y contrastes
conceptuales o coloristas. El movimiento binario redondea la frase
y le presta serenidad y equilibrio:

---

[146] SPITZER, Leo, *La enumeración caótica...*, pp. 30 y ss.

...*desde el lugar* preciso y recoleto.
¡*Pero bajad los ojos con respeto*
cuando la descubráis quieta y redonda! (OC 70, XXX).
...*qué luna es de mejor* sabor y cepa (OC 71, XXXV).

Cfr. también OC 63, IX; 66, XVII; 72, XXXVII.

Los dípticos de epítetos en este período neogongorino no son ya meras tautologías, sino bien estudiadas y detalladas descripciones del objeto:

Gallardía de rubio y amaranto,
con la muerte en las manos larga y fina [espada].

(Elegía media del toro)

La muletilla técnica del verso bimembre al fin de estrofa, tan al uso en los poetas del Siglo de Oro, y empleada con tanto garbo y variados matices por Luis de Góngora, es usada con profusión por Miguel Hernández en su *Oda al vino* (OC 83):

...*el cáliz mondo:*
triunfo y consagración *de lo redondo.*
...*de fontanas de* pino y vino *puro.*
...*consultores de* esquinas y de cantos.

En los poemas que siguen a *Perito en lunas* encontramos casi exclusivamente el sintagma no progresivo binario combinado con enumeraciones esporádicas. *Corrida real* comienza con estos versos:

Gabriel de las imprentas:
yedra cuadrangular de las esquinas,
cuelga, anuncia sonrisas presidentas,
situaciones taurinas.
Un sol de propaganda, el sol posible
nada más, asegura,
jura para tal día.

> Y *un toro de pintura,*
> *el más viudo y varonil terrible*
> *que halló el pintor en su ganadería...* (OC 133).

El esquema de este agrupamiento de sintagmas no progresivos bimembres en su mayor parte sería:

A₁ A₂   B₁ B₂   C₁ C₂   D₁ D₂   E₁ E₂   F   G   H₁ H₂ H₃   I.

Los diez primeros versos de esta composición contienen, pues, cinco sintagmas no progresivos bimembres y uno trimembre. El movimiento binario de la frase, la tendencia al andar contrabalanceado es evidente. El poeta aprovecha este progresar lento para evocar el ambiente con mayor variedad de datos sensoriales. El sintagma no resulta tautológico. A₁ califica al cartel de "Gabriel (mensajero) de las imprentas"; A₂ nos da una impresión sensorial precisa "yedra cuadrangular de las esquinas" (colorido, forma, lugar). Cuanto más lentamente avanza el carro de la oración sintáctica, tanto mejor ocasión de contemplar y captar con exactitud la gran riqueza de ingredientes del paisaje poético. Otros ejemplos en OC 107; 109; 116 s.; 119; 136 ss.; 152; 153 ss.; 158 ss.; 176 s., y en casi todas las composiciones de este período.

En los libros de sonetos *El silbo vulnerado* y *El rayo que no cesa* no abunda la bimembración, que, no obstante, sigue siendo la pluralidad predominante. Veamos un soneto:

> *Te me mueres de* casta y de sencilla:
> *estoy* convicto, *amor, estoy* confeso
> *de que, raptor intrépido de un beso,*
> *yo te libé la flor de la mejilla.*
>
> *Yo te libé la flor de la mejilla,*
> *y desde* aquella gloria, aquel suceso,

> *tu mejilla,* de escrúpulo y de peso,
> *se te cae* deshojada y amarilla (OC 218).

En ocho versos, cinco sintagmas no progresivos binarios. Véanse además los sonetos 5, 9, 18, 19, 20, 23, 25 de *El silbo vulnerado* y los sonetos 3, 4, 6, 22 de *El rayo que no cesa,* además de las composiciones de OC 191, II; 192, IV.

El sintagma binario es también el tipo de pluralidad que predomina en los dos grandes dramas *Quien te ha visto y quien te ve y sombra de lo que eras* y *El labrador de más aire,* si bien este último pertenece a época muy posterior. Ambos fueron compuestos siguiendo los modelos de Calderón y Lope de Vega.

Miguel Hernández tiende, pues, en este período inicial a bifurcar la frase. ¿Se trata de una necesidad expresiva interna? ¿Es el abocarse de un espíritu sosegado en moldes de serenidad y equilibrio? Cierto que el movimiento binario de la frase bimembrada suscita la impresión de sosiego y gravedad, contrabalanceo y solemnidad. Pero creemos que el poeta se deja arrastrar en muchos casos por este tipo de pluralidad y no por otros, directamente influenciado por la lectura de los autores clásicos y renacentistas. Miguel Hernández recibe hechos estos moldes expresivos y los utiliza, consciente o inconscientemente, pero sin que los haya vaciado de su virtualidad expresiva. El movimiento binario coopera, por ejemplo, a prestar a los sonetos de contenido amoroso y pasional la nota de dominio y contención.

Pero éste es sólo un estadio pasajero en la evolución hernandiana. Conforme Miguel va cobrando conciencia de sí mismo, y su personalidad poética se va afirmando, comienza a perder pie la bimembración, sustituida por otras pluralidades que encajan mejor con su genio creador y su mundo poético: la larga acumulación, la enumeración caótica, el sintagma ternario, etc.

HACIA ESTRUCTURAS
MÁS PERSONALES

El primer destello de verdadera originalidad en el uso de las pluralidades lo encontramos en el *Silbo de afirmación en la aldea.* El movimiento binario que había dominado en las composiciones anteriores comienza a agitarse interrumpiendo su ritmo de equilibrado balanceo con la frecuencia de sintagmas ternarios, cuaternarios, quinarios, etc. El nerviosismo y movimiento atropellado y caótico de la gran urbe exigía nuevos medios de expresión y Miguel Hernández llega a descubrirlos con su propia intuición artística. (Más adelante veremos cómo Pablo Neruda le enseñará el uso frecuente y habitual de este tipo de pluralidad):

> *Iba mi pie sin tierra, ¡qué tormento!,*
> *vacilando en la cera de los pisos,*
> *con un temor continuo, un sobresalto,*
> *que aumentaban los timbres, los avisos,*
> *las alarmas, los hombres y el asfalto.*

> *Topado por mil senos, embestido*
> *por más de mil peligros, tentaciones,*
> *mecánicas jaurías,*
> *me seguían lujurias y claxones,*
> *deseos y tranvías* (OC 182 s.).

Véase a este respecto toda la composición. La aglomeración de pluralidades de todos los tipos origina un movimiento inquieto e irregular. Miguel Hernández ha descubierto en estos versos lo que Leo Spitzer llama *enumeración caótica.* Los sentidos constatan sólo cómo las cosas más dispares y heterogéneas conviven, coexisten, no unidas, sino simplemente conglomeradas en un mundo desar-

ticulado. Ni fronteras de cosas, ni jerarquías de valores; el objeto
concreto junto a la abstracción, la máquina al lado del ser más
espiritual, el hombre junto a un ruido de timbre o de claxon.
Este conglomerado de objetos discordantes no entrelazados orgáni-
camente, nos da la imagen de la gran urbe como la vio Miguel
en aquel invierno de 1931-1932. El poeta llega a descubrir un
medio expresivo completamente moderno que comienza a sacarle
de su mundo cerradamente clasicista. La enumeración caótica, creación de la poesía moderna, es el reflejo de un mundo en que han
desaparecido todas las jerarquías no sólo sociales, sino también
entre los diversos reinos de la naturaleza imponiéndose una *demo-
cracia de las cosas*, según la expresión de Leo Spitzer [147]. Éstas
se hacen autónomas y una máquina, por ejemplo, cobra derechos
de igualdad junto al hombre:

> *un sobresalto*
> *que aumentaban los timbres, los avisos,*
> *las alarmas, los hombres y el asfalto* (OC 182).

Sin embargo, ¡cómo vuelve a dominar el movimiento sosegado
del sintagma no progresivo binario, al fin del poema, en aquellos
versos evocadores de la paz y quietud de la vida campestre!:

> *Las venas manantiales...*
> *me dan, en el pozal que les envío,*
> *pureza y lustración para la mano,*
> *para la tierra seca amor y frío.*
> ....
> *¡Cómo el limón reluce*
> *encima de mi frente y la descansa!*
> *¡Cómo apunta en el cruce*
> *de la luz y la tierra el lilio puro!*

---

[147] SPITZER, Leo, *o. c.*, pp. 25, 66, 76 y *passim*.

> Se combate la pita, y se remansa
> *el peregil en un aparte oscuro* (OC 189).

El ritmo alterado ha vuelto al sosegado cauce binario del principio de la composición.

El movimiento generalmente equilibrado de los sintagmas no progresivos experimenta violentas sacudidas a partir de *Otros poemas* (1935). Bajo el influjo de Vicente Aleixandre y Pablo Neruda comienza a aparecer regularmente el uso de enumeraciones marcadamente modernas. Objetos los más heterogéneos y dispares se amontonan en largas enumeraciones, ramificadas a su vez en pluralidades binarias, ternarias, etc., dando la impresión de un mundo primitivo y de selva virgen, exuberante y pleno de vida en jubiloso desorden:

> *racimos asaltados por avispas coléricas*
> *y abejorros tañidos, racimos revolcados*
> *en esas delicadas polvaredas*
> *que hacen en su alboroto mariposas y lunas;*
> *culebras que se elevan y silban sometidas*
> *a un régimen de luz dictatorial;*
> *chicharras que conceden por sus élitros*
> *aeroplanos, torrentes, cuchillos afilándose,*
> *chicharras que anticipan la madurez del higo,*
> *libran cohetes, elaboran sueños,*
> *trenzas de esparto, flechas de insistencia*
> *y un diluvio de furia universal* (OC 253 s.).

Por la larga enumeración se admira e intenta dominar mágicamente infinitos objetos del universo en su desbordante plenitud de vida.

La enumeración caótica de los efectos del vino imprime su ritmo violento aún a los sintagmas binarios, mezclados entre largas

enumeraciones, que pierden su fuerza expresiva característica para
incorporarse al movimiento torrencial del poema, enriqueciéndolo
y prestándole mayor abundancia y plenitud:

> *Viene a tu voz el vino episcopal,*
> *alhaja de los besos y los vasos*
> *informada de risas y solsticios,*
> *y malogrando llantos y suicidios,*
> *moviendo un rabo lleno de rubor y relámpagos,*
> *nos relame, muy bueno, nos circunda*
> *de lenguas tintas, de efusivo oriámbar,*
> *barriles, cubas, cántaros, tinajas,*
> *caracolas crecidas de cadera*
> *sensibles a la música y al golpe...*

> *De nuestra sangre ahora surten crestas,*
> *espolones, cerezas y amarantos;*
> *nuestra sangre de sol sobre la trilla*
> *vibra martillos, alimenta fraguas,*
> *besos inculca, fríos aniquila,*
> *ríos por desbravar, potros exprime*
> *y espira por los ojos, los dedos y las piernas*
> *toradas desmandadas, chivos locos* (OC 253).

La pluralidad más característica de *Viento del pueblo* —obra
de marcado carácter épico— es la *enumeración panegírica*. Una
larga serie de animales, insectos, instrumentos, hombres, truenos
y armonías celestes son enumerados en grandioso concierto para
expresar la gran conmoción de la naturaleza ante la muerte del
poeta Federico García Lorca:

> *Por hacer a tu muerte compañía,*
> *vienen poblando todos los rincones*
> *del cielo y de la tierra bandadas de armonía*
> *relámpagos de azules vibraciones.*

> *Crótalos granizados a montones,*
> *batallones de flautas, panderos y gitanos,*
> *ráfagas de abejorros y violines,*
> *tormentas de guitarras y de pianos,*
> *irrupciones de trompas y clarines* (OC 267).

Para cantar el valor de la raza hispánica, tan rica y variada
en tipos y tan única en su valentía y coraje, no halla mejor medio
que una poderosa orquestación verbal en que va enumerando en
laudatorio panegírico todos los pueblos de la península marcados
con sus datos característicos. La *enumeración panegírica* cobra en
este romance un sabor especial de popularismo, ya que el romance
gustaba, desde antiguo, de estas largas enumeraciones:

> *Asturianos de braveza,*
> *vascos de piedra blindada,*
> *valencianos de alegría*
> *y castellanos de alma,*
> *labrados como la tierra*
> *y airosos como las alas;*
> *andaluces de relámpago,*
> *nacidos entre guitarras,*
> *y forjados en los yunques*
> *torrenciales de las lágrimas;*
> *extremeños de centeno,*
> *gallegos de lluvia y calma,*
> *catalanes de firmeza,*
> *aragoneses de casta,*
> *murcianos de dinamita*
> *frutalmente propagada,*
> *leoneses, navarros, dueños*
> *del hambre, el sudor y el hacha,*
> *reyes de la minería,*
> *señores de la labranza...* (OC 271).

Frente a la enumeración panegírica del canto épico, la larga enumeración caótica para describir plásticamente un mundo de odios, horrores, miseria y muerte (OC 291).

Un prolongado sintagma no progresivo nos describe plásticamente por medio de 22 verbos el rápido cundir del incendio. La larga enumeración se ordena en forma de clímax, obteniendo un efecto intensificador. Reproducimos una parte de esta larga enumeración:

> *Cabalgan sus hogueras,*
> *trota su lumbre arrolladoramente,*
> *arroja sus flotantes y cálidas banderas,*
> *sus victoriosas llamas sobre el triste occidente.*

> *Purifica, penetra en las ciudades,*
> *alumbra, sopla, da en los rascacielos,*
> *empuja las estatuas, muerde, aventa:*
> *arden inmensidades*
> *de edificios podridos como leves pañuelos,*
> *cesa la noche, el día se acrecienta* (OC 300).

Este tipo de sintagma, ascendente e intensificador, lo encontramos también en los poemas *La fábrica-ciudad* y *Rusia* (OC 318; 320).

El sintagma no progresivo ternario y cuaternario aparece en algunos poemas de *El hombre acecha*, combinado con el binario, reproduciendo una atmósfera de solemnidad y grandeza en composiciones de carácter épico como *El vuelo de los hombres* (OC 323). En otros poemas comienza a aparecer el sintagma ternario, tan característico del *Cancionero*, con fuerza intensificadora, acentuando el carácter lírico e íntimo de ciertos poemas. Con frecuencia los tres miembros del sintagma, lejos de ser tautológicos, se ordenan en forma de clímax con notable aumento de su poder intensificador:

> Allí, bajo la cárcel, la fábrica del llanto,
> el telar de las lágrimas que no ha de ser estéril,
> el casco de los odios y de las esperanzas,
> fabrican, tejen, hunden (OC 332; 335).

> Para la libertad sangro, lucho, pervivo.
> Para la libertad, mis ojos y mis manos,
> como un árbol carnal, generoso, cautivo,
> doy a los cirujanos (OC 329).

En el *Cancionero y romancero de ausencias*, más reconcentrado, íntimo y parco en palabras, disminuye notablemente el empleo de las pluralidades. Si bien el sintagma no progresivo binario es el que más abunda —cosa nada extraña dada su facilidad—, descuella en este libro por su novedad, relativa insistencia y profunda unión con la temática, el sintagma de tipo ternario. El pensamiento de Miguel Hernández, que está llegando a su máximo de hondura y concentración, gusta expresarse en trípticos de profundo sentido, que a veces se intensifican en forma de clímax, o aparecen al fin del poema como concentración y fruto de una reflexión profunda:

> Llegó con tres heridas:
> la del amor,
> la de la muerte,
> la de la vida.

> Con tres heridas viene:
> la de la vida,
> la del amor,
> la de la muerte.

> Con tres heridas yo:
> la de la vida,
> la de la muerte,
> la del amor (OC 363, 9).

> *Todas las casas son bocas*
> *que escupen, muerden y besan...*
> *Y a un grito, todas se aplacan,*
> *y se fecundan y esperan* (OC 365, 13).

> *Fieras, hombres, sombras.*
> *Soles, flores, mares.*
> *Cogedme* (OC 369, 25).

> *Son míos, ¡ay! son míos*
> *los bellos cuerpos muertos,*
> *los bellos cuerpos vivos,*
> *los cuerpos venideros* (OC 379, 51).

> *Fue una alegría que dolió de tanto*
> *encenderse, reírse, dilatarse...*

> *Fue una alegría para siempre sola,*
> *para siempre dorada, destellante* (OC 384, 64).

Cfr. los sintagmas ternarios de OC 364, 10, 11, 12; 388, 72; 389, 76; 396, 90, 91; 399, 93; 403, 98; 420; 424; 426; y sobre todo OC 427; 429 s.; 431.

Dando una interpretación biográfica al fenómeno de las pluralidades en Góngora, ha constatado Dámaso Alonso que a la ilusión y entusiasmo vital del período juvenil corresponde una gran proporción de versos bimembres y a los períodos de desilusión un índice bajo. La gran abundancia de sintagmas binarios en el primer período de la producción de Miguel Hernández —personalidad lírica tan diversa— revela, ante todo, un espíritu que se despierta a la poesía hondamente impregnado de esencias clásicas, bebidas en sus numerosas lecturas. La presencia de las enumeraciones panegíricas serían la expresión de la verbosidad retórica de una imaginación desbocada de principiante, sin el freno de la inteligencia y voluntad artística. La impetuosa personalidad del poeta

se vislumbra por primera vez en las enumeraciones caóticas del
Silbo de afirmación en la aldea, estalla en toda su arrolladora plenitud vital en las abundantes enumeraciones caóticas de *Otros
poemas* (OC 233) y en las enumeraciones panegíricas de *Viento
del pueblo,* escrito en un período de gran entusiasmo juvenil y
bélico. Por fin va acallándose en el *Cancionero,* su obra cumbre,
en que el pensamiento concentrado del poeta se vacía preferentemente en sintagmas ternarios, en forma de trípticos de hondo
sentido.

2. — *LA CORRELACIÓN*

La correlación, cuya existencia queda ya constatada en la anti-
gua Poética india con el nombre de *yatha-samkhya* [148], goza de
una larga tradición en las bellas letras europeas desde la literatura
griega y latina. Continuando su uso a través de la Edad Media,
logra un gran incremento en el empleo frecuente que de ella hizo
Petrarca, y por medio de él se generaliza en las literaturas europeas
modernas, llegando a un período de verdadero apogeo en el gran
Siglo de Oro español. Carlos Bousoño prueba que en la literatura
española moderna la técnica correlativa ha sido usada, con más

---

[148] BOLTE, Johannes, *Die indische Redefigur Yatha-samkhya in europäischer Dichtung.* En *Seis calas en la expresión literaria española,* Dámaso
ALONSO investiga los modelos latinos y griegos de la poesía correlativa
(p. 301) y el impulso dado a la correlación por Petrarca y sus imitadores (página 85) y Carlos BOUSOÑO estudia su empleo en la lírica española moderna.
BOLTE presenta muchos ejemplos de la correlación en latín medieval y en
francés, inglés y alemán de los siglos XVI y XVII. Bruno BERGER, *Vers rapportés,* se detiene más bien a estudiar la correlación en el Renacimiento
francés. Esta figura retórica recibe en la Edad Media los nombres más diversos : *metrum applicatum, versus applicati, versus trutannici, redde sin-
gula singulis,* y es designada por J. C. Scaliger, *Poetice* lib. 2, c. 30 (1561),
con el nombre de *versus correlativi,* que adoptamos, siguiendo a Dámaso
Alonso, con su derivado *correlación.*

o menos intensidad, por casi todos nuestros grandes poetas hasta Dámaso Alonso y Vicente Aleixandre, en los que se hace de uso frecuentísimo, si bien sufriendo algunas modificaciones formales.

Correlación es la superposición de varios conjuntos semejantes o pluralidades, en las que cada miembro de la primera pluralidad halla su correspondiente en los miembros de las pluralidades siguientes.

Aclaramos esta definición con un ejemplo sencillísimo tomado de *Alabanza del árbol* (OC 160):

> *¿Dónde pondrán su vuelo* (A1) *y su manida* (A2),
> *las brisas* (B1) *y las plumas?* (B2)

Los versos contienen dos *pluralidades de correlación* (A y B), o sea, en cada línea horizontal hay una pluralidad, en este caso bimembre (A1 A2 y B1 B2). El primer miembro del primer conjunto (A1) corresponde al primer miembro del segundo conjunto (B1) y el segundo miembro del primer conjunto (A2) al segundo miembro del segundo conjunto (B2). Como los dos miembros A1 y B1 se corresponden y continúan su sentido, estos versos correlativos se podrán leer también verticalmente, uniendo los miembros que se corresponden y trocando la correlación en un paralelismo de versos. Los reproducimos en forma paralelística, aclarando su sentido:

> *¿Dónde pondrán su vuelo* (A1) *las brisas?* (B1)
> *¿Dónde pondrán su nido* (A2) *las aves?* (B2)

Enfrentemos ahora el esquema de estos versos vistos como conjunto correlativo o paralelístico para percibir claramente su diferencia:

Correlación		Paralelismo	
A1	A2	A1	B1
B1	B2	A2	B2

A indica el contenido conceptual genérico de la primera pluralidad, B el de la segunda pluralidad. Los subíndices indican la modificación específica del contenido genérico en cada miembro de la pluralidad. Así, B_2 indica el concepto genérico de la segunda pluralidad (objetos que vuelan) con el contenido específico del miembro 2 (B_2 las plumas, aves).

LA CORRELACIÓN PROGRESIVA

El fenómeno correlativo impregna poderosamente la poesía hernandiana. Fijando ahora nuestra atención sobre la correlación progresiva, encontramos ya muy al principio de la actividad poética de Miguel un poema híbrido de correlación y paralelismo, intrincado, enigmático y de orientación conceptista. La correlación es perfecta, si bien excesivamente calculada, fría y poco animada de vida y calor lírico. La estructura correlativa de este poema es desconocida por Zardoya, Guerrero Zamora y Bousoño, en sus respectivos estudios sobre Miguel Hernández. Precisamente por ello lo vamos a estudiar con más detención, como haremos a lo largo de este estudio con los aspectos y poemas hasta ahora no tenidos en consideración.

Se trata del poema *Mar y Dios* (OC 149). Ignoramos exactamente la fecha de su composición, pero por motivos internos deducimos que debió ser compuesto alrededor de 1933, dado su empaque de clara ascendencia barroca y conceptista. Reproducimos las estrofas 4 y 5, de gran perfección y claridad de estructura:

> [*Tú*] (A_1) *En el mundo depones* (B_1) *tu amargura*
> *impalpable* (C_1), *y el sol* (A_2) *la consolida* (B_2)
> *en situación palpable de figura* (C_2).
>
> *La dispersión* (C_1), *al cabo recogida* (C_2),
> *la leve nada* (C_1) *demasiado grave* (C_2),
> *reposo cano* (C_2) *la azulada huida* (C_1).

La composición, de carácter alegórico, encierra un doble sentido: la mar deposita en la tierra su amargura y salubridad impalpable, leve, azulada, y el sol la consolida y recoge convirtiéndola en sal ("grave reposo cano"). El segundo sentido es más hondo: Dios deposita en el mundo la materia primera ("leve nada") de la que se forma el mundo por acción de las causas segundas ("sol"). La primera estrofa presenta una estructura paralelística perfecta, si sobreentendemos el sujeto *Tú* (mar o Dios), tácito en el verbo *depones*. Los dos últimos elementos del paralelismo —"amargura impalpable", "figura palpable"— constituyen la pluralidad básica sobre la que se construye la correlación progresiva bimembre de cuatro pluralidades. Véase su estructura esquemática:

$$A_1 \quad B_1 \quad C_1 \qquad A_2 \quad B_2 \quad C_2$$
$$C_1 \qquad\qquad\qquad C_2$$
$$C_1 \qquad\qquad\qquad C_2$$
$$C_1 \qquad\qquad\qquad C_2$$

Obsérvese cómo los dos miembros de cada pluralidad son marcadamente antitéticos entre sí. A veces el contraste queda realzado por la absoluta semejanza externa de sus elementos. Así, en la pluralidad cuarta: "reposo cano (C_2) la azulada huida" (C_1), en que ambos miembros constan de un sustantivo y un adjetivo de significado antitético. Como los miembros no se repiten, la correlación es progresiva. El doble hilo del pensamiento se halla aquí en posición paratáctica —el uno junto al otro—. Para ver más claramente cómo la idea se desarrolla y progresa —correlación progresiva— presentamos a continuación la versión paralelística de estas estrofas:

[*Tú*] (A_1) *depones* (B_1) *en el mundo tu amargura impalpable* (C_1), *dispersión* (C_1), *leve nada* (C_1), *azulada huida* (C_1); *y el sol* (A_2) *la consolida* (B_2) *en situación palpable de figura* (C_2), *al cabo recogida* (C_2) *demasiado grave* (C_2) [*en*] *reposo cano* [= *sal*] (C_2).

También en *Citación final* (OC 139) descubrimos una estructura híbrida de correlación y paralelismo:

> Vino (A₁) *la muerte* (B₁) *del chiquero* (C₁): *vino* (A₂)
> *de la valla, de Dios* (C₂) *hasta su encuentro*
> *la vida* (B₂) *entre la luz, su indumentaria;*
> *y las dos se pararon en el centro*
> *ante la una mortal* (D₁) *la otra estatuaria* (D₂).
>
> *Pero una vez —había de ser una—*
> *es copada la vida* (B₂) *por la muerte* (B₁).

Las dos últimas pluralidades aparecen en posición paratáctica, por lo que la estructura es híbrida. La última pluralidad es reiteración de la pluralidad $B_1 B_2$. Ofrecemos el esquema que no nos puede reflejar el carácter híbrido de la estructura de estos versos:

$$A_1 \qquad A_2$$
$$B_1 \quad B_1 \qquad B_2 \quad B_2$$
$$C_1 \qquad C_2$$
$$D_1 \qquad D_2$$

El rayo que no cesa se abre con una bien lograda estructura correlativa —desconocida por Zardoya, C. Bousoño y J. Guerrero Zamora—, que no quita en nada espontaneidad e impulso lírico al poema, sino que constituye el medio expresivo adecuado para la comunicación del contenido temático, subrayando la simultaneidad de los dos efectos del "carnívoro cuchillo", que destacan con mayor nitidez y fuerza al ir apareciendo juntos en duro contraste en cada uno de los versos. Resulta un medio excelente de intensificación antitética prolongada a lo largo de todo el poema. Transcribimos las estrofas 1, 2, 8 y 9, únicas de estructura correlativa:

> 1) *Un carnívoro cuchillo*
> *de ala dulce* (A₁) *y homicida* (A₂)

sostiene un vuelo (B₁) y un brillo (B₂)
alrededor de mi vida.

2) Rayo de metal crispado
fulgentemente caído (C₂),
picotea mi costado .
y hace en él un triste nido (C₁).

8) Pero al fin podré vencerte,
ave (D₁) y rayo (D₂) secular,
corazón, que de la muerte
nadie ha de hacerme dudar.

9) Sigue, pues, sigue, cuchillo,
volando (E₁), hiriendo (E₂). Algún día
se pondrá el tiempo amarillo
sobre mi fotografía (OC 213 s.).

La composición es de una gran riqueza de contenido. Al "carnívoro cuchillo" del primer verso se le atribuye un doble efecto
contrapuesto: "dulce" (A₁) y "homicida" (A₂). En consecuencia,
la imagen inicial se bifurca en otras dos: "ave" (D₁) y "rayo" (D₂),
que forman la pluralidad básica de la correlación. La doble imagen
se desarrolla paralelamente a lo largo del poema y esta dualidad
temática busca como medio expresivo el más adecuado: la correlación bimembre con las cinco pluralidades progresivas que aquí
presenta.

El sistema de correlaciones abunda en *El rayo que no cesa*,
donde encontramos el soneto 22: *Vierto la red, esparzo la semilla* (OC 225), perfecta correlación bimembre progresiva y dis-
continua, cuidadosamente estudiada por Carlos Bousoño [149]. Reproducimos el soneto indicando esquemáticamente la forma correlativa
de sus pluralidades:

---

[149] *Seis calas en la expresión literaria española*, p. 292.

Vierto la red (A_1), esparzo la semilla (A_2)
entre ovas, aguas (B_1), surcos y amapolas (B_2),
sembrando a secas (C_2) y pescando a solas (C_1);
de corazón ansioso y de mejilla.

Espero a que recaiga en esta orilla
la lluvia con sus crines y sus colas;
relámpagos sujetos a las olas
desesperando espero en esta orilla.

Pero transcurren lunas y más lunas,
aumenta de mirada mi deseo
y no crezco en espigas (D_2) o en pescados (D_1).

Lunas de perdición como ningunas
porque sólo recojo y sólo veo
piedras como diamantes eclipsadas (OC 225).

El soneto 8 (OC 217) nos ofrece estos versos correlativos descubiertos por Bousoño:

A tu pie, tan espuma (A_1) como playa (A_2),
arena (B_2) y mar (B_1) me arrimo (C_1) y desarrimo (C_2).

Los sonetos 17 y 21 de *El rayo que no cesa* están construidos a base de correlaciones sin especial complicación y la *Elegía a Ramón Sijé* (OC 229) presenta también una estructura correlativa en los tercetos séptimo y octavo. Otros ejemplos pueden verse en OC 208, 24; 268.

También el *Cancionero* nos ofrece algunos ejemplos bien logrados de correlación poética. En dos casos es ésta de gran sencillez, bimembre o trimembre, entrecruzándose en su estructura la correlación y el paralelismo:

¿Qué pasa? (A_1)
Rencor por tu mundo (A_2),
amor por mi casa (A_3).

> ¿*Qué suena?* (B₁)
> *El tiro en tu monte* (B₂),
> *el beso en mis eras* (B₃).
>
> ¿*Qué viene?* (C₁)
> *Para ti una sola* (C₂),
> *para mí dos muertes* (C₃) (OC 376).
>
> *Cogedme, cogedme* (A₁).
> *Dejadme, dejadme* (A₂).
>
> *Fieras, hombres, sombras* (B₂).
> *Soles, flores, mares* (B₁).
>
> *Cogedme* (A₁).
>
> *Dejadme* (A₂) (OC 369).

También tropezamos en el *Cancionero* con otra correlación de gran complejidad, en que cuatro pluralidades progresivas se des- arrollan hasta formar tres o cuatro miembros y algunos versos se ordenan en parejas de conjuntos paralelos. Carlos Bousoño estudia esta correlación con toda detención. Reproducimos parte del poema indicando las diversas pluralidades con sus miembros:

> *Rueda* (A₁) *que irás muy lejos.*
> *Ala* (A₂) *que irás muy alto.*
> *Torre* (A₃) *del día, niño* (A₄).
> *Alborear del pájaro.*
> *Niño* (A₄): *ala* (A₂), *rueda* (A₁), *torre* (A₃).
> *Pie* (B₄). *Pluma* (B₂). *Espuma* (B₁). *Rayo* (B₃).
> *Ser como nunca ser.*
> *Nunca serás en tanto...*
>
> *Pasión del movimiento:*
> *la tierra es tu caballo.*

> *Cabálgala. Domínala.*
> *Y brotará en su casco*
> *su piel de vida y muerte,*
> *de sombra y luz, piafando.*
> *Asciende* (C₂). *Rueda* (C₁). *Vuela* (C₂),
> *creador del alba y mayo* (OC 380).

Finalmente reproducimos una correlación tetramembre de cinco pluralidades progresivas. Está tomada de *El labrador de más aire* (OC 752), y representa un recurso muy típico del teatro del Siglo de Oro. Miguel Hernández lo emplea para prolongar durante largo tiempo el paralelismo de reacciones psicológicas de los cuatro personajes en escena: Baltasara, Luisa, Teresa, Rafaela. Cada una de ellas sigue su discurso independientemente, pero en perfecta igualdad de reacciones, ya que las cuatro coinciden en la base: todas están enamoradas de Juan, el labrador de más aire:

BALTASARA.	*Parezco la misma luna* (A₁).
LUISA.	*Parezco la misma fuente* (A₂).
TERESA.	*Al mismo sol doy envidia* (A₃).
RAFAELA.	*La misma luz me apetece* (A₄).
LUISA.	*Entonces, ¿por qué me esquiva?* (B₂).
BALTASARA.	*¿Por qué a mí, entonces, no viene?* (B₁).
TERESA.	*¿Por qué no me atiende amante?* (B₃).
RAFAELA.	*¿Y por qué me desatiende?* (B₄).
LUISA.	*¿Voy a la flor de mis años*
	a perderla y a perderme
	amando a quien no me ama? (C₂).
BALTASARA.	*¿Queriendo a quien me desquiere?* (C₁).
TERESA.	*¿Siguiendo a quien no me sigue?* (C₃).
RAFAELA.	*¿Deseando inútilmente?* (C₄).
LUISA.	*Volveré a Alonso mis ojos* (D₂).
BALTASARA.	*A Roque quiero volverme* (D₁).

TERESA.	*Yo me volveré a Lorenzo* (D$_3$).
RAFAELA.	*Y yo a Lázaro, y si éste* (D$_4$)
	tampoco me hiciera caso,
	a Tomaso, aunque reviente
	escuchando tonterías
	sin arropes y sin mieles.
	¡Se acabó Juan para mí! (E$_4$).
LUISA.	*¡Nunca más he de quererle!* (E$_2$).
BALTASARA.	*¡Se acabó Juan!* (E$_1$).
TERESA.	*¡Se acabó!* (E$_3$).
LAS CUATRO.	*¡Y se acabó para siempre!* (E$_{1234}$).

LA CORRELACIÓN REITERATIVA

La correlación reiterativa, sobre todo en su tipo *diseminación-recolección*, es increíblemente abundante en la literatura española del Siglo de Oro, Calderón, en su teatro, llega a emplearla hasta el hastío.

En el poema *La morada amarilla* se nos ofrece un ejemplo sencillo y claro de este artificio con dos pluralidades tetramembres, en la estrofa que comienza *Por viento al horizonte va el molino* (OC 144). *El silbo del dale* y *El silbo de las ligaduras* (OC 175 s.) constituyen dos ejemplos de correlación diseminativo-recolectiva, si bien el primero de ellos no recoge todos los miembros diseminados.

Guerrero Zamora cree haber agotado las correlaciones del *Cancionero* citando la canción 55 *Rueda que irás muy lejos* y el poemita 25 *Cogedme, cogedme.* Además de la canción 42 ya estudiada, descubrimos en el *Cancionero* una correlación bien lograda, ignorada hasta ahora por los estudiosos de Miguel Hernández:

Uvas (A$_1$), *granadas* (A$_2$), *dátiles* (A$_3$),
doradas (B$_1$), *rojas* (B$_2$), *rojos* (B$_3$),

hierbabuena del alma (A$_4$),
azafrán de los poros (A$_5$).

Uvas (A$_1$) *como tu frente,*
uvas como tus ojos.
Granadas (A$_2$) *con la herida*
de tu florido asombro.

Dátiles (A$_3$) *con la esbelta*
ternura sin retorno.
Azafrán (A$_5$), *hierbabuena* (A$_4$)
llueves a grandes chorros
sobre la mesa pobre,
gastada, del otoño... (OC 394).

La correlación es mixta de progresión y reiteración. Como progresiva consta de dos pluralidades trimembres A y B : "uvas, granadas, dátiles", "doradas, rojas, rojos" en perfecta correspondencia. Pero, por otra parte, la canción tiene estructura reiterativa del tipo —diríamos en este caso— *recolección-diseminación,* ya que los diversos miembros aparecen primero reunidos y después se van repitiendo a lo largo del poema. Como correlación recolectivo-diseminativa consta de dos pluralidades pentamembres. La formulación esquemática de las diversas pluralidades de esta correlación sería :

$$A_1 \quad A_2 \quad A_3 \quad A_4 \quad A_5$$
$$B_1 \quad B_2 \quad B_3$$
$$A_1 \quad A_2 \quad A_3 \quad A_4 \quad A_5$$

La artificiosidad moderada de esta composición no quita nada a su espontaneidad y frescura. El poema se mueve en una región de verdadera poesía dentro del mundo silencioso e íntimo de que brota todo el *Cancionero.*

Cualquiera que conozca la arquitectura del teatro calderoniano, profundamente fundamentado en abundantísimas correlaciones de todos sus tipos y subtipos, no se extrañará al tropezar también en el auto de Miguel Hernández con esta forma estructural. Dos correlaciones de tipo diseminativo-recolectivo saltan a la vista en la escena III de la parte primera (OC 449 s.). No nos detenemos en ellas por representar el tipo corriente de correlación reiterativa.

También en la parte II (OC 522), el hombre recoge e interpreta el sentido de los ecos, reproduciéndolos en forma de correlación en una escena de gran originalidad (IX), que no reproducimos por su gran amplitud. Otros ejemplos en OC 709 s.; 316.

La correlación diseminativo-recolectiva constituye como un marco del poema que lo redondea y le comunica una estructura perfecta y cerrada. En las obras dramáticas sirve para prestar formas arquitectónicas al teatro.

Difícil es querer sacar conclusiones sobre los rasgos estilísticos de un escritor a base del estudio de la correlación. Durante largo tiempo estuvo ésta desposeída de todo valor dada su forma rígidamente geométrica, muestra sólo de ingenio y laboriosidad. En esta forma exagerada perjudicaba gravemente al poema, ahogando todo halo de verdadera poesía. El poeta se convertía en prestidigitador hábil para jugar a un tiempo con varias imágenes o conceptos [150]. En la poesía moderna, entregándose a ciertas libertades e irregularidades, adquiere esta forma mayores posibilidades expresivas.

La estructura correlativa es descubierta por Miguel Hernández en el período neogongorino, y mezclada con el paralelismo, halla su más exacerbada expresión en *Mar y Dios*, poema conceptista, cuya forma esquemática y geométrica ahoga la fuerza y calor lírico. El poeta nos prueba, sin embargo, que ya al principio de su actividad poética dominaba la técnica de la correlación. En *El rayo que no cesa* deja ésta de ser ingenioso juego de conceptos para

---

[150] Es la crítica que desde el siglo XVI se venía haciendo con frecuencia a la correlación. Cfr. BERGER, pp. 3, 11, 13.

convertirse en verdadero elemento expresivo al servicio de un mensaje lírico. El fenómeno correlativo logra su máxima intensidad y abundancia (seis poemas correlativos) en este libro. La correlación no se somete aquí a moldes geométricos exageradamente artificiosos, sino que prefiere la simple bimembración y una estructura bastante libre y flexible, lejos de la rigidez simétrica. Con esta modalidad, la correlación no ahoga, sino que intensifica, con frecuencia por el contraste de miembros correlativos, la emoción lírica. Observemos cómo el predominio de la correlación corresponde a los sonetos amorosos. Con ello denunciamos indirectamente la huella de la tradición petrarquista en tema y estructura. Pero la correlación hernandiana de este libro logra superar el escollo de la artificiosidad excesiva y se sujeta y pone al servicio del contenido lírico. Así, en el primer poema de *El rayo que no cesa* la correlación bimembre brota verdaderamente del contenido lírico y sirve de soporte a la doble imagen que entrecruza todo el poema.

3. — EL PARALELISMO

El paralelismo, procedimiento íntimamente emparentado con la correlación, se distingue de ella sólo en la diferente posición de las diversas pluralidades. La parataxis de la correlación es sustituida por la colocación hipotáctica de los conjuntos semejantes en el paralelismo. Para mayor claridad recurrimos a un ejemplo sencillísimo ya aducido arriba:

¿Dónde pondrán su vuelo (A₁) y su manida (A₂)
    las brisas (B₁) y las plumas? (B₂)

Las dos pluralidades se hallan en posición correlativa o paratáctica. Las flechas o conjuntos semejantes en dirección horizontal. El para-

lelismo, por el contrario, coloca las pluralidades hipotácticamente,
o sea, en posición vertical:

Correlación		Paralelismo	
A_1	A_2	A_1	B_1
B_1	B_2	A_2	B_2

Ofrecemos la versión paralelística de los versos antes citados,
aclarando su sentido:

> *¿Dónde pondrán su vuelo* (A_1) *las brisas?* (B_1)
> *¿Dónde pondrán su nido* (A_2) *las aves?* (B_2).

El paralelismo impregna la obra hernandiana anterior al *Cancionero* de un modo leve y pasajero. Sin embargo, ya al principio
de ella encontramos en el poema *Mar y Dios* (OC 149) un ejemplo
de paralelismo que nos llama la atención por lo complicado de su
estructura:

> *Elevando* (A_1) *tus nadas* (B_1) *hasta el bulto* (C_1),
> *creando y descubriendo* (A_2) *vas presencias* (C_2)
> *y llevas* (E_2) *las presentes* (D_2) *a lo oculto* (F_2).
>
> *Inexistencias* (B_3) *paren* (A_3) *existencias* (C_3),
> *se cela* (E_3) *en lo secreto* (F_3) *lo patente* (D_3),
> *nacen* (A_4), *mueren* (E_4), *sigilos* (B_4), *evidencias* (D_4).

He aquí la fórmula esquemática de estos conjuntos paralelos:

A_1	B_1	C_1		D_2	E_2	F_2
A_2		C_2		D_3	E_3	F_3
A_3	B_3	C_3		D_4	E_4	
A_4	B_4					

A lo largo de las dos estrofas se desarrollan cuatro conjuntos paralelísticos irregulares, ya que faltan algunos de sus elementos. Cada unidad paralelística, exceptuada la primera, consta de dos partes, de dirección significacional antitética. El contenido de las estrofas parece ser el siguiente: en el continuo movimiento del mar —sentido literal— se levantan olas ("bulto", "presencia", "existencias") de la nada y vienen a perderse de nuevo en la nada ("nadas", "oculto", "secreto"), proceso semejante —sentido alegórico— al que ocurre en el seno de Dios (concepción panteísta del universo), del que brotan las cosas y en el que vuelven a desaparecer de nuevo.

Reproducimos los conjuntos paralelos ordenados según el esquema:

Elevando (A_1) *tus nadas* (B_1) *hasta el bulto* (C_1),
creando y descubriendo (A_2) *vas presencias* (C_2), *y las presentes* (D_2) *llevas* (E_2) *a lo oculto* (F_2).
Paren (A_3) *inexistencias* (B_3) *existencias* (C_3), *lo patente* (D_3) *se cela* (E_3) *en lo secreto* (F_3),
nacen (A_4) *sigilos* (B_4), *evidencias* (D_4) *mueren* (E_4).

El soneto 2 de *El rayo que no cesa* nos provee de un ejemplo de paralelismo complejo. Los dos cuartetos y los dos tercetos están construidos paralelamente. Por su complicada estructura lo reproducimos indicando sus diversos miembros paralelos. Por no parecernos convincente la distribución de miembros que presenta J. Guerrero Zamora [151], cambiamos el esquema de los dos tercetos:

¿No cesará (A_1) *este rayo* (B_1) *que me habita* (C_1)
el corazón (D_1) *de exasperadas fieras* (E_1)
y de fraguas coléricas y herreras (F_1)
donde el metal más fresco se marchita?

---

[151] *Miguel Hernández, poeta*, p. 238.

¿No cesará (A₂) esta terca estalactita (B₂)
de cultivar (C₂) sus duras cabelleras (E₂)
como espadas y rígidas hogueras (F₂)
hacia mi corazón (D₂) que muge y grita?

Este rayo (A₁) ni cesa ni se agota;
de mí mismo tomó su procedencia (B₁)
y ejercita en mí mismo (C₁) sus furores (D₁).

Esta obstinada piedra (A₂) de mí brota (B₂)
y sobre mí dirige la insistencia (C₂)
de sus lluviosos rayos destructores (D₂).

Es en el *Cancionero y romancero de ausencias* donde el paralelismo cobra una importancia decisiva. En él tropezamos con algunos poemas de estructura paralelística conceptual y formal perfecta
y compleja. Pero, aun sin llegar a esta perfección paralelística, la
mayor parte de los poemas de este libro se alzan sobre una tra-
bazón interna de paralelismos más o menos amplios, a veces meramente conceptuales.

Ofrecemos un ejemplo de bastante complejidad:

Besarse (A₁), mujer (B₁),
al sol (C₁), es besarnos (D₁)
en toda (E₁) la vida (F₁).
Ascienden (G₁) los labios (H₁)
eléctricamente
vibrantes de rayos (I₁),
con todo el furor
de un sol (J₁) entre cuatro (K₁).

Besarse (A₂) a la luna (C₂),
mujer (B₂), es besarnos (D₂)
en toda (E₂) la muerte (F₂).
Descienden (G₂) los labios (H₂)

en toda la luna
pidiendo su ocaso (J₂),
gastada y helada (I₂)
y en cuatro pedazos (K₂) (OC 372).

Ante la extraordinaria abundancia del paralelismo en el *Cancionero*, se nos plantea el problema del sentido estético de este medio expresivo. ¿Por qué lo elige precisamente Miguel Hernández como estructura fundamental de este libro? ¿Qué características esenciales le presta el paralelismo?

Conocido el parentesco entre el paralelismo y la correlación, notemos también sus diferencias. La correlación es un medio estilístico más del intelecto, trabajado y artificial, mientras la comunicación poética a base de frases paralelas es un recurso espontáneo y característico de la lírica popular. El pueblo ha gustado siempre de la reiteración en sus diversas manifestaciones: paralelismo, estribillo, etc., y el movimiento neopopularista de la lírica moderna ha vuelto a este medio expresivo, brotado del alma popular y libre de todo rebuscamiento y artificiosidad.

El sistema paralelístico se basa en la reiteración, recurso expresivo frecuente en la conversación y de los más espontáneos y naturales. En efecto, la reiteración, según Pongs [152], representa en su origen un modo primitivo de pensamiento ligado al objeto. Incapaz el hombre primitivo de obtener una visión de conjunto, va encadenando los objetos unos a otros e intenta por la repetición mágica mediante el amontonamiento cuantitativo alcanzar el supremo grado de intensidad expresiva. En la lírica popular se intenta fijar por la reiteración lo permanente, lo eternamente humano en formas cuantitativo-intensivas y estético-simétricas. Sabido es cómo en lenguas de gran sencillez estructural, como la hebrea, se usa la repetición del vocablo como expresión de una idea super-

---

152 Pongs, I, pp. 120-124.

lativa —como aparece en los hebraísmos *canticum canticorum,*
sancta sanctorum— o se reitera la misma raíz verbal (*gaudens gau-*
debo, auditione audivi) para subrayar la perfección o intensidad de
una acción. También los niños usan en sus cuentos este medio de intensificar a base de la reiteración: "Érase una noche muy oscura, muy
oscura, muy oscura"... Es como si en tales expresiones cada uno
de estos sintagmas reiterativos heredara en su plenitud el significado del precedente y lo enriqueciera con el propio. Así, el último
sintagma queda intensificado con el contenido lírico de todos los
anteriores. Lo mismo hace observar Bousoño [153] con respecto a la
reiteración conceptual, en que no se repiten los mismos vocablos,
pero sí idéntico contenido ideológico.

El paralelismo con el golpear ininterrumpido e inacabable de sus
oleadas va intensificando los sentimientos del poema y prestando
relieve siempre creciente al mensaje lírico. Veámoslo en una canción de Miguel Hernández:

> No salieron jamás
> del vergel del abrazo,
> y ante el rojo rosal
> de los besos rodaron.
>
> Huracanes quisieron
> con rencor separarlos.
> Y las hachas tajantes.
> Y los rígidos rayos.

Paralelismos como oleadas van llenando y cargando de emoción el poema. Los tres paralelismos se suceden en forma de clímax, medio estilístico también de carácter intensificador. Por todos
los medios el poeta intenta hacer llegar a su máximo la tensión
y emoción lírica. Las oleadas de paralelos se reiteran:

---

153 *Teoría de la expresión poética,* p. 211.

> Aumentaron la tierra
> de las pálidas manos.
> Precipicios midieron
> por el viento impulsados
> entre bocas deshechas.
> Recorrieron naufragios
> cada vez más profundos,
> en sus cuerpos, sus brazos.

Los conjuntos paralelísticos van acrecentando la emoción hasta concentrarse en el último. Apenas acabada esta serie paralelística, otra nueva viene a sustituirla apoyada en su fuerza intensificadora por un crescendo o clímax:

> Perseguidos, hundidos
> por un gran desamparo
> de recuerdos y luna,
> de noviembres y marzos,
> aventados se vieron:
> pero siempre abrazados (OC 367).

La tensión poemática ha llegado a su cumbre, a una altura inalcanzable. ¿Dónde estarán los amantes después de tantas catástrofes desencadenadas contra ellos: huracanes, hachas, rayos, precipicios, naufragios? El poema se cierra con el hondo contraste emocional provocado por el último verso: "pero siempre abrazados". Para comunicar hondura de sentimiento a sus poemas, el poeta se ha servido de todas las figuras de la intensificación.

Canciones parecidas a la anterior, fundadas en la intensificación paralelística y el contraste final, encontramos también en OC 377, 46; 378, 49; 390, 78.

La mayor parte de los poemas del *Cancionero y romancero de ausencias* gozan de una estructura paralelística; esta forma estructural interna caracteriza, pues, a este libro. El paralelismo es, con otros medios estilísticos de la intensificación lírica : reiteración, clímax, estribillo, etc., el recurso seleccionado por el poeta para hacer desbordar la emoción de estos poemas. Esto, unido a la imagen del libro silenciosa e íntima, y al lenguaje sencillo y libre de toda artificiosidad, le prestan una hondura de emoción inigualable y superior al resto de la obra hernandiana.

El paralelismo, que aparece raras veces y casi siempre en unión con la correlación, y carece de importancia a lo largo de la obra hernandiana, impregna, pues, poderosamente los poemas del *Cancionero* y se convierte en el portador principal de la intensa emoción lírica de este libro. Esta técnica estructural brota espontáneamente de una necesidad expresiva y marca una absoluta madurez e independencia en la selección de los medios estilísticos. Por encima del paralelismo formal riguroso, expresión de lo típico y estático, predomina en Miguel Hernández la *variación*, el paralelismo conceptual, en que el mismo motivo o pensamiento va adoptando formas diversas que se suceden en continuas oleadas. La variación revela un sentimiento de la vida más dinámico, e intenta hacer subir de grado la intensidad emocional mediante la repetición cuantitativa.

Conclusión

LA PERSONALIDAD POÉTICA DE MIGUEL HERNÁNDEZ. SU PUESTO EN LA LÍRICA ESPAÑOLA MODERNA

Hemos intentado, ante todo, enfrentarnos directamente con la obra misma de Miguel Hernández. Partiendo de una intuición y vista de conjunto, que nos dio a conocer sus aspectos más interesantes y reveladores, hemos tratado de penetrar en el centro mismo de la obra artística mediante el estudio analítico de sus medios expresivos, en la convicción de que todos ellos no son sino irradiación y proyección del espíritu y genio creador del artista, en quien todos hallan su unidad y última explicación. El estudio detallado de la obra nos ha ido revelando rasgos característicos del estilo hernandiano, la honda problemática existencial del poeta y, por fin, su personalidad humana y lírica.

Los valiosos trabajos realizados por el ilustre catedrático y poeta Dámaso Alonso y su escuela de Madrid, y los métodos de investigación filológica aplicados en importantes obras de romanistas y germanistas alemanes y algunos franceses, nos han sugerido el modo de enfrentarnos con la obra lírica de Hernández y de tratar varios aspectos de nuestro estudio.

Éste se apoya fundamentalmente en la observación de rasgos del lenguaje. Pero, puesto que la lírica hernandiana es, ante todo, biografía íntima, hemos creído indispensable hacer preceder un capítulo fijando los datos biográficos del poeta, en los que se halla con frecuencia la clave para la comprensión de numerosos poemas. Al mismo tiempo hemos ido señalando la trayectoria del poeta y el desarrollo y fortalecimiento de su personalidad lírica en medio de tantas influencias externas a que se halla expuesto, dada su escasa formación.

Con ayuda de ciertos documentos puestos benévolamente a nuestra disposición por don José Martínez Arenas, nos ha sido posible corregir y fijar con toda claridad determinados aspectos de su biografía. Dos cartas de Miguel Hernández nos han probado definitivamente que la primera estancia del poeta en Madrid no duró cuatro o cinco semanas, como hasta ahora se venía afirmando, sino medio año. Con ello nos podemos explicar a satisfacción la conversión del poeta al neogongorismo. Una relación sobre Miguel Hernández de su amigo y protector don Luis Almarcha, hoy obispo de León, y la obra inédita *Oriolanos ilustres* de don José Martínez Arenas, ambas desconocidas hasta ahora por los biógrafos, y algunas entrevistas personales con amigos del poeta en Orihuela, nos han permitido fijar con mayor exactitud y enriquecer con nuevos datos su biografía.

El estudio de la cosmovisión hernandiana llega a descubrirnos en el capítulo II rasgos esenciales de su obra, revelándonos la importancia decisiva de los problemas vitales y la tonalidad trágica dominante. Tras un largo errar por mundos extraños y exteriores, llega el poeta a descubrir en su interior una rica gama de problemas existenciales que constituyen el núcleo de su obra poética. Hernández acaudilla una generación cuya poesía vuelve a brotar del corazón. La vida resulta ser el valor máximo en la cosmovisión hernandiana: la vida desbordante de la naturaleza y la vida del poeta trágicamente amenazada. Lo conmovedor y tremendo de ésta es que, al convertirse el poeta a sí mismo en objeto de poesía y tomar su propio "yo" como punto de partida, llega a expresar

líricamente realidades hondamente enraizadas en lo humano y, por
ello, universales y generalmente valederas. De aquí que la poesía
hernandiana, como toda auténtica poesía, cuanto más íntima y
personal, se hace también más universal. "Tomarse uno a sí mismo
es tomarse con todos los demás y con todo el universo. Aleixandre
se toma a sí mismo para identificarse con lo cósmico elemental.
Hernández se toma a sí mismo para prevalecer como revelación
trágica o patética, es decir, humanizada, de lo cósmico" [154].
    Para Miguel, la vida es una continua amenaza interna y exter-
na. Su pensamiento está oscurecido por terribles nubes trágicas.
Podríamos calificar su cosmovisión de *vitalismo trágico*. Ha dicho
un pensador inglés que "la vida es una tragedia para los que
sienten y una comedia para los que piensan". El tragicismo hernandiano brota de su hondo sentir humano. Este sentimiento trágico de la vida, originado no por la preocupación del más allá,
como en Unamuno, sino por la continua y angustiosa amenaza que
pesa sobre esta vida presente, es un rasgo esencial de la cosmovisión
hernandiana.
    En la imagen y símbolo del "toro", que se convierte en cons-
tante temática de primer orden, hemos podido constatar un motivo
central y como una encarnación y concentración de todo el vasto
cosmos hernandiano: plenitud de vida, pasión amorosa, destino
trágico. No en vano veía Miguel en el toro su doble. Lo hondamente enraizado de algunos motivos en el alma del poeta nos da
la clave para comprender la gran altura lírica que llegan a alcanzar
ciertos poemas que brotan directamente de estos motivos céntricos:
los sonetos de *El rayo que no cesa, Sino sangriento, Hijo de la
luz y de la sombra* y *Cancionero y romancero de ausencias*.
    La imagen poética nos ha ido abriendo vetas que nos han con-
ducido directamente a la entraña misma y la esencia de lo hernandiano. Miguel rompe con el tesoro de imágenes tradicionales y

---

154 VIVANCO, Luis Felipe, *Introducción a la poesía española contemporánea*, p. 542.

crea sus propias metáforas: agresivas, desgarradoras, duras, metálicas. Esta proyección de lo dolorido y trágico en la imagen comienza ya en los libros de sonetos con las metáforas de arados, cuchillos, puñales, rayos y tercas estalactitas, y logra su apogeo en la poesía de guerra y en el *Cancionero*. La imagen corpórea nos conduce a rasgos esenciales de la creación poética hernandiana: su arraigo y arranque de la tierra, de lo palpable y material, de lo primitivo y elemental, mientras la imagen dura, cortante y afilada nos revela el hondo tragicismo que impregna toda la creación lírica del poeta. También el símbolo de cuchillos, toros y rayos rezuma hondo sentido trágico. Los símbolos hernandianos no son sino la expresión reconcentrada de sus ideas más obsesionantes, la quintaesencia de su *Weltanschauung* poética: amenaza de la vida por el rayo del amor y el espectro de la muerte.

Por fin, el estudio de las estructuras sintácticas, pluralidades, correlación y paralelismo nos han revelado el ritmo del fluir lírico, el estado pasional y el grado de intensidad de cada momento lírico.

La obra hernandiana está marcada por la nota de una gran originalidad. Si Miguel canta motivos de larga tradición, lo hace con un acento y tono marcadamente original, con una intensidad apasionada, más latino-africana que helénica, más dionisíaca que apolínea. Miguel deja su huella personal en los motivos que toca, adopta con gran maestría y da nueva vida a la métrica renacentista y barroca, gongorina y garcilasiana. Renueva el auto sacramental, traslada a un ambiente social moderno el drama popular de Lope. El acento de su palabra, siempre dura, desgarrada, campestre, telúrica, corpórea, metálica, sangrante, se hace inconfundible.

Algo esencialmente español aletea a lo largo de la obra de Miguel Hernández. Dámaso Alonso señala como característico de lo hispánico la tremenda intensidad, la violencia casi brutal, "las imágenes torrenciales y eruptivas: ímpetu de avenida que arrasa campos y pueblos; o de lava frenética que resquebraja la roca y todo lo calcina" [155]. Miguel, nacido de la tierra española y hondamente enraizado en ella, nos muestra en grado sumo esta pasión volcánica. ¿Qué otra cosa significa su intensa pasión amorosa que se encarna en imágenes de volcanes, lava, cuchillos y toros furiosos? ¿Y qué significa su tragicismo que cobra figura en la arrolladora imagen de un fatal torrente de puñales? ¿Y no es algo esencial y característicamente español ese abandono a su "sino sangriento" y a su mala estrella, esa fe en un hado contra el que no se puede luchar, ese fatalismo medio musulmán y medio hispánico? ¿No encontramos ya desde el Arcipreste de Hita, aquel temprano estallido de sustancia hispánica, y a lo largo de toda la tradición literaria española, ese pensamiento obsesionante de la influencia de los astros en la vida y en la suerte amorosa de los hombres? ¿No nos revela lo mismo toda la poesía de Hernández? ¿Y no es también hondamente español —muy lejos de la tendencia a la abstracción del espíritu francés— esa afición a la corporeización de lo abstracto? Unamuno considera como algo esencialmente hispánico, más latino y africano que helénico, esta visión corpórea de lo abstracto, y nos cita en confirmación el caso de Tertuliano —a quien él considera tan afín a lo hispano—, que creyó corporales a Dios y al alma, siguiendo indudablemente una creencia de origen pagano, de una religiosidad primitiva y arcaica. También para Miguel Hernández es el alma material y corpórea, según aparece en numerosas metáforas y en aquel verso apoteósico en que el poeta convierte el alma en espada o cetro: "porque yo empuño el alma cuando canto" [156].

* * *

---

[155] ALONSO, Dámaso, *Poetas españoles contemporáneos*, Gredos, Madrid, 1952, p. 271.

[156] *Del sentimiento trágico de la vida en los hombres y en los pueblos*. Renacimiento, Madrid (sin fecha), p. 309. Para Miguel Hernández, el alma es barbecho capaz de ser surcado por arados de muerte, es trueno, es

La poesía española de las primeras décadas de este siglo, dominada por los gustos estéticos de la corriente simbolista, con su figura máxima Juan Ramón Jiménez, había producido creaciones líricas de muy lograda calidad artística en *la generación poética de la Dictadura*, que incorpora definitivamente la lírica española a las grandes corrientes de la poesía europea. Estos poetas —Guillén, Salinas, Alberti, Gerardo Diego, García Lorca, Aleixandre y Cernuda— proclaman y crean una poesía antirrealista, "deshumanizada", de minorías selectas y antisentimental; se despreocupan de temas vivos y evitan todo elemento anecdótico, narrativo y dramático, tan del gusto de la masa. Proclamándose minoritaria, esta generación rechaza por vulgares las formas populares del arte. (Conviene notar la actitud singularísima y excepcional a este y otros respectos de la obra de García Lorca.) La nueva pléyade sigue una estética clasicista de tradición francesa y origen simbolista, y se dedica a un cultivo intensivo de la metáfora, viendo en Luis de Góngora, cuya obra estudia y revaloriza, un vate genial, según sus gustos estéticos. Como reacción contra el modernismo, Gerardo Diego inicia el retorno a la estrofa, que constituiría otro rasgo característico del grupo.

Miguel Hernández, joven y sin cultura, y por tal furiosamente mimético, se deja deslumbrar por el relampagueo metafórico de la producción poética de esta generación y compone su *Perito en lunas* (1933). Pero pronto empieza a descubrir su propia voz poética, que aflora vigorosa en una serie de poemas en que a rasgos genialmente originales se mezclan mil elementos extraños. Comienza a poner la vida en el centro de su poesía, y convierte lentamente el sujeto en objeto poético, relegando el cultivo de la forma a un puesto secundario y subordinado. Con ello inicia una poesía de impulso realista, frente a la corriente simbolista y formalista que había dominado hasta entonces. A la lírica deshuma-

---

lluvia y nube, y es, sobre todo, espada o cetro. Cfr. OC 282; 268; 239; 240; 275; 279; 285; 294; 325; 127.

nizada opone su poesía hondamente humana. A la lírica minoritaria de la generación de 1927, una poesía de mayorías, de masas, por su hondo arraigo en lo humano. Abandonando los motivos extraños o míticos de la generación precedente, se vuelve hacia los temas más esenciales de la poesía española y humana : amor, vida, muerte, amenaza, ausencia. Rebelándose contra la poesía pura y la *asepsia sentimental,* Hernández cultiva una poesía impura y su palabra poética no es sino explosión de pasión incontenible y encarnación de su hondo sentir amoroso y humano.

La personalidad poética de Miguel Hernández tiene, pues, su puesto histórico en la etapa inicial del movimiento poético realista —uno de cuyos primeros promotores es él—, que se impondrá definitivamente en España y en Europa tras la terrible sacudida de las guerras civil y mundial. Ya Antonio Machado, el gran solitario de las generaciones anteriores, había vaticinado que la joven poesía española tenía que volver a arrancar del corazón y preconizaba una poesía inmergida en las "mismas vivas aguas de la vida", en expresión de la gran Teresa de Jesús. Con ello, y al protestar contra la *destemporalización de la lírica,* predice Machado la evolución de la nueva poesía. En efecto, la *generación poética de 1936* inicia este gran movimiento realista cultivando una poesía vuelta a las intimidades del hombre y planteándose problemas humanos, sociales y religiosos. Toda su lírica se desenvuelve en una circunstancia histórica concreta. En ello encuentran estos poetas un modelo y un precursor inmediato en Vicente Aleixandre. Su obra lírica cierra la generación anterior y prepara los caminos a las nuevas, en las que ejercerá intensas influencias.

Luis Rosales, Juan y Leopoldo Panero, L. F. Vivanco y Germán Bleiberg constituyen, con Hernández, la *promoción de la República,* que se da a conocer y adquiere personalidad en estos años 1931-1936. Con ellos, la poesía se rehumaniza, renuncia al purismo de la generación precedente y sustituye el culto a Góngora por el de Garcilaso de la Vega, cuyo centenario se celebró en

1936, dado el hondo sentido humano de su poesía amorosa, tan afín a los gustos de esta generación. Con ellos, la poesía española da un paso decisivo hacia el realismo poético, siendo el vate orcelitano uno de sus más vigorosos promotores.

Pero Hernández no se funde plenamente con esta generación, a la que le unen, sin duda, lazos irrompibles. Rasgos esenciales de ella como la religiosidad, no se dan en nuestro poeta. El motivo existencial y amoroso, que es en Luis Rosales fusión atrevida de lo humano con lo religioso y místico, es muy diverso de la pasión amorosa de Miguel, terrestre, sensual y lejos de todo misticismo y trascendencia religiosa. A la gozosa paz y sosiego de la lírica de Rosales opone Hernández su ardiente inquietud y sus trágicos presentimientos. A la confiada entrega a un destino guiado por la mano de Dios, opone el tragicismo de una vida amenazada y abandonada a las fuerzas ciegas de su sino sangriento.

También en Leopoldo Panero es fundamental la actitud religiosa y la visión cristiana de la vida. Los poemas a la esposa se desarrollan —muy lejos de lo usual en Hernández— en una atmósfera de atrevida pureza, apasionamiento y alta espiritualidad. El poeta se vuelve confiado a su Dios en largos monólogos, para exponerle toda su desnudez, su dolor y tristeza de desterrado.

Luis Felipe Vivanco, de honda ternura humana, halla en Dios el motivo esencial de su lírica, profundamente penetrada de calor religioso.

La constante religiosa, que no se daba en la generación anterior y que podría servir de rasgo común para caracterizar y distinguir a los principales poetas de *la promoción de la República,* no se da, pues, en el auténtico Hernández, que cultiva una lírica terrestre, sin hacer recurso a lo trascendente y religioso.

Podemos decir que Miguel Hernández, con su poesía sincera y de tonalidad trágica, se adelanta y marca los comienzos del movimiento llamado *tremendista,* que seguirá unos años después y cuya lírica volverá a arrancar del corazón del poeta. "Lo tremendo

en Miguel Hernández y lo que ha dado origen al llamado *tre-*
mendismo de nuestra poesía joven de postguerra consiste en tomarse elementalmente y universalmente a sí mismo como único tema
sustantivo de poesía" [157].

Las nuevas generaciones poéticas de la postguerra sentirán
esta afinidad de espíritu, por lo que prestarán una gran actualidad a
la lírica hernandiana. Es curioso constatar que dos de los poetas
de la revista *Espadaña*, Victoriano Crémer y Eugenio de Nora, que
propugnan una rehumanización de la poesía adoptando un "tono
tremendista y existencialista y desgarrado" —rasgos tan afines por
lo demás a los de Miguel Hernández—, revelan en su obra claros
ecos hernandianos, y que casi todos los poetas de la última década
reproducen fórmulas estéticas características de la obra de Miguel
Hernández o introducidas por él en nuestra lírica de este siglo. Así,
si José Hierro propugna una poesía narrativa y épica y Eugenio de
Nora y Blas de Otero una poesía social y realista en cierto modo,
fue Hernández quien en *Viento del pueblo* y *El hombre acecha*
había comenzado a crear poesía social y realista en ritmos épico-
líricos. Y si los poetas de la última generación: José Ángel Valente,
José Agustín Goytisolo, Ángel Crespo y Claudio Rodríguez tien-
den a una poesía realista y social en torno al hombre histórico,
y para algunos de ellos es la poesía reflejo y eco de la vida coti-
diana, ¿no ha hecho Miguel Hernández de su última obra una
auténtica autobiografía o diario íntimo, adelantándose —como bien
nota Carlos Bousoño— a todos los poetas españoles de su tiempo,
y convirtiéndose en maestro de las generaciones venideras, como
las preferencias estéticas de última hora confirman? Hernández
crea, pues, el nuevo género de *poesía autobiográfica*, de tanta actualidad entre la nueva ola de poetas. Y esta innovación es tanto
más admirable cuanto que representa un cambio profundo, ya
que se dirigía contra las normas estéticas de la *generación de la*

---

[157] VIVANCO, o. c., p. 542.

Dictadura todavía en boga, que precisamente prohibían toda poetización de los sentimientos y la vida íntima del poeta.

Estos hechos nos prueban la grandeza de un poeta que supo adelantarse a los acontecimientos y convertirse en precursor y guía de futuras generaciones.

La afinidad de gusto de estas nuevas generaciones hace que Miguel Hernández halle en las décadas de la postguerra gran número de admiradores, y que su huella se descubra con más o menos intensidad en muchos de ellos.

Rafael Morales (1919), en sus *Poemas del toro*, sigue cantando al toro como animal varonil, enamorado y trágico, siempre gemebundo y "cuajado de tristeza y de agonía". A veces constatamos incluso leves resonancias verbales. Así, si comparamos su soneto *El toro* con el de Hernández: *"Silencio de metal triste y sonoro"* (OC 220).

José Luis Hidalgo (1919-1947) vuelve con frecuencia sobre el ya clásico mito de la sangre, que, como en Hernández, adquiere un doble significado: biológico y fatídico, como potencia vital y sino inevitable.

Eugenio de Nora (1923) muestra claras influencias hernandianas en su predilección por el motivo de la sangre y al cantar el acto de amor como acontecimiento de trascendencia cósmica. En algunos de sus poemas encontramos ecos incluso verbales y de forma.

Victoriano Crémer (1906) ofrece evidentes puntos de contacto o influencias en el empleo de la metáfora del *cuchillo* teñida de sentido simbólico, de la imagen del toro como encarnación de la muerte y en su afición al motivo del *vientre*. Una de sus obras, *Camino de mi sangre* (1946), reproduce, no sabemos si consciente o inconscientemente, el título de una composición hernandiana de importancia capital: *Mi sangre es un camino* (OC 237).

Ramón de Garciasol (1913) muestra también resonancias difusas de fondo y forma: la sangre es corriente de vida que va desde el principio al fin del mundo, la casa no es hogar sin la esposa, etc.

Armando Rojo León titula su primer libro de poemas con
este hermoso verso de Miguel Hernández: *Sólo quien ama vuela*
(OC 423).

También en Vicente Gaos, Concha Zardoya, José Suárez Ca-
rreño, Leopoldo de Luis y en algunos poetas hispanoamericanos
hallamos resonancias hernandianas difíciles de deslindar.

Estos hechos constatados, cuya importancia no queremos exagerar, nos convencen de la indudable irradiación ejercida por Miguel Hernández en nuestra lírica de las dos últimas décadas.

* * *

Se ha cometido con frecuencia el error de querer enjuiciar la
personalidad total de Miguel Hernández valorando de modo uni-
lateral y casi exclusivo sólo una parte mínima de su obra. Este
modo de enfocar el problema es doblemente peligroso tratándose
del caso tan peculiar de nuestro poeta, que atraviesa fases de
orientación estética tan variadas e incluso opuestas entre sí. Tal
vez sea, en cierto modo, excusable, dado el hecho de que a ninguno de estos críticos le ha sido posible tener en sus manos la
totalidad de la producción lírica hernandiana, y tal vez alguno de
ellos haya dado su fallo disponiendo únicamente de una parte mínima de ella.

Luis Cernuda ve en Miguel Hernández, de modo casi exclusivo, el tipo del poeta fogoso y retórico, "producto castizo español"
de poeta nato en la línea de Zorrilla, Rueda y Villaespesa. "De
todos modos había en Hernández, y hasta en exceso, todos los
dones primarios que indican al poeta; le faltaban los que constituyen al artista, y no creemos que, de haber vivido, los hubiese
adquirido. Porque era un tipo de poeta que suele darse en España:
fogoso y de retórica pronta, el cual en el entusiasmo inspirado que
lo posee, concierta de instinto ambas cualidades, fogosidad y retórica, hallando así el camino franco hacia su auditorio tan entu-

siasta como él" [158]. Reconocemos que el juicio conserva su completa validez para *Viento del pueblo*, en que el entusiasmo bélico y la improvisación de circunstancias entregan al poeta a merced de su inspiración. Pero sería erróneo aplicar tal juicio a toda la obra hernandiana, ya que también dispone el poeta de una vigorosa voluntad artística, capaz de poner freno a su entusiasmo y abocar su potente inspiración en moldes de contención, como lo prueban sus magistrales sonetos, las elegías a Ramón Sijé y a la Panadera, *Sino sangriento* y toda su última obra, tan cálida e íntima, en que nada queda del poeta retórico y fogoso. Miguel Hernández sabe tan bien lo que le falta, y dispone de una voluntad artística tan enérgica, que llega a veces casi a ahogar plenamente su propia voz lírica en aras de la elaboración del poema. Tal es el caso de *Perito en lunas.*

Si Cernuda cree que Hernández "es poeta que desdeña el artificio", no ha faltado quien quiera ver en el artificio y cultismo barrocos la maleza arrolladora que ahoga y anula todo su genio poético, y ante cuya fuerza sucumbe la lírica de Miguel Hernández. "...le dió por ser gongorino, calderoniano, conceptuoso, *literario*. La tentación barroca a la que tan fácilmente sucumben los españoles; la propensión a retorizar, el *ultracultismo* acaso como deseo de demostrar pericia y letras, y no pasar por ignorante, le cogió de lleno. Fué una lástima y un contratiempo. El caudal, el torrente poético de Miguel parecía pedir otro cauce que la canalización barroca" [159]. De nuevo repetimos que el juicio tiene absoluta vigencia referido a *Perito en lunas* y vale, en parte, para numerosas composiciones, en verso y en prosa, anteriores a 1935, y para *El rayo que no cesa*, aunque en mucho menor grado, pero que resulta erróneo como juicio general sobre toda la producción her-

---

[158] CERNUDA, Luis, *Estudios sobre poesía española contemporánea,* página 228.
[159] GAOS, Vicente, *Miguel y su hado,* en *Cuadernos de Ágora,* números 49-50, nov.-dic. 1960, Madrid, p. 29.

nandiana. ¿Dónde clasificaríamos *Viento del pueblo* y *El hombre acecha* en que el poeta se deja arrastrar por el torrente de su inspiración —causa también de la abundante escoria de estas obras— y su vigorosa voz poética no deja oir sino muy lejanas resonancias? ¿Cómo podríamos hablar de *tentación barroca* en el *Cancionero*, su obra cumbre, de lenguaje tan cálido y auténtico, purificado de todas las resonancias que no sean del corazón?

Creemos que los puntos de vista de Luis Cernuda y Vicente Gaos ponen de relieve dos rasgos esenciales de la poesía hernandiana: su potente inspiración de poeta nato y su enérgica voluntad artística lanzada al mimetismo en ansias de superación. Ambos elementos —que se identifican con la *natura* y *ars* de que hablaba Horacio— luchan por la primacía a lo largo de toda su obra poética, dominando ya el uno, ya el otro. A su momento de máximo equilibrio, tal vez lleguen en *Sino sangriento,* en las elegías o en el *Cancionero*.

Miguel Hernández no es, pues, ni un barroco ni un vate fogoso y retórico: éstos son meros estadios de su evolución. Es, ante todo, un espíritu esencialmente mimético: gongorino, calderoniano, garcilasiano, lopesco, nerudiano, aleixandrino, por necesidad. Esta constitución de su obra tiene una justificación histórica y biográfica convincente. Recordemos que toda la formación escolar del poeta, según los datos más fidedignos que poseemos, se redujo a dos años de escuela primaria. Este hecho origina en él una especie de complejo psicológico muy comprensible, en pleno furor a su llegada a Madrid, que le empuja ineludiblemente a la imitación, y que sólo llegará el poeta a superar después de cinco o seis años en continuo contacto con los medios intelectuales de Madrid y tras éxitos poéticos siempre crecientes. No es que Hernández sucumba a la *tentación barroca.* Su mimetismo es una necesidad interna y una exigencia de su autodidactismo. Sólo así logra enriquecer su mundo, aprender la técnica poética y llegar a un dominio perfecto del verso y de la estrofa. Cuando Hernández está llegando a constituir plenamente su auténtica personalidad poética, en 1936 —fecha de composición de las elegías a Ramón Sijé y a la Panadera, *Sino sangriento*—, se amontonan en su vida tan extraordinarios acontecimientos, que le conmueven con su fuerte sacudida sin dejarle llegar a un equilibrio. Se entrega a su caudalosa inspiración y se convierte en improvisador y poeta de trincheras, el extremo contrario al barroquismo anterior y a la elaboración excesiva. Con verdad podemos decir que *también* la obra lírica de Hernández crece bajo un sino trágico. Sólo el *Cancionero* nos da a conocer un hilo de voz apagada, que ciertamente está depurada de ecos y que nos revela auténticos rasgos del alma del poeta, ya que reproduce constantes cosmovisionales y expresivas, que, a pesar del continuo cambio de maestro, sorprendemos a todo lo largo de su obra. El hecho de que Miguel Hernández haya sabido escribir un libro de canciones tan diversas de las de Lorca o Alberti, los dos maestros del género, dice mucho en su favor, observa Carlos Bousoño. Y nosotros añadimos: y prueba que su personalidad lírica se hallaba ya bien fortalecida y se sentía segura de sí misma, cosa que no podemos afirmar de varias de sus obras anteriores.

Según esta rápida vista panorámica que acabamos de esbozar, Miguel Hernández llegó a producir muy poco en plena madurez. Una larga juventud perdida para la poesía en gran parte por falta de estudios, tres años agitadísimos de participación activa en la guerra, cárceles y su muerte temprana a los treinta y dos años. Su producción ha de considerarse como una *obra esencialmente truncada,* si no queremos ser injustos con el poeta. Sólo así llegaremos a comprender mejor los indudables fallos de la misma, vista en su conjunto, y podremos admirar también debidamente los rasgos geniales y los aciertos maravillosos que tanto abundan en ella.

Posiciones muy extremas se han adoptado también en la valoración de la obra lírica de Miguel Hernández. Para algunos es el vate orcelitano el máximo poeta aparecido en España después de

1905 —decía Leopoldo de Luis en 1951—, mientras que para otros su enorme fama es debida más que todo a causas extraliterarias. "El poeta más importante del grupo se dice que es Miguel Hernández, por las mismas razones que de Lorca se dice también que es el poeta más importante del 25" (L. Cernuda). Sin querer pronunciarnos sobre cuestión tan inútil como dificultosa, sobre la que darán su fallo con más garantías de acierto generaciones posteriores, creemos haber probado debidamente la importancia crucial y decisiva de la obra hernandiana en la lírica española contemporánea. Con intensidad arrolladora que llega a veces hasta lo brutal, convierte Hernández la poesía en expresión de problemas vitales de gran hondura humana. Con Luis Rosales, es él el más vigoroso promotor de la corriente realista, de tan capital importancia en la lírica española actual, y marca un cambio radical de rumbo en nuestra producción poética de este siglo.

Mientras Rosales crea, a partir de 1935, un movimiento lírico espiritualista, entrecruzamiento de lo existencial amoroso y lo religioso, abre Miguel Hernández una corriente poética profundamente enraizada en lo terreno, con atrevida expresión de lo amoroso en imágenes vigorosas, concentrándose sobre la intensidad de la expresión, a la que sabe prestar una fuerza casi brutal. Su obra poética de madurez ignora lo trascendente y se convierte en impetuosa encarnación de una visión vitalista del mundo con caracteres eminentemente trágicos.

Apéndice

A LAS "OBRAS COMPLETAS" DE MIGUEL HERNÁNDEZ

(Losada, Buenos Aires, 1960)

La elaboración de unas Obras Completas es una empresa en sí bastante problemática. En el caso peculiar de Miguel Hernández, llega a plantear cuestiones en realidad insolubles, ya que el editor se ve obligado a recurrir directamente a autógrafos inéditos y tiene que revolver archivos privados sin poder recurrir al juicio del autor, ni reclamar de él un fallo decisivo en cuestiones dificultosas. A esto se añade lo difícil de reunir una obra esparcida en revistas, manuscritos y copias de amigos del poeta, y sobre todo desde un lejano continente. No obstante, nos parece incomprensible y grave la omisión de poemas ya publicados por JUAN GUERRERO ZAMORA en *Miguel Hernández, poeta* (1955) —obra totalmente desconocida por la edición de Losada— o de la *Elegía media del toro,* cuya fotocopia aparece en la obra de CONCHA ZARDOYA (p. 56).

Echamos de menos en esta edición un grupo de obras que, aunque sin gran valor literario, tendrían pleno derecho a reclamar un puesto en una edición de Obras Completas —si éstas lo han de ser de verdad—, ya que el mismo poeta las consideró dignas de ver la luz pública. A este grupo pertenecen una serie de poesías en nuestro poder, publicadas en periódicos, revistas o antologías, que, aunque de menguado valor artístico, merecerían ser tenidas en cuenta siquiera por su valor documental. Ellas nos reflejan fielmente las lecturas y la evolución seguida por el poeta-pastor autodidacta, sus ejercicios de principiante en el arte de escribir, sus esfuerzos por adquirir dominio sobre la rima, el ritmo y la métrica, su esencial mimetismo y sus progresos en el arte de desarrollar un motivo temático. Nos muestran cómo Miguel Hernández se lanza a la observación directa de su mundo en torno, nos descubren su candor y religiosidad inicial y el horizonte limitado, pero simpático, de su *Oleza* natal, y sobre todo nos evidencian su esencial mimetismo, que le facilitó el ascenso a las cumbres de la poesía. Reproducimos el catálogo de estas obras y llamamos la atención sobre ellas, indicando su origen:

Pastoril, publicada en *El Pueblo* de Orihuela, n.º 99, 13-I-1930.
En mi barraquica, El Pueblo, n° 101, 27-I-1930.
Marzo viene, El Pueblo, n.º 107, 10-III-1930.
Oriental, El Pueblo, n.º 116, 12-V-1930.
Sueños dorados, El Pueblo, n.º 118, 28-V-1930.
Interrogante, El Pueblo, n.º 123, 1-VII-1930.
Postrer sueño, El Pueblo, n.º 126, 29-VII-1930.
Plegaria, El Pueblo, n.º 132, 7-IX-1930.
Balada de la juventud, El Pueblo, n.º 134, 27-IX-1930.
El Palmero, El Pueblo, n.º 151, 20-I-1931.
A todos los oriolanos, Carta completamente abierta, El Pueblo,
    n.º 153, 2-II-1931.

A estas obras hay que añadir otras publicadas en la *Antología poética,* selección y notas de Francisco M. Marín, Aura I. Orihuela. 1951:

El Nazareno, que publicamos después.
El alma de la huerta.

Canto a Valencia.
Ancianidad.
Al verla muerta.
El Palmero, ya citada antes.
El árabe vencido.
Juan Sansano, tríptico de sonetos, que reproducimos.

1. — VERSO

A continuación publicamos algunos poemas que, según los criterios que se transparentan a lo largo de las *Obras Completas* de Losada, merecerían, sin duda alguna, haber sido incluidos, y que a nuestro juicio son de importancia evidente, y algunos de ellos alcanzan incluso un subido valor artístico.

CANTAR

Las penas de mis pesares,
las olas del mar salino,
una se fue y otra vino.

(En posesión de D. José Martínez Arenas.
Orihuela)

EL NAZARENO

Se horrorizan los ancianos, se conmueven las doncellas,
enseñando las pupilas tras los mantos y los velos
anegadas por el llanto. Y las masas por los suelos
caen mostrando, de temores y dolor en la faz, huellas.

Enmudecen los clarines: no se escuchan las querellas
de tristísimas saetas, ni la voz de los abuelos
que pidiendo van por Cristo. Y en el rostro de los cielos,
como lágrimas enormes, se estremecen las estrellas.

Reina un hórrido silencio, que es tan sólo interrumpido
por redobles de tambores y algún lúgubre gemido
que se sube hasta los labios desde un pecho de fe lleno...

Y entre mil encapuchados con mil llamas de mil cirios,
con las carnes desgarradas aún más pálidas que lirios,
y la cruz sobre los hombros, cruza, humilde, el Nazareno.

Publicado en Voluntad, Semana Santa,
abril, 1930, y en *Semana Santa*, abril, 1944.

OCTAVAS GONGORINAS

Blanco el viento, y al sol, mueve su prora
donde apoya la leche su colmillo:
la blancura sirena y ascensora,
de medio abajo, a veces, calzoncillo.
Verdura de tu parte más cantora,
faldón del mar, sin sal, sin estribillo,
abrazo de almidón de tu cintura,
baja, para ascender, lámpara impura.

El turquesa limón, verde vecino,
abril que corre y muestra los faldones,
desemboca en la siembra de tu lino,
si su horizonte aquí, sus pulsaciones.
Anda, cojo a compás, cuervo marino
con el vuelo apoyado en sus canciones,
el sembrado transeúnte de la espiga,
lastre de tu regreso, de tu liga.

Publicadas por GUERRERO ZAMORA, p. 213.

ELEGÍA DE LA NOVIA - LUNADA

Mi voluntad, madura, te acercaba
en mi mano la muerte,
que retiraba, pita sublunada,
mi decisión aún verde.

Atropellando senos, no, racimos
de picudos humores,
tu corazón la de Albacete hizo,
por fin, rinoceronte.

Yo te maté en el baño, agamenona,
y en seguida subieron
persianas limonadas olas, olas
a tu herido aposento.

Con un sexo de acero y de tragedia
me reanudé a tu sexo:
no pude entrar en ti de otra manera,
pura de trecho en trecho.

La boca de herida come frío:
¡en qué manida entrada,
colorado discurso a lo zarcillo
inquiere la navaja!

No has dejado de ser, como la rosa,
bella para la muerte;
dispensa la ruina de tu boca
perfección permanente.

Álgida, como jarra a la serena,
bella a granel no mía,

para siempre ha perdido tu belleza;
tú, su mejor amiga.

De ella narciso, en ella me miraba,
y llorándola ahora,
como la suya, aventan, la guitarra,
sangre mis manos, horcas.

Tu beso que era ayer patrón, medida,
modelo de la rosa,
lo derrocó mi enamorada ira:
dispénseme tu boca.

Yo quise modelarte y arcilla
en tu escultura mano,
que en el balcón de esta fotografía
despeinada ha quedado.

Yo te quería, por acaso casta,
monja de tu belleza:
a los demás, a todos vocearla,
pero que no la vieran.

Yo te hablé de tu frente de reluna,
y entonces, sin acasos,
pensaba en sapos ella, a la ventura
tortas de frío y asco.

Me amaste por regalo... Yo soy feo
como los ruy-señores
que cultivan primor, lunas, luceros
en sures de limones.

Y los celos, carcoma de mi carne,
cáncer de mi madera,
¡qué cornada mortal contra tu sangre
tiraron cachicuerna!

Si al pie del agua azul fuiste violada,
ahora en la muerte roja,
y mucho más hermosa la distancia
de tu hermosura ahora.

¡Oh, qué proeza la de no guardarme,
oh bella de antemano,
tu corazón, la yema de tu sangre
que fue, a lo sumo, malo!

¡Oh, qué proeza la de no arrancarme
mi corazón de cuajo,
para, como una esquila palpitante,
a tu cuello colgarlo!...

★ ★ ★

Besando puertas voy, corriendo aldabas
contra el azahar, tu aliento,
y recordando un beso tan sin talla,
que no puedo jurar que te di un beso.

Poema en posesión de doña Ginesa Aroca, viuda de don Juan Guerrero, a quien Miguel Hernández envió la siguiente carta junto con este poema el 23 de mayo de 1933:

Señor don Juan Guerrero.

Amigo mío poeta:

Perdone a éste tanta tardanza en mandarle lo prometido aquella agradable tarde de ahí. Si puede, haga porque aparezca en El Sol.

Estoy pasando momentos difíciles para el poeta de mí. No puedo leer, conocer nada nuevo.

*Salude a mis amigos y de Sijé, dígales que no puedo ir por
ahora, y le abraza*

Miguel H. Giner (rubricado).

Orihuela, 23 de primavera de 1933.

IMPROVISACIÓN

Amigo Álvaro Botella:
me has puesto en un trance amargo,
pero, saldré, sin embargo,
de él, gracias a mi buena estrella.

Un verso se me atropella
tras otro y en ellos digo
que con mi pluma y contigo
te dejo como recuerdo
esta décima de un cuerdo
que está casi loco, amigo.

Esta décima fue improvisada en casa de María, hermana de don
José Martínez Arenas, y a petición de su hijo Álvaro Botella, en
la primavera de 1936.

ELEGÍA MEDIA DEL TORO

Aunque no amor, ni ciego, dios arquero,
te disparas de ti, si comunista,
vas al partido rojo del torero.

Heraldos anunciaron tu prevista
presencia, como anuncian a la aurora,
en cuanto la pidieron a la vista.

Tu presteza de Júpiter raptora,
europas cabalgadas acomete:
y a pesar de la que alzan, picadora,

oposición de bríos y bonete,
tu inquiridor de sangre, vuelto remo,
"dolorosas" las hace de Albacete.

Una capa te imanta con su extremo,
y el que por un instante la batiera,
te vuelve con temor su polifemo.

Su miedo luminoso, a la torera
salta, y los paladiones en anillo
consultando refugios de madera.

Invitación de palo y papelillo,
en los medios citándote, te apena
de colorines altos el morrillo.

Como tambor tu piel batida suena,
y tu pata anterior posterioriza
el desprecio rascado de la arena.

Por tu nobleza se musicaliza
el saturno de sol y piedra, en tanto
que tu rabo mejor tu dolor iza.

Gallardía de rubio y amaranto,
con la muerte en las manos larga y fina,
oculto su fulgor, visible al canto,

con tu rabia sus gracias origina:
¡cuántas manos se dan de bofetones
cuando la suya junta con tu esquina!

Arrodilla sus iluminaciones;
y mientras todos creen que es por valiente,
por lo bajo te pide mil perdones.

Suspenso tú, te mira por el lente
del acero, y confluye tu momento
de arrancar con su punta mortalmente.

Un datilado y blanco movimiento,
mancos pide un sentido y el azote,
al juez balcón de tu final sangriento.

Por el combo marfil de tu bigote,
te arrastran a segunda ejecutoria.
¡Entre el crimen airoso del capote,
para ti fue el dolor, para él la gloria!

Copia de este poema se halla en posesión de don José Martínez
Arenas (Orihuela). La reproducción fotografiada de casi todo el
manuscrito original puede verse en ZARDOYA, p. 56.

JUAN SANSANO

I

La luz primera vio bajo de un techo
humilde de un hogar del pueblo hermoso,
en que mil llagas dolorosas hecho
vivió un obispo dulce y silencioso.

Su clara infancia fue un ligero trecho
de lirios de ropaje candoroso.
...Jugó del río Segura junto al lecho
y triscó por un fino monte airoso.

Cuando la juventud esplendorosa
le dio sus dones, una novia hermosa
tuvo, a la cual, dio fama en cien canciones.

...Huyó del pueblo que nacer le viera.
¡Y en su hogar vive triste una palmera
que al cielo se alza cual clarín sin sones!

II

Huyó del majo pueblo del Segura
echándose sin rumbo en el camino,
y al perderlo de vista en la llanura
llanto de sangre a sus pupilas vino.

Mas devoró en silencio su amargura:
y otro Alonso Quijano en su rocino,
fue el Ensueño su hermética armadura
y el Ideal su Yelmo de Mambrino.

En el Castillo-Venta de la Vida,
el Dolor consagrólo caballero
y fue en busca del néctar de la Fama...

y en una doble empresa decidida,
con gentil continente y rostro fiero,
peleó por su honor y por su dama.

III

Deshizo agravios y enderezó entuertos;
batalló con dragones y gigantes,
a quienes en sus antros dejó muertos,
como el héroe sublime de Cervantes.

Apoyo fue de inválidas doncellas;
de huérfanos y viudas infelices,
durmió frente al brillar de las estrellas,
y su alimento fue fruta y raíces.

Y hoy, tras haber cruzado con las trallas
de su vocabulario —trueno de ira—
mil rostros de malvados y canallas;

el yelmo arroja, la armadura tira,
y, allá, en remotas y cerriles playas,
por volver al natal pueblo suspira.

Este tríptico de sonetos fue editado por Francisco M. Marín en
su *Antología Poética* de Miguel Hernández. Aura I. Orihuela
1951.

CANCIÓN

Atraviesa la calle,
dicen que todo el barrio
y yo digo que nadie.
Pero escuchando, ansiando,
oigo en su mismo centro
el alma de tus pasos,
y me parece un sueño
que, sobre el empedrado,
alce tu pie su íntimo
sonido descansado.

Publicada por GUERRERO ZAMORA, p. 328.

POEMA EN LA CÁRCEL

Cárdenos ceños, pasiones de luto.
Dientes sedientos de ser colorados.

Oscuridad del rencor absoluto.
Cuerpos lo mismo que pozos cegados.

Falta el espacio. Se ha hundido la risa.
Ya no es posible lanzarse a la altura.
El corazón quiere ser más de prisa
fuerza que ensanche la estrecha negrura.

Carne sin norte que va en oleada
hacia la noche siniestra, baldía.
¿Quién es el rayo de sol que la invada?
Busco. No encuentro ni rastro del día.

Sólo el fulgor de los puños cerrados,
el resplandor de los dientes que acechan.
Dientes y puños de todos los lados.
Más que las manos, los montes se estrechan.

Publicado por GUERRERO ZAMORA, p. 177.

ORILLAS DE TU VIENTRE

¿Qué exaltaré en la tierra que no sea algo tuyo?
A mi lecho de ausente me echo como a una cruz
de solitarias lunas del deseo, y exalto
la orilla de tu vientre.

Clavellina del valle que provocan tus piernas.
Granada que ha rasgado de plenitud su boca.
Trémula zarzamora suavemente dentada
donde vivo arrojado.

Arrojado y fugaz como el pez generoso,
ansioso de que el agua, la lenta acción del agua

lo devaste: sepulte su decisión eléctrica
de fértiles relámpagos.

Aún me estremece el choque primero de los dos;
cuando hicimos pedazos la luna a dentelladas,
impulsamos las sábanas a un abril de amapolas,
nos inspiraba el mar.

Soto que atrae, umbría de vello casi en llamas,
dentellada tenaz que siento en lo más hondo,
vertiginoso abismo que me recoge, loco
de la lúcida muerte.

Túnel por el que a ciegas me aferro a tus entrañas.
Recóndito lucero tras una madre selva
hacia donde la espuma se agolpa, arrebatada
del íntimo destino.

En ti tiene el oasis su más ansiado huerto:
el clavel y el jazmín se entrelazan, se ahogan.
De ti son tantos siglos de muerte, de locura
como te han sucedido.

Corazón de la tierra, centro del universo,
todo se atorbellina con afán de satélite
en torno a ti, pupila del sol que te entreabres
en la flor del manzano.

Ventana que da al mar, a una diáfana muerte
cada vez más profunda, más azul y anchurosa.
Su hálito de infinito propaga los espacios
entre tú y yo y el fuego.

Trágame, leve hoyo donde avanzo y me entierro.
La losa que me cubra sea tu vientre leve,
la madera tu carne, la bóveda tu ombligo,
la eternidad la orilla.

En ti me precipito como en la inmensidad
de un mediodía claro de sangre submarina,
mientras el delirante hoyo se hunde en el mar,
y el clamor se hace hombre.

Por ti logro en tu centro la libertad del astro.
En ti nos acoplamos como dos eslabones,
tú poseedora y yo. Y así somos cadena:
mortalmente abrazados.

Publicado por Guerrero Zamora, p. 351.

2. — PROSA

A continuación publicamos dos composiciones en prosa que también faltan en la edición de las *Obras Completas* de Losada. Sobre todo *Espera - en desaseo* es de gran valor emocional y biográfico, por reproducirnos la escena de uno de los encuentros del poeta con su novia y futura esposa.

YO - LA MADRE MÍA

Madre: no quieras que me lleven de las costas, abre las ventanas en la noche, de la luna. Mira: ¡vienen por allí los claros del río!... Diles que me dejen aquí, al pie de este hilo, encima de estas sombras de higueras, de sol, tranquilas, concurridas de canónigos a lo viudo, panzudos de arrope, con los cuales se confiesan abejas, rumorosa, largamente. Madre, madre: te amo. Porque te dolí más que una muela cuando me pariste. Porque las veces que tenía ganas de oler, me ponías en cuclillas con un gesto tuyo, sólo sabido por tu ojo de aquel lado. Porque cuando venía el doctor

*a verme enfermo tomabas, dolorosa, a tu blancura izquierda el
pulso... Pero que me dejen... ¡Es tan bello el vino con luna, bebido
a medianoche de pechos sobre la sierra con rescoldos del mediodía!
¡Además! si me llevan no sabré que los ciegos no necesitan espejos
porque, aunque están no están con su imagen y valdría más hacerlos añicos a todos. Madre: que se callen, que se hagan evasivos
todos por esos caminos de harina lacteada. Que no ahoguen más
navajas en mis ríos. Que me dejen, solo en las que cuelgo islas
canarias de hierro en lluvia y cristal, aprender el arte de pescar
estrellas; aunque nadie sepa que soy lunicultor. Madre: vuelvo
grupas a la tierra oscura, de luces sin ventilación. Voy a coger el
agua cerrada, no de llave, redonda de las cisternas. Llegaré a sus
márgenes defendiéndome como pueda de la luz en filo. Por eso
iré antes que cigarras raspen con lijas las horas... Madre, madre...
¿me entiendes?*

*(La madre mía sonríe, picuda. Y de pronto suena en holandas, oculta en ellas la cabeza, y aspira con deleitación, pero con
prisa, un producto de dos medios.)*

Publicado en la revista *El clamor de la verdad* (número único),
aparecida el 2-X-1932. Reproducido por GUERRERO ZAMORA, página 58.

ESPERA - EN DESASEO

*En el taller de sastra humilde de nuestra calle, ella la única
oficiala y perfecta.*

Sin siestas ya, las tardes de otoño llegan al portal de la sastrería conmigo y el sol de una luz en paz de dátil sin sofoco.

*Con su traje blanco, o su pardo —aquél levanta su color de
rubia soleada, éste lo eclipsa un poco—, de percal su cuerpo,
malhiere con la aguja, lloroso su ojo de hilo, sin hacer sangre,
chaquetas huertanas.*

Nos ofrecemos, saludándonos, los dientes de la sonrisa.

Mujer con voluntad de ser mujer, me dice su edad de adolescente última, aumentada —o sospecho—. Yo sé que tiene la edad justa para que yo la quiera.

El diálogo se entabla fervoroso y poeta por encima de la maestra, entre ella y yo, que debe sentir su ancianidad rotunda invadida de juventud en espera.

—Mi voluntad es quererte —le digo—; y me mira como si su voluntad también lo fuera.

—Eres mi novia, aunque yo no sea tu novio; y me responde en nuestro idioma de aldea, bien nutrido de graciosidades, cosas oscuras, maliciosas de mocencia, con un temblor de no saber explicarse.

—No te muevas. Cállate. Estate quieta como el agua, a ver si así te aclaras.

Por la calle un hombre primaveral de colores, entristece, cantada por su voz, ancha en la "e", la delicia medora que elabora en los campos adanes: "¡arropeeeeee!..."

De tejado en tejado vuelan palomas iluminando la luz.

La aguja avanza por la tela en su mano, asomándose y encendiéndose, huyendo de su huella delgada.

Las tijeras, abiertas baten la esgrima forzosa de sus alas.

La sastra suspira.

La máquina Singer espera su movimiento, su baile laborioso, de su sabroso pie, blanco, invisible su blancura adivinable en la medida, por la alpargata. Espera.

Con los ojos caídos, sin mirar con sospecha de que la mire, emocionada de mi contemplación, ella sabe que yo espero también.

Artículo publicado en el diario La Verdad, de Murcia, el 9 de noviembre de 1933.

BIBLIOGRAFÍA

Aducimos las publicaciones y estudios tenidos en cuenta en la elaboración de este trabajo. Para las obras de Miguel Hernández indicamos, además, algunas ediciones fáciles de alcanzar por los estudiosos del poeta. En general, llamamos la atención sobre la bibliografía de Concha ZARDOYA (1955), p. 98, la más completa hasta ahora, y la de las *Obras Completas* de Losada (1960), que es casi una reproducción de aquélla, advirtiendo que en esta última obra faltan casi todos los estudios sobre el poeta, abundantísimos, publicados desde 1955, que se podrán ver en nuestra bibliografía.

A) *Obras de Miguel Hernández*

Obras Completas. — Edición ordenada por Elvio Romero y cuidada por Andrés Ramón Vázquez. Prólogo de María de Gracia Ifach. Editorial Losada, S. A. Buenos Aires, 1960. Abreviatura : OC, a la que sigue el número de la página.

Obra escogida. — Poesía - Teatro. Prólogo de Arturo del Hoyo. Aguilar, Madrid, 1952.

Perito en lunas. — Ediciones Sudeste, Talleres tipográficos de Editorial La Verdad, S. A., Murcia, 1933.

Antología poética. — Selección y notas de Francisco M. Marín. Aura I, Orihuela, 1951.

Representaciones, Quien te ha visto y quien te ve y sombra de lo que eras (Auto sacramental). — Julio 1934. Publicado también en la revista "Cruz y Raya", Madrid, jul.-sept. 1934, números 16-18.

Seis poemas inéditos y nueve más. — Colección Ifach, n.º 8. Alicante, 1951.

El rayo que no cesa y otros poemas. — 2.ª ed. Talleres de A. y J. Ferreiro, Buenos Aires, 1942.

El rayo que no cesa. — Colección Austral, Espasa-Calpe, Madrid-Buenos Aires, 1949, 3.ª ed.

"Residencia en la tierra. — Poesía 1925-35, Pablo Neruda". Comentario del poeta en los folletones de "El Sol".

Viento del pueblo. — Lautaro (Colección "El pan y la estrella"), Buenos Aires, 1957.

Cancionero y romancero de ausencias. — Lautaro (Colección "El pan y la estrella"), Buenos Aires, 1958.

Los hijos de la piedra. — Ediciones Quetzal, Buenos Aires, 1959.

Los mejores versos de Miguel Hernández. — Ed. Nuestra América, Buenos Aires, 1958.

Antología. — Editorial Losada, Buenos Aires, 1960.

Dentro - De luz y otras prosas. — Ediciones Arión, Madrid.

Inéditos de Miguel Hernández - Diez pensamientos. — "Ínsula". Madrid, n.º 168, nov. 1960.

Arte poética y aforismos (Sentencias seleccionadas de notas de autógrafos). — "Cuadernos de Ágora", núms. 49-50, Madrid, nov.-dic. 1960.

Una carta inédita de Miguel Hernández a Juan Ramón Jiménez, publicada por Francisco Garfias. — "Poesía Española", Madrid, núm. 96, dic. 1960.

Una carta inédita de Miguel Hernández a Carlos Fenoll. — "Ínsula", Madrid, n.º 168, nov. 1960.

B)   *Estudios sobre el poeta*

ALBI, José. — "El último Miguel - Revisión parcial de la poesía de Miguel Hernández". — *Verbo* (Cuadernos literarios), Alicante, n.º 29, dic. 1954.

ALMARCHA HERNÁNDEZ, Don Luis. — *Notas sobre Miguel Hernández.* — Manuscrito autógrafo y firmado del entonces canónigo de Orihuela y hoy obispo de León. Mayo de 1947. De la colección de autógrafos de don José Martínez Arenas, Orihuela.

ANÓNIMO. — "Altavoz - Un auto sacramental". — *La verdad,* Murcia, 21 de junio de 1934.

ANÓNIMO. — "Un acto en memoria de Ramón Sijé. Unas cuartillas de Miguel Hernández". — *El Sol,* 17-IV-1936.

ANÓNIMO. — "Letras evocando a Sijé. En el ambiente de Orihuela". *La Verdad,* Murcia, 7-V-1936.

ANÓNIMO. — *"Seis poemas inéditos y nueve más".* — *Correo literario,* 1-XI-1951.

ANÓNIMO. — "Miguel Hernández, herido del rayo". — *La Verdad,* Murcia, 21-V-1936.

ANÓNIMO. — *"Viento del pueblo".* — *La Voz,* Madrid 10-VI-1937.

BALLESTER, José. — *"Perito en lunas".* — *La Verdad,* Murcia, 29-I-1933.

BLEIBERG, Germán. — "Miguel Hernández". — *Diccionario de la literatura española,* 2.ª ed. Revista de Occidente, Madrid, 1953.

BOUSOÑO, Carlos. — "La correlación en la poesía española moderna, en Miguel Hernández". — En: Dámaso ALONSO y Carlos BOUSOÑO, *Seis calas en la expresión literaria española,* Gredos, Madrid, 1951.

BOUSOÑO, Carlos. — "Antes del odio". — *Cuadernos de Ágora,* Madrid, núms. 49-50, nov.-dic. 1960.

BUERO VALLEJO, Antonio. — "Un poema y un recuerdo". — *Insula*, Madrid, n.° 168, nov. 1960.

CAMPOS, Jorge. — "Miguel Hernández: poesía honda y vital". — *Índice de Artes y Letras*, Madrid, n.° 43, 10 sept. 1951.

CERNUDA, Luis. — *Estudios sobre poesía española contemporánea.* Ediciones Guadarrama. Madrid-Bogotá, 1957.

CIRRE, José Francisco. — *Forma y espíritu de una lírica española.* Noticia sobre una renovación poética en España de 1920 a 1935, Gráfica Panamericana, México, 1950.

COHEN, J. M. — "Miguel Hernández en Inglaterra". — *Cuadernos de Ágora*, Madrid, núms. 49-50, nov.-dic. 1960.

CONDE, Carmen. — "Miguel, joven". — *Cuadernos de Ágora*, Madrid, núms. 49-50, nov.-dic. 1960.

CONDE, Carmen. — "Los adolescentes de Orihuela". — *Verbo*, Alicante, oct-nov. 1946.

CHEVALLIER, Marie. — "Tentative d'explication de texte: *Perito en lunas* de Miguel Hernández". — *Les Langues Néo-latines*, Paris, n.° 150, Juin 1959, 53ᵉ Année.

DIEGO, Gerardo. — "*Perito en lunas*". — *Cuadernos de Ágora*, Madrid, núms. 49-50, nov.-dic. 1960.

DOMENCHINA, Juan José. — "Literatura. Anunciación y elogio de un poeta". — *La Voz*, Madrid, 25-XI-1935.

DOMENCHINA, Juan José. — "*El rayo que no cesa*". — *La Voz*, Madrid, 17-IV-1936.

DOMENECH, Ricardo. — "Por tierras de Miguel Hernández". — *Insula*, Madrid, n.° 168, nov. 1960.

FOXÁ, Agustín de. — "Los Homeros rojos". — *A B C*, Madrid, n.° 10.393, 28-V-1939.

GAOS, Vicente. — "Miguel y su hado". — *Cuadernos de Ágora*, Madrid, núms. 49-50, nov.-dic. 1960.

GARFIAS, Francisco. — "Una carta inédita de Miguel Hernández a Juan Ramón Jiménez". — *Poesía Española*, Madrid, n.° 96, dic. 1960.

GUERRERO ZAMORA, Juan. — "Noticia sobre Miguel Hernández". *Cuadernos de Política y Literatura*, Madrid, 1951.

GUERRERO ZAMORA, Juan. — *Miguel Hernández, poeta.* — Colección "El Grifón", Madrid, 1955. Siempre nos referimos a esta obra al citar a GUERRERO ZAMORA, mientras no indiquemos otra cosa.

IFACH, María de Gracia. — "Miguel, niño". — *Cuadernos de Ágora*, Madrid, núms. 49-50, nov.-dic. 1960.

IFACH, María de Gracia. — "La prosa de Miguel Hernández". — *Ínsula*, Madrid, n.º 168, nov. 1960.

JIMÉNEZ, Juan Ramón. — "Con la inmensa minoría. Crítica". — *El Sol*, Madrid, 23-II-1936.

J. R. M. — "Antonio Machado y Miguel Hernández". — *Contrapunto*, Caracas, n.º 6, 1950.

LIND, Georg R. — "Dichter im Schatten (Miguel Hernández)". — *Romanische Forschungen*, LXV (1954).

LUIS, Leopoldo de. — "Poesía de Miguel Hernández". — *Ínsula*, Madrid, n.º 71, 15 nov. 1951.

LUIS, Leopoldo de. — "Sobre una estrofa de *Perito en lunas*". — *Poesía Española*, Madrid, n.º 80, agosto 1959.

LUJÁN, Néstor. — "*El rayo que no cesa* de Miguel Hernández". — *Destino*, 16-IX-1950.

MARQUERÍE, Alfredo. — "Del verso nuevo en Levante (sobre *Perito en lunas*)". — *Informaciones*, 18-II-1933.

MARTÍNEZ ARENAS, Don José. — *Oriolanos ilustres.* — Obra inédita puesta benévolamente a mi disposición por el autor. Sección: *Literatura oriolana*.

MARTÍNEZ CORBALÁN, Federico. — "Dos jóvenes escritores levantinos". — *Estampa*, Madrid, n.º 215, 20-II-1932.

MOLINA, Manuel. — "Réplica a Espadaña". — *Verbo*, Alicante, dic. 1946.

NAVARRO TOMÁS, Tomás. — "Miguel Hernández, poeta campesino en las trincheras". — Prólogo en *Viento del pueblo* y también publicado en *Nueva Cultura*, n.º 1. Valencia, marzo 1937.

OROZCO, Ricardo. — "Miguel Hernández, poeta auténtico". — *La Nación*, Buenos Aires, 30-X-1960.

ORTEGA, Fray Alfonso. — *"Elegía a Ramón Sijé*. Semblanza y comentario". — *Juventud Seráfica*, Orihuela, n.º 19, año X, época II, 1953.

PÉREZ FERRERO, Miguel. — "Actualidad literaria. Una antología parcial de poetas andaluces. Miguel Hernández y su nuevo libro (sobre *El rayo que no cesa*)". — *Heraldo de Madrid*, 12-III-1936.

RODRÍGUEZ SEGURADO, Ángel. — "Dolor y soledad en la poesía de Miguel Hernández". — *Revista de la Universidad de Buenos Aires*, n.º 24, oct.-dic. 1952.

ROMERO, Elvio. — *Miguel Hernández, destino y poesía*. — Editorial Losada, Buenos Aires, 1958.

SIJÉ, Gabriel. — "A Miguel Hernández". — *Verbo*, Alicante, enero 1947.

TORRE, Guillermo de. — "Vida y poesía de Miguel Hernández". *Revista Nacional de Cultura*, Caracas, n.º 108, en.-febr. 1955. Artículo publicado de nuevo en su obra *La metamorfosis de Proteo*, Buenos Aires, Losada, 1956.

TORRENTE BALLESTER, Gonzalo. — "La intimidad, el amor, la poesía y otras cosas". — *Arriba*, 9-XII-1951.

TORRENTE BALLESTER, Gonzalo. — *Panorama de la literatura española contemporánea*. — Guadarrama, Madrid, 1956.

URBANO, Rafael de. — "Notas a un libro. En octavas heroicas hacia la luna". — *La Verdad*, Murcia, 16-III-1933.

VERGÉS PRINCEP, Gerardo. — "El símbolo del toro en la poética de Miguel Hernández". — *Geminis*, Tortosa, nov. 1952.

VILANOVA, Antonio. — "La poesía de Miguel Hernández". — *Insula*, Madrid, n.º 58, 15 oct. 1950.

VIVANCO, Luis Felipe. — *"Las Nanas de la cebolla"*. — *Cuadernos de Ágora*, Madrid, núms. 49-50, nov.-dic. 1950.

VIVANCO, Luis Felipe. — "Miguel Hernández. Bañando su palabra en corazón". — *Introducción a la poesía española contemporánea*, Guadarrama, Madrid, 1957.

ZARDOYA, Concha. — *Miguel Hernández. Vida y obra - Bibliografía - Antología.* — Columbia University, New York, 1955. Al citar a ZARDOYA nos referimos siempre a esta obra.

ZARDOYA, Concha. — *Poesía española contemporánea.* — Estudios temáticos y estilísticos, Guadarrama, Madrid, 1961.

ZARDOYA, Concha. — *El mundo poético de Miguel Hernández.* — *Ínsula,* Madrid, n.º 168, nov. 1960.

C) *Bibliografía general*

ALONSO, Dámaso. — *Poesía española. Ensayo de métodos y límites estilísticos.* — Biblioteca Románica Hispánica, Editorial Gredos, Madrid, 1950, 4.ª ed., 1962.

ALONSO, Dámaso. — *Poetas españoles contemporáneos.* — Biblioteca Románica Hispánica, Editorial Gredos, 1952, 2.ª ed., 1958.

ALONSO, Dámaso. — *Estudios y ensayos gongorinos.* — Biblioteca Románica Hispánica, Editorial Gredos, Madrid, 1955, 2.ª ed., 1961.

ALONSO, Dámaso, y BOUSOÑO, Carlos. — *Seis calas en la expresión literaria española.* — Biblioteca Románica Hispánica, Editorial Gredos, Madrid, 1951, 3.ª ed., 1962.

ÁLVAREZ DE MIRANDA, A. — "*Poesía y religión*". — *Revista de Ideas Estéticas,* n.º 43, Madrid, t. XI, 1953.

BERGER, Bruno. — *Vers rapportés.* — Inaugural - Dissertation, Malsch et Vogel, Karlsruhe, 1930.

BOLTE, Johannes. — "*Die indische Redefigur Yatha Samkhya in europäischer Dichtung*". — *Archiv für das Studium der neueren Sprachen und Literaturen,* CXII, 265; CLIX, 11.

BOUSOÑO, Carlos. — *Teoría de la expresión poética.* — Biblioteca Románica Hispánica, Editorial Gredos, Madrid, 1956, 3.ª ed., 1962.

BOUSOÑO, Carlos. — *La poesía de Vicente Aleixandre.* — Biblioteca Románica Hispánica, Editorial Gredos, Madrid, 1956.

CASTELLET, José María. — *Veinte años de poesía española. Antología* (1939-1959). — Editorial Seix Barral, Barcelona, 1960.

CIRLOT, Juan Eduardo. — *Diccionario de símbolos tradicionales.* — Miracle, Barcelona, 1958.

DÍAZ-PLAJA, Guillermo. — *Garcilaso y la poesía española.* — Seminario de estudios hispánicos, Barcelona, 1937.

DURÁN GILI, Manuel. — *El superrealismo en la poesía española contemporánea.* — Gráficos Guanajuato, México, 1950.

EICH, Christoph. — *Federico García Lorca, poeta de la intensidad.* Biblioteca Románica Hispánica, Editorial Gredos, Madrid, 1958.

EIGELDINGER, Marc. — *Le dynamisme de l'image dans la poésie française.* — Éditions de la Baconnière. Neuchâtel, 1943.

GHYKA, Matila C. — *Essai sur le rythme.* — Gallimard, Éditions de la N. R. F. Paris, 1938.

GRAMMONT, Maurice. — *Le vers français.* — Champion, Paris, 1913.

HEIDEGGER, Martin. — *Erläuterungen zur Hölderlins Dichtung.* Vittorio Klostermann, Frankfurt am Main, 1951.

INGARDEN, Roman. — *Das literarische Kunstwerk.* — Eine Untersuchung aus dem Grenzgebiet der Ontologie, Logik und Literaturwissenschaft, Max Niemeyer Verlag, Halle (Saale), 1931. 2.ª ed. Max Niemeyer Verlag, Tübingen, 1960.

KRAFFT, Jacques G. — *La forme et l'idée en poésie.* — Thèse, Librairie Philosophique J. Vrin, Paris, 1944.

LAUSBERG, Heinrich. — *Handbuch der literarischen Rhetorik.* — Max Hueber Verlag, München, 1960. Traducción española. Biblioteca Románica Hispánica, Editorial Gredos, Madrid, 1963.

MARTÍNEZ BONATI, Félix. — *La estructura de la obra literaria.* — Editorial Universitaria, Santiago de Chile, 1960.

NADEAU, Maurice. — *Histoire du surréalisme.* — Aux éditions du Seuil, Paris, 3.ᵉ éd.

PONGS, Hermann. — *Das Bild in der Dichtung:* 1. Band: Versuch einer Morphologie der metaphorischen Formen. 2. Band: Voruntersuchung zum Symbol. N. G. Elwert'sche Verlagsbuchhandlung in Marburg. 1927 y 1939.

RAYMOND, Marcel. — *De Baudelaire au surréalisme.* — Vienne, 1957.

SERVIEN COCULESCO, Pius. — *Lyrisme et structures sonores,* Boivin et Cie. Paris, 1930.

SPITZER, Leo. — *La enumeración caótica en la poesía moderna* — Instituto de Filología, Buenos Aires, 1945. Incluido en *Lingüística e historia literaria,* 2.ª ed., Biblioteca Románica Hispánica, Editorial Gredos, Madrid, 1961.

UNGER, Rudolf. — *Aufsätze zur Prinzipienlehre der Literaturgeschichte.* — Innker und Dünnhaupt Verlag, Berlin, 1929.

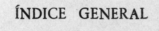

ÍNDICE GENERAL

Págs.